MERCHED Y MÔR

Argraffiad cyntaf: 2013

Rhif rhyngwladol: 978-1-84527-452-8

Mae'r cyhoeddwr yn cydnabod cefnogaeth ariannol
Cyngor Llyfrau Cymru

Cynllun clawr: Sion Ilar
Llun y clawr drwy garedigrwydd Dr Huw Lewis Roberts

Cyhoeddwyd gan Wasg Carreg Gwalch,
12 Iard yr Orsaf, Llanrwst, Conwy, LL26 0EH.
Ffôn: 01492 642031 Ffacs: 01492 641502
e-bost: llyfrau@carreg-gwalch.com
lle ar y we: www.carreg-gwalch.com

Merched y Môr
Hanes Merched Cymru a'r Môr, 1750 hyd heddiw

Robin Evans

i Twm Emlyn

Cynnwys

Rhagair

Prin iawn yw'r sylw a roddwyd i hanes merched Cymru o fewn y cyd-destun morwrol. Un rheswm amlwg dros y diffyg hwn yw'r ffaith fod hanes morwrol Cymru yn aml yn cael ei ystyried yn rhywbeth ymylol i'n hanes fel cenedl ac o ganlyniad anwybyddir sawl agwedd ar hanes morwrol bron yn llwyr, gan gynnwys hanes merched Cymru a'r môr. Er y camau mawrion a gyflawnwyd dros y degawdau diweddar o safbwynt ymchwilio i hanes merched yng Nghymru, gan mai megis cychwyn gosod y sylfeini a geid hyd yma, efallai ei bod hi'n ddealladwy nad yw cyfraniad merched morwrol Cymru wedi derbyn sylw teilwng. Ar lefel ryngwladol, er i hanes morwrol ddod yn is ddisgyblaeth o bwys sy'n trafod ystod eang o destunau, teg nodi nad yw haneswyr morwrol hwythau wedi gweld yr angen i amlygu cyfraniad merched i'r maes. Un rheswm amlwg dros hynny fu'r canfyddiad mai byd dyn oedd y byd morwrol ac mai ar y cyrion oedd merched os oeddent yno o gwbl. Yn draddodiadol, yr unig adegau y rhoddwyd sylw i ferched morwrol oedd pe byddent yn unigolion a oedd yn sefyll allan mewn byd gwrywaidd.

Myth llwyr, fodd bynnag, yw'r syniad nad oedd merched yn amlwg yn y byd morwrol yn ei holl ystod ac mae tystiolaeth o hynny o fewn hanes Cymru. Bu cyfraniad merched yn allweddol o fewn y cartrefi morwrol – gyda'r gŵr yn aml yn absennol am fisoedd os nad blynyddoedd ar y tro – ond buont hefyd yn hwylio gyda'u gwŷr i bedwar ban byd. O fewn cymunedau'r glannau roedd merched yn cyfrannu at ystod eang o swyddi a gweithgareddau, nifer ohonynt ynghlwm yn uniongyrchol â gweithgaredd morwrol. Roeddynt hefyd yn amlwg o fewn un o feysydd hynafol y byd morwrol sef y diwydiant pysgota, rhan greiddiol o fywyd economaidd a chymdeithasol cymaint o gymunedau a chartrefi'r glannau. O fewn y busnes llongau ei hun, roedd merched yn fuddsoddwyr pwysig gyda sawl un yn reolwyr-berchnogion ar longau teuluol ac yn fasnachwyr pwysig yn eu cymunedau. Ac os mai byd dyn oedd y llong yna ni ddylid anghofio i ferched ddilyn gyrfaoedd ar y môr, fel stiwardesau yn bennaf ond yn gynyddol mewn sawl maes arbenigol a ystyrid yn draddodiadol yn swyddi ar gyfer dynion yn unig. Ond nid oedd pwysigrwydd y môr wedi ei gyfyngu i gymunedau'r glannau a bu merched Cymru'n allweddol o safbwynt codi ymwybyddiaeth o'n hunaniaeth forwrol yn ddiwylliannol ar lefel leol, genedlaethol a rhyngwladol.

Bwriad y gyfrol hon yw cyflwyno amrywiol gyfraniadau merched i weithgaredd morwrol a bywyd cymunedau morwrol ar dir a môr dros gyfnod o ddwy ganrif a hanner. Er mai man cychwyn yw'r astudiaeth hon hyderaf y llwyddir i gyfleu'r ystod eang o brofiadau a gafodd merched o fewn y byd morwrol ac i osod sylfaen ar gyfer astudiaethau pellach i'r amrywiol brofiadau a chyfraniadau hynny. Hyderaf y llwyddir hefyd i ddangos i rôl merched yn y byd morwrol fod yn gwbl allweddol, a bod dylanwad y byd hwnnw ar eu bywydau hwythau yr un mor arwyddocaol. O fewn y cyd-destun hwn, trafodir hefyd i ba raddau roedd y cymunedau morwrol yn gymunedau matriarchaidd ac a oedd merched y cymunedau hynny yn wragedd annibynnol yn eu bywydau bob dydd. Yn ychwanegol, mae'r gyfrol yn cynnig cyfle i asesu pwysigrwydd y byd morwrol i hanes merched Cymru ac i fesur a gwerthfawrogi maint eu cyfraniad hwy i hanes morwrol ein cenedl.

Man cychwyn fy niddordeb yn y testun oedd cyfres o gyfweliadau â thrigolion Moelfre a mawr yw fy nyled iddynt am eu caredigrwydd, eu cefnogaeth ac am y fraint o gael eu cyfweld. Rwy'n ddyledus hefyd i nifer o unigolion gynigiodd sylwadau a chymorth wrth baratoi'r gyfrol, sef Meilyr Ceredig, Bill Jones, Mared Lewis, Anne Martin a Mari Siôn. Diolch hefyd i staff ein Llyfrgell Genedlaethol a staff Archifau Môn a Gwynedd am eu cymorth parod.

Diolch i Dr Huw Lewis Roberts, Janice Roberts, Arwyn Roberts, Mali Parry-Jones, Valerie Williams a Gaynor Perry am gael defnyddio lluniau o'u heiddo.

Diolch yn arbennig i Dr Elin Jones am ei chymorth wrth baratoi'r gyfrol: am ei sylwadau adeiladol ar y testun, am rannu o'i gwybodaeth eang ar hanes Cymru a rhan menywod yn yr hanes hwnnw ac am y broliant i'r gyfrol. Diolch hefyd am ei harweiniad proffesiynol a'i chyfeillgarwch diffuant dros flynyddoedd lawer ac am ei chefnogaeth ac anogaeth i'r hanesydd hwn wrth ei waith.

Hoffwn ddiolch yn fawr i Myrddin ap Dafydd a Gwasg Carreg Gwalch am bob cymorth a gofal wrth baratoi'r gyfrol ac yn arbennig i Nia Roberts am ei gwaith golygu trwyadl a'i chefnogaeth arferol.

Robin Evans
Mawrth 2013

Gair i gyflwyno

Dyma lyfr sy'n dod â sawl agwedd anghofiedig ar hanes yn fyw o flaen ein llygaid, yn gwneud cyfiawnder â hanes sydd mewn perygl o gael ei anwybyddu, ac yn gwneud hynny mewn Cymraeg goeth a rhywiog, sy'n bleser i'w darllen. Mae arfordir Cymru yn hirach o lawer na Chlawdd Offa, ac am ganrifoedd y môr fu yn ein cysylltu â gwledydd eraill Ewrop a'r byd mawr tu hwnt. Roedd ein pentrefi tawel glan môr unwaith yn borthladdoedd prysur, a'u strydoedd yn llawn pobl busnes a chrefftwyr yn ogystal â morwyr a physgotwyr. Ond nid dynion yn unig sydd yn byw mewn unrhyw gymuned, er taw eu hanes nhw sydd yn cael y sylw i gyd fel arfer. Camp fawr y llyfr hwn yw cyflwyno i ni hanes hanner arall y boblogaeth, yn ei holl amrywiaeth, yn y cartref, ar y cei ac ar y llongau hefyd.

Daw hanes y cymunedau hyn yn fyw o flaen ein llygaid wrth i ni ddarllen y gyfrol hon, dros gyfnod allweddol yn hanes Cymru. Mae'r awdur wedi defnyddio ystod eang o ffynonellau yn gelfydd iawn i greu darlun bywiog a manwl o orffennol sydd mor agos atom, ond eto mewn perygl o gael ei anghofio. Rhydd y gorffennol hwnnw yn ei gyd-destun rhyngwladol hefyd, gan wneud cymariaethau difyr a thrawiadol gyda chymunedau morwriaethol eraill ar arfordir Ewrop a thu hwnt.

Dengys y llyfr sut y bu merched a'r menywod yn cynnal y cymunedau morwriaethol ar hyd y canrifoedd. Dyma lyfr sy'n herio'n pob ystrydeb am rôl menywod yn y gorffennol. Cawn gyfle i gwrdd â'r menywod a weithiodd fel labrwyr ar y dociau; y menywod fu'n berchen ar longau ac yn rhedeg busnesau; y menywod a deithiodd y byd ar longau o Gymru; y menywod a ddysgodd eu crefft i rai o'r morwyr craffaf. Ond roedd gan lawer o'r menywod hyn ddyletswyddau teuluol hefyd, ac fe ddaw'n glir bod gan famau'r cymunedau morwriaethol hyn gyfrifoldebau arbennig. Roedd yn rhaid iddyn nhw gynnal y cartref a'r teulu pan fyddai'r gwŷr i ffwrdd ar y môr, a hynny am gyfnodau hir ac amhenodedig, ar adeg pan oedd llythyr yn cymryd misoedd i gyrraedd pen y daith, os oedd yn cyrraedd o gwbl, a bywyd morwr yn un peryglus dros ben. Os oedd trysorau o bedwar ban byd yn addurno cartrefi'r morwyr, fe'u prynwyd trwy lafur caled a gofidiau mawr, ac mae beddau mynwentydd y glannau yn ein hatgoffa mor frau oedd gyrfa lwyddiannus y capten craffaf.

Nid yw pleserau glan y môr wedi eu hesgeuluso chwaith, a chawn ddisgrifiadau bywiog o ddatblygiad twristiaeth a hwylio pleser, sydd yn dal yn rhan o fywyd Cymru heddiw, wedi i'r llongau ddiflannu o'r cei, a'r cadwyni rydu yn y dociau.

Dr Elin Jones

Cyflwyniad

Mae arfordir Cymru yn ymestyn dros fil o filltiroedd, felly nid yw'n syndod mewn gwirionedd i weithgaredd morwrol chwarae rhan bwysig yn hanes y wlad fach hon ers canrifoedd. Bu amrywiol weithgareddau yn seiliedig ar y môr; gan gynnwys pysgota, masnach y glannau, twristiaeth a chludo pobl; yn ffactorau allweddol yn sefydlu, datblygiad a goroesiad cymunedau morwrol Cymru. Rhestra J. Geraint Jenkins chwe deg a phump o borthladdoedd y gellir eu hystyried yn brif ganolfannau morwrol Cymru.[1] Amrywia'r rhain o draethau agored i bentrefi bychain; eraill yn drefi mawrion gyda phedair (Abertawe, Bangor, Caerdydd a Chasnewydd) yn ddinasoedd erbyn hyn. Mae'n bosibl ychwanegu at restr Jenkins enwau nifer o gymunedau morwrol bychain, gwledig, anghysbell yr oedd y môr yn eu cysylltu â'r byd y tu allan – nifer o'r cymunedau hyn yn hynafol ac wedi datblygu cymeriad unigryw dros y canrifoedd. Tyfodd rhai yn fwy diweddar o ganlyniad i'r chwyldro diwydiannol, ond roeddynt hwythau hefyd yn berchen ar eu cymeriad arbennig. Ond boed yn hynafol neu'n fodern, dibynnai llanw a thrai llwyddiant y cymunedau hynny ar nifer o ffactorau, ac fe'u trawsffurfiwyd yn yr oes ôl-ddiwydiannol.[2]

Yn anorfod bron, wrth drafod Cymru a'r môr y tueddiad yw rhoi'r pwyslais ar 'longwyr a llongau'. Ond, yn union fel y mae ein cymunedau morwrol yn amrywiol, felly hefyd y bu eu trigolion ynghlwm â sawl gweithgaredd morwrol, ac nid oedd yr ymwneud â'r gweithgaredd hwnnw wedi ei gyfyngu i ddynion. Er hynny, yn draddodiadol, y tueddiad yw i ran merched yn hanes Cymru a'r môr gael ei anwybyddu bron.

Nid yw peidio rhoi sylw dyledus i ran merched yn ein hanes wedi ei gyfyngu i'r cymunedau morwrol. Yn ei chyflwyniad i'r dylanwadol *Our Mother's Land: Chapters in Welsh Women's History 1830-1939* datganodd Angela V. John: '*The history of Welsh people has often been camouflaged in British history yet women have also been rendered inconspicuous within their own Welsh history.*'[3] Rhaid oedd disgwyl tan y 1970au cyn i hanes Cymru gychwyn datblygu o ddifrif fel maes academaidd cydnabyddedig.[4] Yn ddigon naturiol, roedd pwyslais haneswyr y cyfnod ar adennill gorffennol y genedl, rhywbeth nad oedd wedi ei gyfyngu i Gymru.[5] O'r herwydd, ar y cychwyn beth bynnag, roedd hi'n anorfod bod y meysydd hynny a ymddangosai'n ymylol, gan gynnwys hanes merched a hanes morwrol, yn cael eu gosod o'r neilltu. Eto, yn ystod y chwarter canrif diwethaf un o'r datblygiadau arwyddocaol o ran hanesyddiaeth Cymru fu'r twf mewn meysydd astudio arbenigol. Mae hanes merched yn achos amlwg ac adlewyrchwyd hynny yn y nifer cynyddol o gyhoeddiadau a ganolbwyntia'n gyfan gwbl ar hanes merched Cymru ar y naill law, a'r sylw teilwng a roddir i ferched yn hanes Cymru yn gyffredinol ar y llall. Efallai ei bod hi'n wir yn achos Cymru fod '*women's history is new history*' a bod sawl agwedd o hanes merched Cymru yn parhau yn guddiedig, ond y gwir yw nad yw hanes Cymru yn anwybyddu hanes merched mwyach. Ac er bod llawer eto i'w wneud mae'r arwyddion yn gadarnhaol.[6]

Beth am hanes morwrol Cymru? Mae'n wir fod hanes morwrol Cymru yn draddodiadol wedi derbyn mwy o sylw na hanes merched. Mae cyhoeddi *Morwyr Cymru*, traethawd buddugol Eisteddfod Genedlaethol 1866 a chlasur David Thomas, *Hen Longau Sir Gaernarfon* yn 1952, yn ddwy enghraifft, er yn gyfyng, o gydnabod rhan gweithgaredd morwrol yn hanes Cymru cyn y 1970au.[7] Erbyn diwedd yr ugeinfed ganrif roedd gan Gymru grŵp bach, ond cynhyrchiol, o haneswyr morwrol yn cyhoeddi ar amrediad o destunau morwrol. Roedd cyhoeddi'r cylchgrawn

Maritime Wales/Cymru a'r Môr yn golygu ffocws i hanes morwrol Cymru gan lwyddo i dynnu sylw at orffennol morwrol Cymru ar lefel ryngwladol. Ond, er hynny, nid yw hanes morwrol ein cenedl hyd yma wedi derbyn y sylw mae'n ei haeddu gan ymddangos, os o gwbl, ar yr ymylon wrth drafod hanes Cymru. Roedd yr agwedd hon tuag at hanes morwrol yn un a wynebai haneswyr morwrol sawl gwlad cyn y 1980au.

Ar y lefel ryngwladol honno mae hanes morwrol wedi wynebu archwiliad manwl dros y degawdau diwethaf ac mae hynny wedi arwain at dderbyn na ddylai hanes morwrol fod yn annibynnol ar feysydd ehangach, datblygiadau economaidd a chymdeithasol er enghraifft. Yn gyferbyniol, nid yw hanes morwrol Cymru hyd yma wedi cyflawni ei botensial o safbwynt ystod y pynciau morwrol sydd wedi derbyn sylw. Er enghraifft, dim ond dau waith sydd wedi rhoi unrhyw sylw o werth i brofiadau merched morwrol.[8] Ond, er ei ddiffygion, mae hanes morwrol Cymru yn faes sydd ag addewid arwyddocaol i ddeall ein gorffennol, nid yn unig o safbwynt cenedlaethol Cymreig, ond hefyd yn nhermau potensial ei gyfraniad i hanes morwrol ar lefel fyd eang.

Er y cynnydd yn y testunau sydd yn dod o dan ymbarél 'hanes morwrol' dim ond yn ddiweddar y gwelwyd pwyslais mwy sylweddol ar rôl merched. Gan fod hanes morwrol erbyn hyn yn cynnwys ystod eang iawn o weithgareddau sydd ynghlwm â'r môr, ond heb fod yn annibynnol ar ddatblygiadau eraill, yna nid yw'n syndod fod astudio merched o fewn amrywiol gyd-destunau morwrol yn derbyn llawer mwy o sylw academaidd. Er hynny, dyddiau cynnar iawn yw'r rhain o safbwynt astudio merched yn y byd morwrol.

Un rheswm pam nad yw merched wedi derbyn llawer o sylw o fewn hanes morwrol yw'r diffyg tystiolaeth, problem sydd yn sicr heb ei chyfyngu i hanes morwrol. Er enghraifft, mae tystiolaeth ystadegol fel cyfrifiadau yn hepgor gwaith achlysurol merched ac un canlyniad yw ei bod hi'n anodd iawn gwybod pa gyfran o ferched oedd yn weithredol yn economaidd.[9] Efallai fod y prinder tystiolaeth yn rhannol esbonio pam mai ond wrth basio y caiff merched eu trafod pan astudir gweithgareddau morwrol, a hynny yn aml drwy gyfeirio atynt ar lefel syml o safbwynt eu cyfraniad yn y cartref. Ar y llaw arall, weithiau byddai tystiolaeth eithriadol yn tynnu sylw at ferched, fel y darluniodd *Gwraig y Capten* gan Aled Eames. Golyga'r diffyg tystiolaeth hwn fod y rhai sydd yn ymchwilio i rôl a phrofiadau merched o fewn y byd morwrol yn gorfod bod yn llawer mwy hyblyg eu methodoleg.

Un ffynhonnell arwyddocaol sydd yn cael ei gwerthfawrogi gan haneswyr morwrol yw tystiolaeth lafar. I Valerie Yow mae'r term 'hanes llafar' yn cyfeirio at gofiant ar dâp, adysgrif wedi ei deipio a'r dulliau ymchwilio sydd ynghlwm â chyfweld yn fanwl.[10] Mae'r dull ymchwilio hwn wedi rhoi llais i'r rhai na fyddent, yn y gorffennol, wedi cael cyfle i gofnodi eu hanes, ac adlewyrchir hyn mewn nifer o gyhoeddiadau morwrol yng Nghymru. I haneswyr morwrol mae hanes llafar yn cynnig methodoleg werthfawr sydd â'i manteision yn gorbwyso ei chyfyngiadau. Ni ddylai hanes merched morwrol gyfyngu ei hun i ddefnydd o dystiolaeth lafar yn unig, ond mae defnyddio tystiolaeth lafar yn adlewyrchu'r angen i'r hanesydd fod yn hyblyg iawn o ran methodoleg o safbwynt astudio hanes merched morwrol.

Ffactor sylweddol arall sy'n helpu i esbonio pam y bu i haneswyr morwrol dalu cyn lleied o sylw i ran merched yn y byd morwrol yw'r canfyddiad mai byd dyn oedd y byd morwrol ac mai ar y cyrion oedd merched os oeddent yno o gwbl. Yn amlwg roedd gwragedd morwyr o fewn cymunedau morwrol dan ddylanwad y môr ond yr unig adeg y rhoddwyd sylw amlwg i ferched morwrol fel arfer oedd pe byddent yn *exceptional women in a man's world.*[11] Erbyn heddiw mae'r farn hon yn cael ei herio er bod haneswyr fel Berggreen yn cydnabod: *'maritime activity ranges from exclusively to predominantly male domains.'*[12] Yn y cyd-destun hwn mae sawl cwestiwn pwysig yn codi megis i ba raddau y chwaraeodd merched ran mewn gweithgareddau morwrol 'gwrywaidd', a oedd y merched hynny yn eithriadau a beth oedd eu perthynas hefo'r morwyr gwrywaidd? A oedd merched yn rhan greiddiol o rai gweithgareddau morwrol – pysgota'r glannau er enghraifft – ac a oedd hyn yn wir ym mhob ardal? A oedd gwraig y capten yn hwylio gyda'i gŵr ar wyliau neu a oedd hi yn rhan allweddol o'r criw? Mae cyfraniad merched i fywyd ar fwrdd llong yn cynnig cyfle i ystod eang o astudiaethau a gellir holi hefyd i ba raddau yr oedd dynion yn tra-arglwyddiaethu ar longau. Ar yr wyneb ymddengys mai byd dyn yw'r byd morwrol, ond mewn gwirionedd mae'r darlun traddodiadol hwn yn cynnig cyfle a her i'r hanesydd morwrol sydd â diddordeb yn rhan merched yn y byd morwrol.

Mae astudio rhan merched yn ein hanes morwrol yn cael ei dderbyn fel maes sydd â'r potensial i gyfrannu'n sylweddol i hanes rôl rhyw. Tra bu hanes morwrol traddodiadol yn canolbwyntio ar hanes dynion bron yn gyfan gwbl, ac wedi ei ysgrifennu gan a'i anelu at ddynion, mae'r darlun traddodiadol hwn yn cael ei herio fesul tipyn ac mae hyn yn cyfrannu at ein dealltwriaeth o'r gorffennol morwrol. Gallai bywyd teuluol morwrol yn arbennig gynnig cyfle i ddeall y rhan yr oedd dynion, merched a phlant yn ei chwarae o fewn y cartref a'r gymuned ehangach. Gellir gweld hyn, er enghraifft, yn hyblygrwydd gwraig y morwr a'r newid sydd yn ei rôl a'i pherthynas pan fyddai'r gŵr ar y môr a phan fyddai gartref (a phan fyddai hi wedi mynd i'r môr hefo'i gŵr os oedd ef yn gapten). Yn yr un modd mae angen trafodaeth bellach ar y canfyddiad fod merched morwrol yn gymeriadau annibynnol o'u cymharu â merched mewn meysydd eraill.[13] Ar y llaw arall, mae'n bosibl fod y pwyslais ar hanes rôl rhyw yn gosod hanes merched morwrol ar y cyrion yn barhaol, gan dynnu sylw oddi wrth botensial rôl ganolog merched yn y byd morwrol. Beth bynnag am unrhyw fygythiad posibl, nid oes unrhyw amheuaeth fod hanes merched morwrol, a'i gyfraniad i hanes rôl rhyw, o fudd pendant i hanes morwrol.

Yn draddodiadol, heblaw am 'ferched eithriadol', os oedd cyfeiriad at ferched o fewn y cyd-destun morwrol o gwbl yna fel arfer roedd hynny oherwydd: *'they were mentioned incidentally in studies concerning the domestic lives of fishermen or seafarers.'*[14] Erbyn heddiw mae diddordeb haneswyr morwrol yn y cysyniad o'r amgylchedd morwrol a hunaniaeth forwrol wedi sicrhau fod merched yn cael eu gweld fel cymeriadau arwyddocaol yn y byd morwrol. O safbwynt hunaniaeth forwrol, sef bod gwaseidd-dra i'r môr wedi meddiannu'r gymuned gyfan, roedd merched yn rhannu'r un peryglon â'r morwyr, yr unigrwydd a'r disgwyl yn ogystal â gweithio ar y môr, pysgota er enghraifft, gan gynnwys rheoli cwmnïau.[15] Erbyn heddiw rydym yn dechrau gweld ffrwyth ymchwil hanes morwrol oherwydd gwerthfawrogiad o'r amrediad eang o gymunedau morwrol, a'r cyfraniad sylweddol ac amrywiol gan ferched o fewn y cymunedau hynny.

Nodiadau

1   J. Geraint Jenkins, *Traddodiad y Môr* (Llanrwst, Gwasg Carreg Gwalch, 2004), 100-101.

2   Robin Evans, 'Cymuned Forwrol: Cysyniad Gymhleth?', *Cymru a'r Môr/Maritime Wales*, 32 (2011), 20-40.

3   Angela V. John, (gol.), *Our Mother's Land: Chapters in Welsh Women's History 1830-1939* (Caerdydd, Gwasg Prifysgol Cymru, 1991), 1.

4   Geraint H. Jenkins, 'Clio and Wales: Welsh Remembrancers and Historical Writing 1751-2001', *Transactions of the Royal Society of Cymmrodorion*, 8, (2002).

5 T. Kuzio, 'Historiography and National Identity among the Eastern Slavs: Towards a New Framework', *National Identities*, 3, 2 (2001).

6 D. Beddoe, *Out of the Shadows: A History of Women in Twentieth-Century Wales* (Caerdydd, Gwasg Prifysgol Cymru, 2000), 5-6.

7 D. Griffith, *Morwyr Cymru* (Caernarfon, J.Davies, 1866); David Thomas, *Hen Longau Sir Gaernarfon* (ail.arg. Llanrwst, Gwasg Carreg Gwalch, 2007). Argraffiad Cyntaf (Caernarfon, Cymdeithas Hanes Sir Gaernarfon, 1952).

8 A. Eames, *Gwraig y Capten* (Caernarfon, Gwasanaeth Archifau Gwynedd, 1984); Robin Evans, 'Yn Fam ac yn Dad: Hanes Merched yn y Gymuned Forwrol c. 1800-1950', Cof Cenedl XVIII (2003), 99-126.

9 Beddoe, *Out of the Shadows,* 6-8.

10 Valerie Raleigh Yow, *Recording Oral History: A Practical Guide for Social Scientists,* (Llundain, 1994), 4.

11 H. Hagmark-Cooper, 'Is there a place for women in maritime history?' yn 'Lives shaped by the sea: how has the sea determined, influenced or changed peoples and communities on land?' *History in Focus* 9, 'The Sea': http://www.history.ac.uk/ihr/Focus/Sea/research.html (gwelwyd 3/3/2006).

12 B. Berggreen, 'Dealing with Anomalies? Approaching Maritime Women', yn L.R. Fischer, H. Hamre, P. Holm, J.R. Bruijn (gol.), *The North Sea: Twelve Essays on Social History of Maritime Labour* (Stavanger, Stavanger Maritime Museum/The Association of North Sea Societies, 1992), 115.

13 Hagmark-Cooper, 'Is there a place for women in maritime history?' (gwelwyd 3/3/2006).

14 Hagmark-Cooper, 'Is there a place for women in maritime history?' (gwelwyd 3/3/2006).

15 M. Mollat du Jourdin; *Europe and the Sea,* (Rhydychen, Blackwell, 1993), 154.

Pennod 1

Merched a'r Cartref Morwrol

Ar ddiwedd y ddeunawfed ganrif roedd y cartref yn ganolog i fywydau merched Cymru. Yn ogystal â chyflawni ystod o oruchwylion wrth redeg y cartref, ochr yn ochr â hyn byddai merched hefyd yn cyfrannu i amrywiol weithgareddau y tu hwnt i'r bywyd domestig pur. Yn y canrifoedd cyn y chwyldro diwydiannol ystyriwyd y teulu yn uned cynhyrchu economaidd gyda rôl merched yn ganolog. Yn yr economi wledig a nodweddai Ewrop y ddeunawfed ganrif, roedd gwaith, teulu a chartref ynghlwm â'i gilydd, gyda chyfraniad dynion, merched a phlant fel ei gilydd yn allweddol. Er bod rhai cyfleoedd gwaith i ferched y tu allan i'r cartref, roedd nifer o'r rheiny yn aml yn estyniad o'u gwaith yn y cartref neu ar y fferm, fel morynion, er enghraifft.

Daeth tro ar fyd gyda'r chwyldro diwydiannol a lwyddodd, ynghyd â newid demograffig y bedwaredd ganrif ar bymtheg, i chwalu cyfleoedd gwaith i ferched yn y tymor byr. Byd dynion oedd y byd diwydiannol newydd i bob pwrpas, ond effeithiodd hynny'n uniongyrchol ar fywydau merched o fewn y cartref gan fod trefn feunyddiol gwaith tŷ yn awr yn troi o amgylch anghenion y dynion yn y gweithfeydd diwydiannol. Gyda datblygiad diwydiant, trefoli a chymdeithas defnyddwyr yn seiliedig ar y system gyfalafol, collodd y rhan fwyaf o ferched y cyfle i ennill cyflog gartref, oedd wedi bod mor bwysig i gymaint ohonynt hwy a'u teuluoedd yn y gorffennol, yn arbennig yn y trefi newydd. Yn ogystal â hyn, newidiodd agweddau at ferched yn ystod y ganrif gan eu gweld fel pobl oedd yn perthyn i'r byd domestig yn unig. Ond erbyn diwedd y ganrif bu merched dosbarth canol yn dechrau herio'r gyfraith a chyfyngiadau cymdeithasol, gyda'r dosbarth gweithiol hwythau yn galw am ddiwygio eang, ac roedd hyn oll yn argoel o newidiadau sylweddol i fyd merched.

Profodd yr ugeinfed ganrif ddau ryfel byd ac ymhlith effeithiau'r rhyfeloedd ar ferched Cymru roedd newid mewn safonau byw oedd yn rhoi galwadau newydd ar y gweithlu ac yn dylanwadu ar newid mewn gwaith i ferched. Gwelodd ail hanner yr ugeinfed ganrif newidiadau pellgyrhaeddol gyda chyfleoedd gwaith newydd a mwy o ryddid gyda merched yn gynyddol mynnu, ac ennill, mwy o hawliau. Ond er i ferched fanteisio ar amrywiol ddatblygiadau a chyfleoedd, gwelodd y degawdau wedi'r Ail Ryfel Byd bwysau cynyddol arnynt i aros gartref a pharhau â'u rôl draddodiadol. I Simonton mae'r ffaith fod merched yn fwy amlwg yn y gymdeithas, gyda'u rôl yn y cartref wedi'i drawsnewid, yn golygu bod sefyllfa merched erbyn hyn yn debyg i'r hyn yr oedd o yn y ddeunawfed ganrif![1]

Wrth drafod hanes merched felly, fel y pwysleisia Beddoe, rhaid canolbwyntio ar destunau oedd yn greiddiol i'w profiadau. Yn sicr roedd y cartref yn ganolog i fywydau merched pa gyfnod bynnag yr ydym yn cyfeirio ato a dylid cadw mewn cof mai gwragedd tŷ oedd mwyafrif merched y cyfnodau hyn.[2] Yn y bennod hon felly, canolbwyntir ar amgylchedd y cartref a gwaith merched parthed rhedeg y cartref a'u gwaith tŷ beunyddiol a'u profiadau o ddydd i ddydd. O safbwynt astudiaeth ar gymunedau morwrol, yr hyn sydd angen ei drafod yw sut oedd profiadau merched yn y cartrefi morwrol yn cymharu â phrofiadau merched mewn cymunedau eraill ac i ba raddau y gwelwyd newid yn y cartrefi hynny dros y ddwy ganrif a hanner ddiwethaf.

Tai

Dros y rhan fwyaf o'r cyfnod dan sylw yn yr astudiaeth hon roedd tair problem amlwg gyda thai mwyafrif y boblogaeth

dan sylw sef eu cyflwr, y ffaith nad oedd digon ohonynt ar
gael i ateb y galw a'r diffyg cyfleusterau sylfaenol. Nid oedd
y problemau hyn yn ddieithr i drigolion cymunedau arfordir
Cymru ond roeddynt oll yn ganolog i safon bywyd
menywod Cymru.

Yn sicr tai elfennol iawn oedd ar gael i fwyafrif
poblogaeth cymunedau'r arfordir drwy gydol y ddeunawfed
a'r bedwaredd ganrif ar bymtheg. Yn 1801, er enghraifft, cyn
i'r dref dyfu'n borthladd o bwys, casgliad o strydoedd blêr
oedd Caergybi gyda llawer o gaeau o'i amgylch ac yn hyn o
beth roedd yn nodweddiadol o dref borthladd ar ei thyfiant.
Lloriau pridd oedd i'r tai ac nid oeddynt yn ddim gwell na
hofelau mewn gwirionedd.[3] Roedd y sefyllfa'n un debyg ym
Mhorthmadog ac er bod rhwng 1,800 a 2,000 o bobl yn byw
yno yn 1857, ymddengys bod canran sylweddol o'r teuluoedd
yn byw mewn selerau gwlyb ac oer gydag afiechydon yn
gyffredin.[4] Fel yn achos trefi diwydiannol y cymoedd, un o
nodweddion tai yng nghyffiniau dociau newydd y trefi
mawrion oedd iddynt gael eu hadeiladu ar frys, yn agos at ei
gilydd ac o safon wael iawn. Un o'r cymunedau hynny oedd
Newtown yng Nghaerdydd a adeiladwyd gan Ardalydd Bute
yn 1846 er mwyn cartrefu'r Gwyddelod a heidiai yno ar
longau o Iwerddon adeg y Newyn Mawr. Roedd digonedd o
waith i'r mil o bobol a drigai yn y chwe stryd o tua 200 o dai.
Ond slym oedd Newtown gyda'r tai afiach yn agos at ei
gilydd, gefn wrth gefn, hefo diffyg awyriad yn broblem
enfawr a llawer gormod o bobl ym mhob tŷ. Roedd yr ardal
wedi ei hamgylchynu gan weithfeydd swnllyd a'r unig
gyfleusterau oedd siopau, tafarndai a dwy Eglwys.[5] Yn hyn o
beth nid oedd llawer o wahaniaeth rhyngddynt â thai mewn
ardaloedd diwydiannol fel y Rhondda.[6] Roedd y mathau
yma o dai yn nodweddu ardaloedd y dosbarth gweithiol ar
draws Cymru gan gynnwys y cymunedau porthladd, trefi
porthladd bach fel Caernarfon neu fawr fel Abertawe. Ond

dylid cadw mewn cof, fodd bynnag, fod nifer heb gartref o gwbl, yn arbennig mewn cyfnod o fewnlifiad i drefi porthladd. Yn 1829 adroddwyd bod sefyllfa'r dosbarth gweithiol yng Nghasnewydd wedi dirywio'n sylweddol a hynny'n bennaf oherwydd mewnfudwyr o'r Iwerddon fyddai'n cyrraedd y dref gan hwylio o Fryste. Eu hunig ddewis hwy oedd cardota mewn gangiau o ddynion, merched a phlant cyn ceisio cymorth y plwyf.[7]

Nid oedd tai yng nghymunedau morwrol cefn gwlad lawer yn well na thai'r trefi porthladd. Yn wir, mewn sawl ardal roedd y tai yn waeth yn y wlad nag yn dref gyda'r boblogaeth yn byw mewn bythynnod un neu ddwy ystafell, un llawr, efo lloriau pridd yn aml; ac unwaith eto roedd llawer gormod o bobl yn byw ynddynt.[8] Cyn datblygiad Llandudno fel canolfan i ymwelwyr, bu cymuned o 125 o bobl yn byw yn ardal Morfa, sef 11.5% o boblogaeth pentref Llandudno ar y pryd. Roedd 90% o benaethiaid tai'r Morfa yn fwynwyr yn byw mewn ugain o dai unnos gydag un adeilad pwrpasol cyfagos, Y Storws, ar gyfer cadw mwyn copr yn ddiogel cyn ei drosglwyddo i longau. Fel y nododd un o drigolion y fro, nid oedd tai'r Morfa dim amgenach na: '*Huts built of clay, white washed in front, with a small garden adjoining both sides,*' ac oherwydd eu lleoliad, yn aml bu iddynt wynebu llifogydd – ar adeg llanw uchel tymhorol er enghraifft.[9] Ym Moelfre, nodwyd bod ym mhedwar tŷ ar ddeg Penrhos Terrace a Sea View Terrace yn 1915 un ystafell fyw a dwy ystafell wely gyda rhai wedi eu rhannu efo gwely wensgot. Ond roeddynt ymhell o fod yn ddelfrydol. Roedd un tŷ â llawr o garreg a phridd, nid oedd gan yr un ohonynt ddrws cefn, er bod gan un '*zinc shed at back and scullery*' tra bod ambell fwthyn: '*not so well kept*'. Yr hyn sy'n ddiddorol yma yw bod y rhain yn dai gweddol newydd gan iddynt gael eu hadeiladu tua 1880, pryd y symudodd nifer o deuluoedd yno o fythynnod traddodiadol yng nghanol y pentref.[10]

Byddai'n gamgymeriad, fodd bynnag, i ni feddwl mai tai gwael oedd yn gyffredin drwy Gymru. Roedd rhai tai o safon dda iawn ar gyfer gweithwyr mwy cefnog y cymoedd diwydiannol hyd yn oed, gyda thair neu bedair ystafell wely; a thai gwell ar gyfer y dosbarth canol ac uwch yn yr ardaloedd hynny hefyd.[11] Roedd mewn rhai trefi filâu sylweddol ac roedd hynny'n cynnwys cymunedau morwrol megis Caerdydd, Abertawe, Aberystwyth a Llandudno. Wrth i Gasnewydd dyfu yn y bedwaredd ganrif ar bymtheg, bu ei morwyr a gweithwyr porthladd yn byw yn ardaloedd tlotaf y dref ond roedd y trigolion mwyaf cefnog, a oedd yn cynnwys rhai a oedd ynghlwm â'r busnes llongau, yn byw yn y tai teras drutaf, y tai un talcen a'r filâu ar wahân, yn ardaloedd cefnog y dref.[12] Er nad oeddynt yn filâu, roedd tai o safon uwch hefyd yn ymddangos o fewn, ac ar gyrion, rhai o'r pentrefi morwrol tlotaf wrth i unigolion lwyddo i ddringo'r ysgol forwrol a chyrraedd statws capten, a olygai fod modd ganddynt i adeiladu tai a adlewyrchai eu hincwm a'u statws yn y fro ac a oedd yn eu gosod ar wahân. Wedi geni eu hail fab Gwilym Hugh yn 1912, a chydag un ferch bum mlwydd oed o'r enw Ellen Gwyneth, gadawodd Grace Davies, gwraig y Capten William Davies o Nefyn, ei bywyd fel gwraig y capten yn hwylio'r moroedd i oruchwylio cwblhau adeiladu eu cartref newydd, efo tair ystafell fawr, a fyddai'n barod yn 1913.[13] Yn gynnar yn yr ugeinfed ganrif adeiladodd y Capten William Owen Griffith o Sarn Mellteyrn dri thŷ ar gyrion Abersoch, pentref genedigol ei wraig, Jane, gydag un o'r tai â golygfeydd dros Fae Ceredigion gyda dwy ffenestr ar ffurf portwll yn y ddau dalcen i edrych allan dros y môr.[14] Ond er nad oedd y mathau yma o dai yn eithriadau prin, ac er nad oeddynt wedi eu cyfyngu i gymunedau morwrol, gwael iawn oedd safon tai Cymru yn gyffredinol.

Fel y crybwyllwyd uchod nid safon y tai oedd yr unig

broblem. Roedd gormod o bobl yn byw o dan yr un to yn achos trafferthion difrifol ym mhob rhan o Gymru, gan gynnwys y porthladdoedd. Ym Mhorthmadog yn y 1850au nodwyd bod gorlenwi yn broblem gyffredin ac adroddodd y meddyg lleol iddo ddod ar draws '*as many as twenty seven persons living in a six roomed house.*'[15] Bron i ganrif yn ddiweddarach, yn 1936, roedd 1,453 o deuluoedd yng Nghaerdydd yn byw mewn cartrefi o'r fath, sefyllfa ddigon tebyg i'r 1,066 o deuluoedd dosbarth gweithiol yn nhref ddiwydiannol Merthyr. Nid oedd y sefyllfa'n wahanol yng nghefn gwlad, gydag Ynys Môn y drydedd sir waethaf yng Nghymru a Lloegr o ran gormod o bobl yn byw ym mhob tŷ. Problem ychwanegol oedd bod y Cymry yn byw mewn tai llawer hŷn na'u cyfoedion yn Lloegr.[16] Erbyn y 1920au a'r 1930au roedd nifer o awdurdodau wedi mynd ati i geisio clirio slymiau. Gan fod nifer o dai yng Nghaerdydd a'r Barri wedi eu hadeiladu yn hwyr yn y bedwaredd ganrif ar bymtheg roeddynt wedi eu cynllunio'n dda ac felly nid oedd galw am glirio slymiau yno yn y 1930au, yn wahanol i Abertawe lle'r oedd 150 o dai mewn 27 cwrt cul.[17] Ond roedd y sefyllfa ymhell o fod yn ddelfrydol yng Nghaerdydd a'r Barri. Felly, er adeiladu tai cyngor yn Y Barri, nododd swyddog meddygol yn 1920: '*temporary dwellings of all descriptions are springing up in different parts of the district and considerable difficulty is being experienced in dealing with the provision of sanitary conveniences and water supply.*'[18] Mewn ymgais i geisio lle i fyw, a hithau'n ddirwasgiad yn y 1920au a'r 1930au, trodd bobl at unrhyw gyfle posibl i gael cartref. Yng Nghaerdydd roedd tueddiad i bobl: '*to overflow from the ordinary dwelling-houses into such make-shift quarters as converted boats on the foreshore.*'[19] Yn Jersey Marine, rhwng Abertawe a Phort Talbot, adeiladwyd siediau fel cartrefi allan o froc môr.[20] Yn sicr roedd prinder tai yn broblem ddyrys yn y cymunedau morwrol fel mewn sawl ardal arall.

Dim ond ar ôl yr Ail Ryfel Byd y gwelwyd gwelliant yn nifer a safonau tai, er bod rhai pobl ar ddiwedd y rhyfel wedi meddiannu cytiau Nissen ar diroedd cyn-ganolfannau milwrol a morwrol, yn ymestyn o Gaergybi i Ynys y Barri, fel cartrefi dros dro. Rhwng 1945 ac 1951 adeiladwyd dros wyth mil o dai yn flynyddol ar gyfartaledd. Tai Cyngor oedd mwyafrif llethol ohonynt ac erbyn diwedd y 1960au roedd chwarter poblogaeth Cymru yn byw mewn tai Cyngor. Roedd hyn yn rhan o raglen i gael gwared ar hen dai a chafodd effaith uniongyrchol ar nifer o gymunedau morwrol, wrth i rannau mawr o Dre-biwt a hen dref Caernarfon gael eu chwalu, er enghraifft. Gwelwyd gwelliant yn safon tai yng nghefn gwlad hefyd, ond ym mhob rhan o Gymru; y diwydiannol, cefn gwlad a'r morwrol; parhâi nifer o dai nad oeddynt yn cyrraedd y safon ddisgwyliedig.[21] Gwelodd trefi porthladd fel Caergybi adeiladu ystadau tai Cyngor mawr ar gyfer poblogaeth a weithiai ar y rheilffyrdd, y dociau, y llongau a gweithfeydd diwydiannol fel Alwminiwm Môn. Ond deuai i'r ystadau hynny eu problemau arbennig eu hunain maes o law gan gynnwys problemau cymdeithasol dirfawr a phroblemau o safbwynt safon y tai a'u cyfleusterau hefyd.

Er nad yn unigryw i gymunedau morwrol, un o'r peryglon oedd yn gyffredin i nifer o dai'r cymunedau hynny oedd llifogydd, a hynny'n broblem gyson dros y canrifoedd. Fel y gwelwyd yn achos bythynnod y Morfa yn Llandudno, roedd y môr ei hun yn fygythiad i nifer o dai ar yr arfordir yn arbennig adeg tywydd garw, weithiau yn effeithio ar un neu ddau o gartrefi yn unig ond ambell dro ar gymuned gyfan. Un o'r trefi a ddioddefodd yn gyson oedd Y Rhyl a'r arfordir cyfagos. Yn 1910 cafwyd llifogydd a lwyddodd i lenwi lloriau isaf bythynnod gweithwyr rheilffordd y dref a rhaid oedd i'r dynion ddianc gyda chymorth ysgolion drwy ffenestri'r ystafelloedd cysgu a defnyddio cwch i achub y merched a'r plant. Oherwydd gwyntoedd tymhestlog, llanw uchel a thraeniau wedi eu blocio cafwyd llifogydd eto yn Nhachwedd 1932 ac: '*at Miller's Cottage, Towyn, the sole occupier Miss Millward, waded knee deep while transferring furniture to the upper rooms.*'[22]

Os oedd cyflwr y tai yn amrywio o fewn y cymunedau morwrol, fel yng ngweddill y wlad, felly hefyd cyfleusterau sylfaenol, megis cyflenwi dŵr i'r cartrefi a gwaredu gwastraff. Am ran fawr o'r cyfnod dan sylw, o safbwynt dŵr yfed ac ymolchi/golchi, dibynnai mwyafrif y boblogaeth, gan gynnwys y cymunedau morwrol, ar ddulliau a amrywiai o afonydd a llynnoedd i ffynhonnau, pympiau dŵr a chasgenni. Ym mhentref Moelfre dibynnai'r trigolion ar dair ffynnon hyd at ddiwedd y bedwaredd ganrif ar bymtheg pan gafwyd pwmp dŵr ar safle un ffynnon ar lan y môr. Yn anffodus nid oedd yn hollol ddibynadwy gan y byddai gwyntoedd dwyreiniol a llanw uchel yn golygu bod dŵr heli yn casglu ynddi a rhaid fyddai disgwyl rhai dyddiau i'r sefyllfa unioni ei hun. O safbwynt gwaredu gwastraff defnyddid caeau neu dyllau yn yr ardd yn yr ardaloedd gwledig – roedd gan bentref Moelfre ddau ateb arall i'r broblem, sef tomen bwrpasol ac (yn llawer mwy cyffredin) ei daflu'n syth i'r môr.

Byddai dynion, merched a phlant yn cyfrannu at gario dŵr a gwaredu gwastraff, ond yn sicr roedd y baich o sicrhau dŵr ar gyfer golchi ac yfed yn disgyn fwyaf ar ysgwyddau'r merched gan fod dynion wrthi'n gweithio drwy'r dydd, neu i ffwrdd ar y môr yn achos nifer fawr o gartrefi'r cymunedau morwrol. Roedd yn waith corfforol a blinedig ac roedd hefyd yn cymryd amser yn niwrnod gwaith y merched a oedd, fel y gwelwn yn y man, yn ddigon llawn a phrysur.

Cyn i'r trefi porthladd ddechrau datblygu roedd y sefyllfa yno parthed cyflenwadau dŵr a gwaredu gwastraff yn ddigon tebyg i gefn gwlad, ond erbyn canol y bedwaredd ganrif ar bymtheg roedd rhai trefi porthladd fel Caergybi wedi derbyn dŵr pibell ar gyfer poblogaeth oedd yn prysur gynyddu. Yn 1866 gosodwyd tapiau ar gorneli strydoedd strategol y dref a chafwyd ymdrech i wella iechyd y cyhoedd drwy gyfrwng system carthffosiaeth er mwyn cael gwared ar gytiau moch a oedd yn nodweddiadol o'r strydoedd yno.[23] Ond araf iawn fu datblygiadau mewn sawl porthladd. Ym Mhorthmadog, er enghraifft, er i ymchwiliad i gyflwr y dref ddigwydd yn 1857 ni chyflwynwyd y gwelliannau angenrheidiol yn syth a rhaid oedd disgwyl tan y 1880au cyn sicrhau cyflenwad dŵr digonol i bob rhan o'r dref.[24] Yn ystod y 1920au a'r 1930au bu gwelliant amlwg yn y de, wrth i fwy a mwy o dai gael eu cysylltu i system ddŵr a charthffosiaeth effeithiol. Ond araf fu'r datblygiadau hyn yn cyrraedd pob cymuned. Hyd yn oed yn 1951 roedd yn rhaid i hanner teuluoedd Cymru rannu baddon â theulu arall ac roedd un cartref allan o bob saith heb gegin o gwbl.[26]

Erbyn diwedd yr ugeinfed ganrif roedd safonau tai a chyfleusterau i fwyafrif poblogaeth y wlad wedi gwella, ac roedd hynny'n cynnwys y cymunedau morwrol. Fodd bynnag, roedd nifer o dai Cymru hefyd ymhlith y gwaethaf yn y wladwriaeth Brydeinig gyda'r hen gymunedau glofaol yn arbennig yn dioddef – a nifer o gymunedau tlotaf Cymru yn gymunedau morwrol, o Lannau Dyfrdwy i Benfro ac o Gaergybi i Gasnewydd. Pan ehangwyd cynllun Cymunedau'n Gyntaf y Cynulliad Cenedlaethol yn 2008 roedd 188 o ardaloedd mwyaf anghenus Cymru yn gymwys i dderbyn cymorth. Roedd oddeutu traean o'r cymunedau hynny ar arfordir Cymru – yn cynnwys porthladdoedd traddodiadol ac amrywiol fel Caerdydd, Casnewydd, Abertawe, Pwllheli, Caernarfon, Abermaw, Caergybi, Porth Amlwch a Doc Penfro. Ond roeddynt hefyd yn cynnwys amrywiol ardaloedd arfordirol eraill megis Y Rhyl, Port Talbot, ward Tudno o Landudno, Bae Cinmel ac ardal Aberdaron a Thudweiliog. Adlewyrchai'r rhain amrediad o gymunedau morwrol Cymru ond roedd eu cynnwys o fewn y cynllun yn dangos eu bod hefyd yn wynebu problemau difrifol. Mewn sawl ystyr felly parhau oedd diffygion parthed tai a chyfleusterau erbyn y mileniwm newydd i ganran sylweddol o'r dosbarth gweithiol ac, fel yn y gorffennol, merched oedd yng nghanol y frwydr feunyddiol i ofalu am eu teuluoedd dan amgylchiadau anodd.

Wythnos Waith Gwraig y Tŷ

Roedd gwaith tŷ a gofalu am deulu yn ganolog i fywydau gwragedd tŷ, boed y wraig mewn gwaith cyflogedig neu beidio, ac roedd yn waith undonog, diflas a diddiwedd. Yn yr ystyr hwn nid oedd llawer o wahaniaeth rhwng gwaith beunyddiol merched mewn cartref morwrol a chartrefi amaethyddol neu ddiwydiannol. Wrth gwrs, dylid cadw mewn cof mai merched y dosbarth gweithiol ar y cyfan, ble bynnag eu lleoliad yng Nghymru, oedd yn gweithio yn y cartref fel hyn achos byddai gan ddosbarthiadau eraill forynion i'w cynorthwyo, er i hynny beidio wrth i'r ugcinfed ganrif fynd rhagddi. Ond drwy gydol y cyfnod dan sylw bron, derbyniwyd yn ddi-gwestiwn mai dyletswydd y wraig oedd gwaith tŷ, ond ni werthfawrogwyd ei bwysigrwydd yn llawn gan gyfoedion nac ychwaith gan haneswyr.

Roedd gwaith tŷ yn eang ond yn undonog ac yn cynnwys glanhau, coginio, golchi, cludo dŵr a thanwydd a magu plant. Rhaid oedd golchi â llaw, gwaith llafurus a allai gymryd rhai oriau, ac roedd sychu a chrasu dillad yn golygu rhoi'r dillad ar lein yn yr ardd neu iard gefn neu ar hors ddillad neu ar lein bren yn y gegin. Mantais i nifer o gartrefi pentrefi morwrol oedd bod gan nifer ohonynt storysau, rhai yn weddol fawr, a olygai y gellid rhoi'r dillad i sychu yno o'r ffordd beth bynnag y tywydd. Ar ben hynny rhaid oedd smwddio'r dillad. Yn aml iawn roedd y gwaith yn dilyn trefn wythnosol benodol. Roedd trefnu a rheoli amser fel hyn yn un o sgiliau hanfodol gwraig y tŷ. Yng nghymunedau glofaol de Cymru, er enghraifft, y drefn arferol oedd: Llun: golchi; Mawrth: smwddio a phobi bara; Mercher: glanhau i fyny'r grisiau; Iau; glanhau matiau; Gwener: glanhau'r parlwr; Sadwrn: siopa.[27] Roedd trefn wythnosol yr un mor bwysig ac amlwg ym mhentref morwrol Moelfre. Roedd disgrifiad Eunice Hughes o drefn wythnosol ei mam, Catherine Hughes, gwraig y capten berchennog llong Capten Henry Hughes, yn nodweddiadol o'r pentref: Llun: golchi, startsio a smwddio; Mawrth: glanhau i fyny'r grisiau a phobi; Mercher: glanhau i lawr y grisiau; Iau: siopa a gwerthu nwyddau yn y farchnad (er y pwysleisia Eunice Hughes nad oedd ei mam yn gwerthu nwyddau gan nad oedd y teulu yn ffermwyr); Gwener: manion; Sadwrn: paratoi ar gyfer y Sul. Ar yr wyneb felly nid oedd nemor dim gwahaniaeth rhwng wythnos waith gwraig y morwr ac unrhyw wraig tŷ arall. Ar y llaw arall, nid oedd yn rhaid i ferched mewn cartref morwrol boeni am y glanhau parhaol i gadw llwch glo neu lechi o'r cartref a pharatoi baddonau gan gludo dŵr berwedig a gweithio o amgylch shifftiau'r dynion. Ond roedd absenoldeb y gŵr am gyfnodau maith, blynyddoedd mewn rhai achosion, yn golygu nad oedd cymorth ar gael i wraig y morwr gyda rhai dyletswyddau cartref megis casglu tanwydd – gan gymryd bod dynion mewn cymunedau eraill yn cynorthwyo yn y cartref!

Roedd un egwyddor bwysig iawn yn gyffredin i ferched y cymunedau morwrol a'r cymunedau glofaol fel ei gilydd, sef glendid. Roedd gan ferched y ddwy gymuned falchder mawr mewn cadw eu tai yn lân ac yn daclus ac roedd hynny'n cynnwys o flaen y tŷ.[28] Nid oedd hyn yn gyfyngedig i Gymru. Yn y bedwaredd ganrif ar bymtheg nododd yr ysgolhaig Eilert Sundt (1817-1875) fod gwahaniaethau rhanbarthol yn Norwy gyda merched ardaloedd morwrol y de, nad oeddynt yn cael hwylio gyda'r dynion, yn wragedd tŷ gofalus iawn.[29] Yn sicr ystyriai merched Moelfre eu bod yn gymuned dlawd iawn ond roedd balchder yn eu glendid yn gwneud yn iawn am hynny. Ymddengys fod yr un peth yn wir yn Nhre-biwt yng Nghaerdydd, a phan chwalwyd yr hen strydoedd ar gyfer adeiladu tai newydd yn y 1950au a'r 1960au gwelwyd Josefina Hormachea yn mynd ati i lanhau'r tŷ er na fyddai neb yn byw ynddo cyn ei ddymchwel i'r llawr.[30] Roedd yr un agweddau yn bodoli yn y cymunedau glofaol efo'u pwyslais ar *'tidy women'*. Wrth gwrs, mae'n rhaid bod nifer o ferched ym mhob cymuned nad oeddynt yn cyrraedd y safonau hyn: *'Oral history preserves the record only of those who bravely carried on in the face of adversity: those who succumbed to the bitterness of defeat are marked only by their absences.'*[31]

Yn sicr roedd glendid a balchder yn eu cartref yn rhan greiddiol o agweddau merched tuag at waith tŷ ac ysgafnhawyd eu baich rhyw ychydig wrth i'r ugeinfed ganrif fynd rhagddi o ganlyniad i nifer o ddatblygiadau a dyfeisiadau technolegol. Wrth gydnabod bod merched wedi colli'r cyfle i ennill cyflog gartref oherwydd i ddynion ddominyddu'r llafurlu yn y gweithfeydd diwydiannol, credai rhai haneswyr fod datblygu nwyddau traul ac ysgafnhau baich a gwaith undonog y cartref wedi bod yn fuddiol i wraig y tŷ yn y tymor hir.[32] Nid oes ond rhaid cofio lle canolog y grât mawr yn y cartref a rhan gwraig y cartref yn ei danio, ei fwydo â thanwydd yn barhaol, ei lanhau a'r defnydd diddiwedd ohono i werthfawrogi ond un agwedd ar waith caled gwraig o ben bore hyd hwyr y nos – a pha mor chwyldroadol oedd effaith y popty trydan ar fywydau merched. Roedd yr amrywiol offer a datblygiadau technolegol eraill a wnâi bywyd yn haws i ferched yn cynnwys golau trydan, sugnwr llwch, peiriant golchi dillad ac oergelloedd – er bod rhai o'r rhain yn araf yn cyrraedd pob cartref. Rhaid oedd disgwyl tan 1971 cyn i fwyafrif cartrefi Cymru gael peiriant golchi dillad ac yn 1970 dim ond 60% o gartrefi'r wlad oedd yn berchen ar oergell.[33] Drwy gydol cyfnod yr astudiaeth hon roedd baich gwaith tŷ yn disgyn ar ferched ac roedd hynny'n wir hyd yn oed ar ddiwedd yr ugeinfed ganrif pan fyddai mwy o ferched yn mynd allan i weithio. Yn yr un modd, wynebai gwraig y morwr yr un broblem ag a wynebai ei rhagflaenwyr dros ddau gan mlynedd ynghynt, sef absenoldeb y gŵr am gyfnodau maith a olygai mai hi yn bennaf, os nad yn unig, oedd yn gyfrifol am bob agwedd ar fywyd a gwaith y cartref.

Bwydo'r Teulu

Pwysleisia Beddoe: '*Class and income, as well as locality, had a direct influence on what people ate.*'[34] Gyda chymaint o ffactorau tu hwnt i'w rheolaeth a allai effeithio ar ddiet teulu, gan gynnwys cynaeafau gwael, dirwasgiad neu ryfel, roedd dawn gwraig y tŷ yn y maes hwn yn allweddol. Yng nghartrefi dosbarth gweithiol y cymunedau diwydiannol a morwrol, merched oedd yn gyfrifol am goginio a pharatoi prydau bwyd y cartref a hwy hefyd oedd yn gyfrifol am siopa am fwyd neu ei brynu gan fasnachwyr teithiol neu ffermwyr / tyddynwyr lleol. Yn amlwg, roedd gallu'r wraig i drefnu ac i weithio o fewn cyllideb oedd yn aml yn gyfyng yn allweddol. Gan fod gwraig y tŷ yn dibynnu ar y bwyd oedd ar gael a'i gallu i dalu amdano, am y rhan fwyaf o'r cyfnod hwn tueddai bwyd i fod yn syml, er bod hyn yn fwy perthnasol i gefn gwlad wrth i fwy o ddewis gyrraedd y canolfannau trefol. Er hynny, hyd at ail hanner yr ugeinfed ganrif, dibynnai'r mwyafrif o gartrefi'r gweithwyr, a'r di-waith, ar fwydydd sylfaenol megis tatws, bara, te, menyn, wyau, llefrith a siwgr, gyda llysiau a ffrwythau yn brin. Yn amlwg roedd amrywiol ffactorau yn effeithio ar ddiet, gydag agweddau megis lleoliad a'r cyfnod dan sylw yn bwysig, ond incwm oedd y dylanwad mwyaf.

Er bod y bwydydd yn tueddu i fod yn gyfyng o ran

cynnwys a maeth roedd gwraig y tŷ yn llwyddo i sicrhau amrywiaeth o fewn y cyfyngiadau hynny, fel y tystia trigolion pentref morwrol Moelfre wrth drafod ar lafar ddegawdau cynnar yr ugeinfed ganrif. Brecwast arferol oedd bara menyn a jam cartref. Roedd teuluoedd yn cael cinio Sul traddodiadol, sef cig rhost, tatws a bresych neu foron neu bys ac yna pwdin. Roedd prydau bwyd gweddill yr wythnos yn cynnwys tatws popty, tatws llaeth, tatws 'di berwi, tatws wedi'u rhostio, lobscows, bara llaeth, stwnsh ffa, stwnsh rwdan, llaeth enwyn (weithiau roedd dŵr berwedig yn cael ei roi dros y llaeth enwyn, sef 'posal dŵr'), stwnsh pys, cawl, potes llysiau, brechdan jam neu frechdan gig (os byddai yna beth yn weddill ar ôl y Sul), brechdan wy, brechdan driog ac uwd. O safbwynt melysion, byddai pwdinau amrywiol yn cael eu paratoi hefyd megis pwdin reis, cwstard ŵy, cwstard llaeth cyntaf ar ôl geni llo a phwdin cyrens. Sut oedd hyn yn cymharu ag arferion bwyta cymunedau eraill, megis cymoedd diwydiannol y de? Yn ôl un ffynhonnell o 1915, roedd bwydlen wythnosol nodweddiadol teulu coliar parchus yn cynnwys ham, wyau, cig oen, tatws, pwdin reis, teisen rhiwbob, bara menyn, bresych, caws, sglodion, crwst, stecen, persli, moron, te, tun eog a phorc oer.[35] Felly, ymddengys nad oedd gwahaniaethau mawr rhwng y ddwy fwydlen er y gwahaniaethau ymddangosiadol rhwng y ddwy gymdeithas. Ategir hyn yn atgofion Phyllis Grogan Chappell o'r 1930au yn Nhre-biwt:

> Meals seemed to be the same from one week to another. Sunday was roast meat with potatoes, cabbage or broccoli, swede or carrots. On Monday (washing day) we had Sunday's leftovers. Other meals would be sausages stewed with tomatoes and onion and eaten with mashed potato; pease pudding with cold meat and bottled tomato sauce; fish with peas, potatoes and parsley sauce; and, as an occasional supper dish, sprats.[36]

Sarah Jane Rees
(Cranogwen)

Bedd Cranogwen sy'n cyfeirio
at ei 'hathrylith a dawn'

Betty Pips a ddanfonai delegramau
o Swyddfa'r Post, Moelfre

Un o ferched y moresg,
Niwbwrch

Bwthyn ger Ynys Cwyfan, Môn

Tu mewn i Fwthyn y Swnt ym Moelfre, Môn.
Mae Margaret Lewis ar y chwith efo'i mab John ar y dde.
Tynnwyd y llun o gwmpas y 1930au.
(llun drwy garedigrwydd Valerie Williams)

Terasau morwyr a physgotwyr uwch harbwr Ceinewydd

Tai capteiniaid llongau, Ffordd Dewi Sant, Nefyn

Porth Amlwch

Y fynedfa i ddociau Bute, Caerdydd

Lansio'r llong Maggie Williams

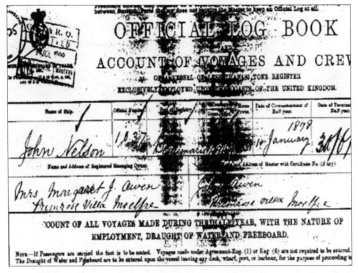

*Dogfen berchnogaeth – cofnod mai Mrs Margaret J. Owen, Moelfre oedd
Rheolwr Berchennog y* John Nelson *yn 1898*

Merched yn harbwr Aberystwyth yn casglu pysgod i'w gwerthu

Merched y cocos, Pen-clawdd, Penrhyn Gŵyr

Cogydd yn yn paratoi ryseitiau blasus gan ddefnyddio cynnyrch lleol ffres yng ngŵyl arfordirol Blas y Môr, Porth Dinllaen yn 2012

Dr Greta Hughes, Llanbedrog
– swyddog pysgodfeydd yng ngogledd Cymru

Rebecca Stuart Clarke, Pwllheli – hen ferch a pherchennog siop bysgod yn Stryd Moch. Cafodd ei magu yn Nhŷ Bont ym Mhen Cob. (lluniau drwy garedigrwydd Owen Williams, Pwllheli)

Rhai o'r cychod pysgota yn harbwr Pwllheli oedd yn eiddo i Beca Clark

Bu cyffro mawr yn siop Beca Clark yn 1910
pan arddangoswyd clamp o 'sturgeon' a ddaliwyd
gan un o longau pysgota y perchennog.
Mae un o'r hogiau'n cnoi rolyn licrish.

Regata ar y Fenai

Carafanau yn Nhal-y-bont, Meirionnydd

Tafarn y Pentre Arms, Llangrannog –
merched teulu fferm y Cilie oedd yn ei chadw ar un adeg

Pebyll newid ar draeth Llanbedrog

Hamddena ym Mhorth Dinllaen

Ar draeth Nefyn

Traeth Aberdyfi

Promenâd Llandudno

Traeth Coch – lle bu Elizabeth Owen yn fasnachwraig
a pherchennog llongau ar ddechrau'r 19eg ganrif

Gaynor Perry (Williams gynt) yn edrych drwy lens goleudy Pwynt Leinws,
Ynys Môn. Magwyd hi a'i brawd yn y goleudy gan fod eu tad,
John Edward Williams, yn is-Geidwad yno rhwng 1936 ac 1949,
yna'n uwch-Geidwad hyd at ei ymddeoliad yn 1963.

Janice Roberts, y ferch gyntaf i weithio yn y siop ddi-doll
ar y fferi rhwng Caergybi a'r Iwerddon

Tair sy'n gwirfoddoli fel aelodau o griw bad achub Porth Dinllaen: Caryl
Thomas (sy'n gweithio fel Swyddog Cefnogi Cymunedol yr Heddlu ym
Mangor), Mali Parry-Jones (Cynhyrchydd teledu i Gwmni Da) a Caryl
Owen Jones (myfyrwraig yng Ngholeg Meirion Dwyfor). Mae aelod arall
o'r criw, Lisa Roberts, yn hyfforddi i fod yn Swyddog Dec yng Ngholeg
Mordwyo Fleetwood.

Atgof o gymuned Tiger Bay mewn gwaith celf ym Mae Caerdydd

Gwaith celf ar thema'r môr gan Catrin Williams, Pwllheli

Elin Haf yn rhwyfo ar Gefnfor India

Roedd prinder a dogni ar adegau o ryfel, fel yn achos y Rhyfel Mawr a'r Ail Ryfel Byd, ynghyd â phrinder a chaledi adeg y Dirwasgiad Mawr yn atgyfnerthu sgiliau gwraig y tŷ wrth ofalu am gyllideb y cartref a bwydo'r teulu. Roedd prynu bwyd rhad a oedd yn llenwi, fel tatws a bara (gyda melysion rhad yn amheuthun) a gwneud y gorau o gyllideb y teulu yn adlewyrchu gallu'r wraig. Roedd merched dosbarth gweithiol wedi arfer hefo ceisio gwneud y gorau o gyflogau isel ac o geisio gwneud i ychydig, yn arian ac yn fwyd, fynd ymhell. Rhoddodd yr Ail Ryfel Byd straen ychwanegol ar incwm teuluoedd nid yn unig o safbwynt prinder yn gyffredinol ond oherwydd ffactorau fel dogni. Yn y trefi rhaid oedd ciwio am oriau ond wrth gwrs nid oedd hynny yn wir yn y pentrefi. Rhoddodd dogni her ychwanegol ond yn ddiddorol roedd diet cyfnod rhyfel yn fwy iachus mewn sawl achos, gyda'r dorth 'genedlaethol', oedd mor amhoblogaidd, yn fwyd iachus gan ei bod yn cynnwys 85% o flawd gwenith, er enghraifft.[37] Roedd y teuluoedd hynny a oedd â pherthnasau yng nghefn gwlad yn cael rhai manteision ac felly hefyd y rhai a drigai ar y ffin rhwng tref a gwlad, os oedd gwraig y tŷ mewn sefyllfa i fanteisio ar hynny.[38] I fwyafrif merched cartrefi tlawd, fodd bynnag, yr ateb syml ac amlwg i brinder bwyd oedd i'r wraig fynd heb ddim, oedd yn fanteisiol i'r teulu mewn un ystyr, ond a oedd yn sicr yn peryglu iechyd y wraig.

Roedd prinder bwyd felly yn rhywbeth i'w ddisgwyl ar wahanol gyfnodau i deuluoedd y dosbarth gweithiol ar hyd a lled Cymru. Ond er bod gwragedd wedi hen arfer â bwydydd sylfaenol a sicrhau fod digon i gadw'r teulu o ddydd i ddydd, roeddynt yn barod mewn sawl achos i brotestio yn erbyn prinder. Roedd terfysgoedd ŷd yn weddol gyffredin – gyda phobl yn byw ar gyrion tlodi enbyd ar y gorau, byddai gweld masnachwyr lleol yn ceisio allforio ŷd yn sicr o arwain at wrthdaro, gyda merched yn amlwg yn y protestiadau. Cafwyd terfysg ym Mhwllheli yn 1752 wrth i'r Capten Henry Evans geisio llwytho ei slŵp *Blackbird* ac ymhlith y terfysgwyr oedd: '*Sarah the wife of Humphrey Evan joyner Ellin Edwards spinster Gainor the wife of John Wm waver Gwen the wife of Wm Edwards mariner*...'[39] Yn dilyn diwedd rhyfeloedd Napoleon yn 1815 wynebai tref Amlwch drafferthion sylweddol, yn rhannol oherwydd diweithdra o ganlyniad i ddiwedd y rhyfel, gan gynnwys problemau'r diwydiant copr yn lleol, a thymor pysgota gwael. Yn 1817 roedd y llong *Wellington* yn y porthladd yn disgwyl i gludo cargo o ŷd i Lerpwl ond roedd trigolion y dref yn wynebu prinder bwyd. Ymosodwyd ar y llong gan drigolion lleol gan ddwyn ei llyw a'i rhwystro rhag hwylio. Adferwyd trefn gan filwyr o Ddulyn. Yn ystod y Rhyfel Mawr rhwng 1914 ac 1918, cododd costau byw gweithwyr di-grefft 81% a chostau byw gweithwyr yr oedd ganddynt grefft 67%.[40] Daeth prinder bwyd yn rhan o fywyd bob dydd, yn arbennig yn y trefi a'r dinasoedd. Yn sgil prinder tatws yn dilyn gaeaf garw 1916-17 bu gwrthdystiadau ar hyd a lled y wlad gan gynnwys trefi porthladd.

Ar lefel fwy ymarferol, roedd sawl ffordd o ychwanegu at ddiet teulu. Yng nghymunedau'r arfordir, fel yng nghefn gwlad a phentrefi a threfi'r cymoedd, arferid cadw mochyn ac ieir er mwyn ychwanegu at ddiet teulu. Roedd y ffaith fod Moelfre yn bentref o fewn plwyf amaethyddol gwledig yn sicr o fantais o safbwynt bwyd. Byddai digon o lefrith i'w gael gan ffermwyr neu dyddynwyr lleol a oedd naill ai o fewn cyrraedd i'r pentref neu a oedd yn dod o amgylch y pentref i werthu. Byddai plant y pentref yn cael eu hanfon i gaeau rhai o'r ffermydd i nôl rwdan, gyda chaniatâd y ffermwr lleol. Cofia'r Capten Harry Owen Roberts ei fam, Mrs Elizabeth Roberts, yn ei yrru ar y perwyl hwn i gaeau fferm Nant Bychan lawer gwaith. Cofia Mrs Maggie Williams i'w brodyr gael eu hanfon yn yr un modd lawer gwaith gan eu mam, Mrs Jane Owen, sy'n esbonio pam roedd stwnsh rwdan mor

boblogaidd! Yr hyn sydd yn ddiddorol yw bod y Capten
Harry Roberts a Maggie Williams ill dau yn blant i
gapteiniaid llongau'r arfordir, sy'n awgrymu cyflog a statws
uchel o fewn eu cymuned, ond roedd eu bwyd yn sylfaenol ac
yn rhad iawn! Er bod y gymuned amaethyddol yn dlotach
na'r gymuned forwrol yn gyffredinol, roedd parodrwydd y
gyntaf i gynorthwyo'r ail yn sicr o fantais mewn pentref
gwledig yr arfordir. Gellir dwyn cymhariaeth yma gyda
chymoedd y de yn ystod dirwasgiad y 1920au a'r 1930au lle'r
oedd rwdins a thatws a llysiau gwyrdd ar gael yn yr ardaloedd
amaethyddol neu i'r rhai a ffiniai ag ardaloedd amaethyddol.

Tyfai nifer o drigolion Moelfre eu bwyd eu hunain. Pan
fyddai'r Capten Huw Owen adref dros fis Awst byddai'n
gweithio yn yr ardd. Byddai'n mynd i'r Dalar, tyddyn ar
gyrion y pentref, i gael baw ieir i wneud gwely i'r nionod, ac
yn plannu ffa, pys neu fetys ar gyfer y teulu. Byddai merched
hefyd yn cynorthwyo yn y gorchwyl hwn er y byddai Catrin
Hughes, gwraig y Capten Henry Hughes, perchennog
llongau, yn talu i rywun weithio yn eu gardd hwy. Yn yr un
modd, yn nhrefi diwydiannol y cymoedd a'r arfordir daeth
rhandiroedd yn bwysig iawn rhwng y ddau Ryfel Byd gan
olygu fod llysiau ar gael i nifer o deuluoedd. Nid oedd pob
cymuned lofaol yn gallu manteisio ar randiroedd oherwydd
y llethrau serth, ond ar wastatir roedd yn fater gwahanol.

O safbwynt diet, y fantais fawr i'r mwyafrif llethol o
gymunedau'r arfordir oedd pysgota. Fel y byddem yn ei
ddisgwyl mewn cymuned forwrol fel Moelfre, a oedd yn
enwog am ei diwydiant pysgota, roedd pysgod yn ganolog i
fwyd y cartref. Byddai pob math o bysgod yn cael eu bwyta
gan y pentrefwyr (mecryll yn ystod yr haf, er enghraifft), ac
wrth gwrs roedd gwerthu pysgod yn dod ag incwm
ychwanegol. Penwaig oedd y pysgod pwysicaf o safbwynt
bwydo'r teulu dros y gaeaf. Roedd gan y mwyafrif o dai'r
pentref storws ac yno ceid casgen arbennig ar gyfer cadw

penwaig wedi'u halltu. Byddai penwaig yn ganolog i fwydlen pob cartref a hynny mewn amrywiol ffurfiau, gan gynnwys wedi eu ffrio neu wedi eu piclo. Mantais enfawr i gymunedau morwrol oedd eu bod yn gallu dibynnu ar bysgota am fwyd hyd yn oed yn ystod tymor pysgota a oedd yn wael yn fasnachol. Fel y dywed y Capten Harry Roberts: 'roedd bwyd y môr ar gael yn yr haf a'r gaeaf.'

Byddai'r dynion hefyd yn mynd i granca gyda'r nos ar drai, yn aml efo dau ddarn o weiren, un hir ac un byrrach er mwyn dal crancod neu gimychiaid.[41] Yn ôl Miss Eunice Hughes: 'y rheswm dros wneud hyn oedd bod pobl eisiau bwyd.' Erbyn canol yr ugeinfed ganrif tueddid i edrych i lawr ar y math yma o bysgota oherwydd ei fod yn arwydd o dlodi a bod rhyw fath o stigma yn perthyn iddo – ac roedd yr un peth yn wir am fwyta'r cregyn gleision a gesglid yn lleol. Heb unrhyw amheuaeth, fodd bynnag, roedd y traddodiad o bysgota – a thrwy hynny cael bwyd am ddim – yn cynnig cyfle i ychwanegu at fwydlen teuluoedd ar hyd arfordir Cymru, nad oedd ar gael i fwyafrif trigolion cefn gwlad a'r dinasoedd. Fodd bynnag, erbyn ail hanner yr ugeinfed ganrif daeth sawl newid a olygai leihad ym mhwysigrwydd pysgota lleol i fwyafrif trigolion cymunedau'r arfordir. Un rheswm oedd newidiadau economaidd, wrth i ganolfannau pysgota traddodiadol gefnu ar y diwydiant, er enghraifft, a rheswm arall oedd newid yn y diwydiant bwyd a manwerthu.

Gwelodd degawdau olaf yr ugeinfed ganrif newid syfrdanol mewn diet a mynediad at amrywiol fwydydd ar draws Cymru wledig, ddiwydiannol ac arfordirol. Roedd paratoi bwyd yn haws oherwydd offer a theclynnau amrywiol i gynorthwyo gwraig y tŷ ac roedd digonedd o ddewis ar gael i ferched o ran bwydydd arbennig a gwahanol, gyda bwydydd hefyd ar gael y tu allan i'w tymor traddodiadol. Llwyddodd archfarchnadoedd i weddnewid dulliau siopa a daeth siopa unwaith yr wythnos yn boblogaidd.

Effeithiodd y datblygiadau hyn ar fwydlen cartrefi'r cymunedau morwrol. Golygai'r car fod archfarchnadoedd o fewn cyrraedd y cymunedau morwrol mwyaf anghysbell a gwelwyd bwytai tramor yn cael eu hagor mewn nifer o gymunedau'r arfordir, bach a mawr, yn arbennig yn y canolfannau twristaidd. Ar y llaw arall, tynged sawl cymuned fechan oedd colli mwy a mwy o siopau bychain amrywiol yn sgil yr archfarchnadoedd mawrion. Ond mewn sawl ystyr, roedd yr un problemau oesol yn parhau ar hyd a lled Cymru o safbwynt diet, sef diffyg bwyd maethlon a'r cysylltiad rhwng diet ac incwm y teulu, a drwyddi draw gwraig y tŷ oedd yn parhau'n ganolog o safbwynt bwydo'r teulu o fewn cyllideb y cartref.

Seicoleg y Gwŷr Absennol

Yn 1906, ac yntau'n ddeuddeng mlwydd oed, gadawodd Tommy Evans ei gartref i ddilyn gyrfa forwrol. Disgrifioddd ei fab, John Evans, fel y bu i Tommy Evans, wrth hwylio o draeth Moelfre, basio'i gartref a'i fam ar y bonc yn ei wylio'n mynd ac yntau'n 'codi'i law ar ei fam'.

> Anyway, dyma gychwyn rŵan a mynd rownd y Leinws a cyn iddo fo gyrraedd y Leinws dyma fo'n torri'i galon 'te. Hiraeth 'te. Ond yr hen gapten yn deud 'O fyddi di'n olreit ysdi. Mae pawb wedi bod yr un fath a chdi.' A sâl môr 'te. A dim cwyn i'w gael... 'gosa wyt ti ishio'r bwyd, wel rhaid i ti fyw hebddo'.[42]

Yng nghyd-destun yr astudiaeth hon, prif bwysigrwydd yr hanes yw mai Tommy Evans yw'r canolbwynt a'i deimladau ef sydd i'w hystyried. Rôl gefnogol sydd i'r fam, nid rôl ganolog, ac nid oes unrhyw sylw i deimladau Catrin Ifans ar ymadawiad ei mab. Ond tybed beth oedd yr effaith seicolegol ar y fam o weld gŵr neu fab yn gadael cartref fel hyn, gan wybod bod perygl gwirioneddol na ddychwelai byth? Roedd Catrin Ifans yn briod â morwr ac roedd ganddi naw o blant, un ferch ac wyth mab, ac aeth pob un o'r meibion hynny i'r môr. Byddai digon o fynd a dod adref, cymysgedd o hapusrwydd, hiraeth, tristwch a gofid ac adegau pan nad oedd yr un dyn gartref. Yn ychwanegol cafwyd trasiedïau – collodd Catrin Ifans ddau o'i meibion, un yn ystod y Rhyfel Byd Cyntaf pan suddwyd ei long a'r llall pan wasgwyd ef mewn wins yn nociau Dulyn. Ond pa mor nodweddiadol oedd profiadau Catrin Ifans?

Mewn sawl cymuned ni fyddai rhai dynion gartref am flynyddoedd. Yn Ne Ceredigion lle'r oedd nifer o gymunedau'r arfordir yn dibynnu ar y môr am eu bywoliaeth: '*often all male members – father, sons and sometimes grandsons – would be away at sea at the same time.*'[43] Yn ychwanegol at hynny byddai tadau yn aml i ffwrdd am bedair i bum mlynedd ac efallai na fyddent hwy ond yn gweld eu plant eu hunain ddwy neu dair gwaith cyn eu bod hwythau hefyd yn mynd i'r môr. Yn ne Ceredigion roedd gan bron bob cymuned forwrol ddynion nad oeddynt gartref am flynyddoedd. Roedd gan nifer ohonynt eu morwyr diog hefyd nad oeddynt yn ysgrifennu gartref, ac mewn sawl achos nid oeddynt yn trafferthu anfon cyflog adref ychwaith! Ond hyd yn oed yn achos y morwyr hynny a hwyliai'r arfordir, roedd yn arferol iddynt hwythau fod oddi cartref am rai misoedd, weithiau dros flwyddyn. Yn y cyd-destun hwn roedd natur bywyd morwyr, beth bynnag eu swydd ar y môr, mewn sawl ystyr yn gosod eu gwragedd i gyd ar yr un lefel.

Un broblem amlwg i wraig morwr felly oedd absenoldeb cyson y gŵr am gyfnodau maith. Her arbennig i'r teulu oedd cadw mewn cysylltiad. Un dull amlwg oedd drwy gerdyn post neu lythyr a byddai y math yma o gyfathrebu yn dibynnu ar sawl ffactor – pa mor aml fyddai llong mewn porthladd, a oedd y llong yn hwylio'r arfordir neu'n hwylio fforen (sef hwylio'n fyd eang), pa mor gyfoethog oedd y teulu a pha mor llythrennog oedd y teulu; a byddai digwyddiadau megis streiciau yn medru effeithio ar gyfathrebu rhwng llong a chartref. Byddai gwraig y tŷ yn ogystal yn gallu cael gwybod gan forwyr o gartrefi eraill a oedd wedi cyrraedd adref beth oedd hanes ei gŵr hi, gan fod cymaint o forwyr yn hwylio hefo criw o'r un gymuned neu'n gweld cymdogion mewn porthladdoedd cyffredin. Ffordd arall o gadw trac ar lwybr y gŵr oedd drwy ddarllen y *Journal of Commerce* fel y bu merched Moelfre yn ei wneud yn Institiwt y pentref am flynyddoedd. Yn Nefyn byddai'r dynion yn darllen y cylchgrawn yng Nghlybiau'r Rhyddfrydwyr neu'r Ceidwadwyr, ac wrth gwrs byddai unrhyw wybodaeth am leoliad llongau morwyr lleol yn sicr o gael ei ledaenu drwy'r pentref.[44] Roedd telegram yn ddull pwysig o gyfathrebu, fel arfer i ddweud pan fyddai'r morwr ar ei ffordd adref gyda manylion ynglŷn â phryd y byddai'n cyrraedd, ond roedd telegram hefyd yn bwysig o safbwynt rhoi gwybod am ddigwyddiad arbennig megis marwolaeth.

Cafodd datblygiadau technolegol effaith bositif ar gadw'r cartref mewn cysylltiad â'r morwr wrth iddo hwylio'r byd. Un o'r rhain oedd y radio ac o'r 1930au ymlaen, daeth yn fwy cyffredin mewn cartrefi. Byddai nifer o wragedd yn gwrando ar y radio wrth i longau siarad efo'i gilydd er mwyn clywed llais y gŵr neu'r mab a derbyn gwybodaeth am ei leoliad, i ble roedd o'n hwylio neu wedi bod ac unrhyw newyddion am y tywydd. Ond fel arfer, dim ond i deulu'r Capten neu'r mêt y byddai'r opsiwn hon ar gael, gan fod y radio o fewn eu cyrraedd ar y llong, ac weithiau anfonent neges i'r teulu gartref dros y radio, er mai 'sgwrs' un ffordd fyddai. Roedd hyn, yn naturiol, yn dibynnu ar leoliad y llong ac a gawsai'r morwr gyfle i siarad.

Yn ystod streic y gwasanaeth post yn 1971 byddai'r Capten Bob Evans o Foelfre, tad yr awdur, yn hwylio'n aml i Fae Lerpwl. Byddai ar y radio yn siarad efo llongau eraill a'i deulu yn gwrando ar y radio gartref yn y gobaith o'i glywed, a chael eu siomi yn aml gan nad oeddynt yn gwybod i sicrwydd pryd fyddai'r llong yn y bae. Gan mai mêt ar y llong arbennig hon oedd Bob Evans, ar ddiwedd sgwrs efo llong arall byddai'n adrodd yn sydyn yn Gymraeg: 'Tri dau, tri dau, gobeithio eich bod chi i gyd yn iawn.' (Roedd y teulu yn byw yn Rhif 32 Ffordd Llugwy, Moelfre ar y pryd).

Erbyn degawdau olaf yr ugeinfed ganrif daeth y ffôn i fwy a mwy o gartrefi, er bod rhwystrau, fel costau galwadau o bell, oedd yn cyfyngu ar ei ddefnyddioldeb i rai. Yn y dyddiau cynnar pan nad oedd ffôn yn gyffredin roedd gan rai pentrefi'r arfordir fanteision dros y boblogaeth yn gyffredinol. Roedd gan bentref Moelfre orsaf bad achub felly roedd gan gartref y Cocsyn ffôn. Un noson daeth Nel Matthews, gwraig y Cocsyn John Matthews, i gartref Catrin Ifans i ddweud bod un o'i meibion ar y ffôn. Rhedodd at y ffôn ac wedi iddi ei godi gofynnodd ei mab wrthi a oedd hi'n ei glywed yn iawn. 'Ydw wir,' atebodd, 'ond dwi ddim yn gallu dy weld ti!' Erbyn y mileniwm nesaf a dyfeisiadau fel e-bost, cyfrifiaduron â chamerâu arnynt a ffonau fideo, byddai Catrin Ifans wedi gallu gweld ei mab yn ogystal â'i glywed!

Y ffordd bwysicaf o gadw mewn cysylltiad wrth gwrs oedd i'r dynion ddod adref yn rheolaidd os yn bosibl a phwysleisia Fricke fod patrwm cyffredin ar draws Ewrop, sef bod pysgotwyr a morwyr y llynges fasnachol yn dilyn patrwm cylchol, gan ddod adref i droi at hamdden neu i fod adref ar gyfer y Nadolig neu ryw ŵyl arall.[45] Mewn nifer o bentrefi byddai'r morwyr yn gadael eu llongau er mwyn dychwelyd adref dros y tymor pysgota, a allai fod yn rhai misoedd mewn sawl achos, gan ddod â rhyw elfen o normalrwydd i fywyd teuluol eto. Mewn cymunedau morwrol, nid oedd yn anodd sicrhau lle ar long a hynny oherwydd cysylltiadau teuluol a'r ffaith fod capteiniaid a morwyr cyffredin yn cymysgu â'i gilydd yn feunyddiol. O'r herwydd mater bach oedd gadael llong, bod adref am ychydig wythnosau neu fisoedd, ac yna dychwelyd i'r môr. Hefyd, tueddai mwyafrif llethol dynion gogledd orllewin Cymru, er enghraifft, i weithio ar longau'r glannau a hwyliai rhwng porthladdoedd Iwerddon, gogledd Cymru a gogledd orllewin Lloegr. Rhoddai hyn gyfle iddynt hwylio heibio i'w cartrefi'n rheolaidd. Cerddai'r dynion hynny a angorai ym Mhorth Penrhyn ym Mangor ar nos Wener adref i'r Felinheli neu i bentrefi Môn gan ddychwelyd erbyn y bore Llun. Dro arall byddai llongau yn angori yn y bae ger cartref y capten gan sicrhau rhai oriau gartref iddo ef, ac i'w griw os o'r un pentref. Yn arbennig yn yr oes pan fyddai capten llong hwyliau fechan hefyd yn berchen arni, gallai'r capten weithiau ddilyn llwybr o'i ddewis ef ar ei fordeithiau, o fewn cyfyngiadau ei gylch busnes wrth gwrs. Hyd yn oed wedi'r dirywiad ym masnach yr arfordir a diwedd oes y llongau hwyliau, roedd digon o gyfleoedd i forwyr adael, ac yna ailymuno â, llong oherwydd parhad y cysylltiadau â chapteiniaid lleol. Gyda nifer o forwyr yr oes fodern yn hwylio yn gyson i bob rhan o'r byd roedd y cyfle i gyfarfod wyneb yn wyneb yn fwy prin i rai. Ond gellir cyferbynnu hyn â phrofiadau morwyr oedd yn gweithio mewn porthladd fel Caergybi, efo fferïau a llongau cyflym cyson i'r Iwerddon, a olygai fod cyfnod oddi cartref yn ymdebygu i shifft mewn ffatri. Er yr anhwylustod i wraig a theulu morwr a oedd yn gweithio ar fferi fel hyn, roedd yn llawer gwell nag absenoldeb y gŵr am fisoedd lawer.

Un ateb i'r broblem o fod ar wahân i sawl menyw oedd cyfarfod â'r gŵr mewn porthladd (roedd opsiwn arall i wragedd capteiniaid sef hwylio gyda'r gŵr, a rhoddir sylw i'r agwedd honno ym Mhennod 4). O ganlyniad i ddatblygiad y system rheilffyrdd, llwyddodd nifer o wragedd capteiniaid i deithio i ryw borthladd neu'i gilydd i aros efo'r gŵr, yn arbennig pe byddai mewn porthladd am gyfnod hir. Bu Elizabeth Griffith, gwraig y Capten Griffith Parry Griffith,

Abersoch, yn manteisio ar gyfleoedd i gyfarfod ag ef mewn amryw borthladdoedd megis Y Barri a Salford. Bu rheswm arall dros gyfarfod, fel y noda merch Capten Griffith, Beti Isabel Hughes: 'Fel porthladd, roedd Caerdydd yn un o ffefrynnau Nhad, a byddai Mam wrth ei bodd yn cael cyfle i fynd yno i gwrdd â'r llong, a chael siawns i fwynhau siopau crand y ddinas – hoffai'n arbennig yr *arcades* atyniadol yno.'[46]

Rhan annatod o fywyd cartref gwragedd y cymunedau morwrol oedd y poeni am eu gwŷr, meibion, tadau neu frodyr ar y môr ac yn y porthladdoedd tramor. Lleddfwyd rhywfaint ar bryderon Grace Davies o Nefyn gan y ffaith fod ei gŵr, y Capten William Davies, wrth ymweld â Melbourne yn Awstralia, yn adnabod dau neu dri o deuluoedd lleol a fyddai'n cadw golwg arno – un ohonynt oedd ei frawd a drigai mewn tŷ o'r enw 'Nevin House'. Byddai hi'n derbyn llythyrau hir a chardiau post gan y Capten Davies, yn aml yn son am gyfeillion neu deulu yno.[47] Roedd mam y Capten Hugh Shaw o Gei Conna yn ferch i gapten ac roedd ei brawd hynaf yn forwr, felly: '*Her life was one of constant worry and anxiety and this made her determined that my younger brother and I should not go to sea.*'[48] Fel cymaint o hogiau eraill y glannau, anwybyddu cyngor eu mam ddaru'r hogiau. Ond roedd pryderon mamau'r cymunedau morwrol yn ddealladwy. Collodd Mrs Hughes, Bryn Tawel, Marian-glas, Môn ei merch a'i mab yng nghyfraith, y Capten John Williams, Caernarfon, pan suddwyd y *Kate Thomas,* llong fawr haearn pedwar mast a oedd yn enwog yng ngogledd orllewin Cymru, yn 1910. Ond nid dyna'r tro cyntaf i drychineb daro Mrs Hughes oherwydd, fel y nodwyd mewn papur newydd lleol: 'Byw iawn yng nghof yr ardal yw'r loes a gafodd pan gollodd ei phriod a'i mab ar y môr dair blynedd yn ôl.'

Mewn sawl ystyr nid oedd profiadau merched y cymunedau morwrol mor wahanol i gymunedau eraill. Byddai trasiedïau mawrion yn rhan annatod o'r diwydiant glo, er enghraifft, ac ni wyddai gwraig neu fam beth fyddai'n digwydd o ddydd i ddydd â'r dynion yn gweithio mewn diwydiant lle'r oedd amrywiol beryglon yn rhan o'u gwaith. Parthed absenoldeb o'r cartref, byddai nifer o ddynion a weithiai yn chwareli llechi'r gogledd yn aros mewn barics yn y gweithle am yr wythnos gan ddychwelyd adref am benwythnos neu ddydd Sul yn unig. Yn yr oes fodern mae gyrwyr lorïau yn gallu bod oddi cartref am gyfnodau hir wrth deithio'r cyfandir. Mewn cyfnod o ryfel byddai nifer o wragedd a mamau yn poeni am fisoedd a blynyddoedd gan ddisgwyl y gwaethaf. Ond roedd gwahaniaeth sylfaenol rhwng y cymunedau a'r sefyllfaoedd hyn o'u cymharu â chymunedau morwrol, sef bod merched y cymunedau morwrol fel arfer yn rhan o gymuned lle'r oedd absenoldeb y gŵr am fisoedd os nad blynyddoedd, gyda pheryglon cyson yn eu hwynebu, yn rhan normal o'u bywydau.

Roedd ystadegau marwolaeth morwyr, yn anffodus, yn cefnogi pryderon y cymunedau morwrol, fel y gwelwn yn Ffigur 1 (drosodd) lle'u cymherir â'r diwydiant glo.[49]

Er y gwelliant amlwg mewn diogelwch ar y môr wrth i'r degawdau fynd rhagddynt, mater o ddisgwyl ac o boeni oedd hi wraig y cartref morwrol yn aml. Ond, wedi'r holl ddisgwyl, beth oedd realiti cael y tad neu'r gŵr gartref?

Adlewyrchwyd teimladau cymysg y fam yn rhai o gerddi Maggie Owens, Tŷ'n Pwll, Moelfre a gyhoeddwyd mewn dwy gyfrol o farddoniaeth ar ddechrau'r ugeinfed ganrif, sef *Y Gynyg Cyntaf* ac *Yr Ail Gynyg* dan ei henw barddol 'Marian Moelfre'. Yn y detholiad hwn o'i cherdd 'Cân y Morwr Bach' cawn hanes ei brawd, William, yn gadael y cartref i hwylio'r byd am y tro cyntaf.

> Gwel acw forwr bychan
> Yn gadael cartref clyd,
> Mae'n ysgwyd llaw a'i anwyl fam
> A'i dad a'r plant i gyd:

Ffigur 1

Tabl: Cymharu damweiniau angheuol yn y pyllau glo a'r llynges fasnach 1891-1904

Blwyddyn	Y Llynges Fasnach			Y Diwydiant Glo		
	Nifer y Meirw(a)	Mewn Cyflogaeth	Cyfradd Colled	Nifer y Meirw(b)	Mewn Cyflogaeth (c)	Cyfradd Colled
1891	1,918	218,247	1 yn 114	1,005	667,983	1 yn 665
1892	1,864	219,560	1 yn 118	1,016	683,642	1 yn 673
1893	1,814	218,317	1 yn 120	1,060	683,068	1 yn 644
1894	1,874	217,794	1 yn 116	1,127	705,240	1 yn 626
1895	1,869	218,224	1 yn 117	1,042	700,284	1 yn 672
1896	1,541	219,233	1 yn 142	1,025	692,684	1 yn 676
1897	1,424	218,016	1 yn 153	930	695,213	1 yn 748
1898	1,392	219,383	1 yn 158	908	706,894	1 yn 779
1899	1,737	221,107	1 yn 127	916	729,009	1 yn 796
1900	1,537	224,545	1 yn 146	1,012	780,052	1 yn 771
1901	1,277	225,443	1 yn 177	1,101	806,735	1 yn 733
1902	1,179	230,161	1 yn 195	1,024	824,791	1 yn 805
1903	1,238	233,482	1 yn 189	1,072	842,066	1 yn 786
1904	1,072	234,577	1 yn 219	1,049	847,553	1 yn 808

(a) Mae marwolaeth ar y môr yn cynnwys pob achos a phob rheng, ond nid yw'n cynnwys teithwyr na physgotwyr.
(b) Yn cynnwys pob marwolaeth a gofnodwyd dan Ddeddfau Rheoleiddio'r Pyllau Glo.
(c) Mae'r ffigyrau yn nodi cyfanswm y rhai a gyflogwyd er mwyn sicrhau cysondeb (ond o 1896 ymlaen mae ffigyrau cyflogaeth ar gyfer y mwynwyr fel dobsarth ar gael, ond nid ydynt yn sylweddol is).

Ffynonellau: Return of Loss of Life at Sea 1891-1905 (BPP, 1906, CVIII, Cd. 3139);
Tenth Annual Abstract of Labour Statistics of the United Kigndom (BPP, 1905, LXXVI, Cd. 2491).

Mae'r fam yn taer weddïo
Ac yn och'neidio'n brudd,
A'i dagrau gloewon red i lawr
Fel perlau dros ei grudd.

Y bachgen hwn yw'r hynaf
O'r plant a fagodd hi,
Sy'n mynd yn awr am fordaith fawr
Dros wyneb llaith y lli.
Mae'n edrych trwy ei dagrau
I'w wyneb gwridgoch iach,
Gan ddweyd, "O bydd yn fachgen da
Ac ufudd, William bach."

Nis gallaf ro'i disgrifiad
Am deimlad mam a thad,
Pan ddaw eu bachgen hoff yn ôl
Yn iach i'r anwyl wlad;
Fe adrodd iddynt hanes
Am wlad y Negro du,
Ac am Awstralia, gwlad yr aur,
Yn wastad fel y bu.

I'w dad fe ddaw a phibell,
A shawl i Maggie Ann,
A top a phêl i'w frodyr ddaw
I chwareu yn mhob man;
Ac Ellen Jane gaiff ddolly
I'w gwasgu at ei bron,
Gwna hyn y teulu cyfan cu
Yn llawen ac yn llon.

Trigolion y gym'dogaeth
I gyd gyfarchant well,
A chroesaw iddo fydd pan ddaw
Yn ôl o'r gwledydd pell;
Ac yntau fydd mor llawen,
Bron meddwl nad oes un
O fewn yr ardal lle mae'n byw
Yn debyg iddo ei hun.

Yn sicr mae cynnwys y gerdd hon yn adlewyrchu profiad sawl gwraig a mam a sawl aelwyd ar arfordir Cymru.

Wrth gwrs, pan fyddai'r gŵr yn dychwelyd adref byddai llawenydd mawr a pheth normalrwydd yn y cartref. Yn ôl J. Ifor Davies, pan ddeuai ei dad, y Capten William Davies, adref i'w cartref yn Nefyn yna ymddangosai bywyd yn llawer mwy amrywiol. Byddai'r tad yn mynd efo'r mab i hwylio, a nifer o bobl yn galw ac yn dod i swper ac yn cloi'r noson wrth ganu.[50] Ond ar feddwl pawb yn aml oedd y ffaith y byddai'n rhaid dychwelyd i'r môr eto i wynebu'r un peryglon a'r un ansicrwydd. Daw cyfle i asesu effaith y trawsnewidiad rhwng llong a chartref ar ferched ar droad y mileniwm drwy gyfrwng ymchwil byd eang gan Ganolfan Ymchwil Rhyngwladol y Morwyr sydd wedi ei leoli ym Mhrifysgol Caerdydd. Adroddodd gwragedd fod y cyfnod yn syth cyn i'w partneriaid gyrraedd adref, ac wedi iddynt adael, yn gyfnodau o straen arbennig. Er bod y gwragedd yn edrych ymlaen at ddychweliad y partner roeddynt yn pryderu am faterion megis a fyddai'r cartref yn ddigon glân o'i gymharu â chyflwr y cabanau ar ei long. Ar y llaw arall, roedd gadael cartref yn dod â'i broblemau ei hun gyda sawl cwpwl yn dewis ffarwelio gartref yn hytrach na mewn gorsaf reilffordd er mwyn lleihau'r trawma i'r teulu cyfan.[51]

Er y croeso fyddai i'r gŵr, roedd ei gael gartref yn gallu achosi straen hefyd. Cawn gip ar hyn gan Beti Isabel Hughes wrth drafod cyfnod lle bu ei thad, Capten Griffith Griffiths, gartref am gyfnod yn Abersoch:

> Roedd y ffaith fod Nhad allan o waith yn ystod y tridegau yn achosi tipyn o dyndra yn y cartref. Byddai'n cadw rheolaeth dynn arnom ni'n tair [Beti Isabel Hughes a'i dwy chwaer], yn enwedig wrth y bwrdd bwyd. Dyna pam, mae'n debyg, y byddai un ohonom yn siŵr o gael pwl afreolus o chwerthin cyn diwedd y pryd… Os na fyddem yn eistedd yn brydlon wrth y bwrdd wedi i Mam ein galw, byddai Nhad yn rhoi cnoc anferth ar y gong efo'r pastwn

pwrpasol, nes byddai'r tŷ'n crydeddu yn ei sŵn.

Byddai'n gwylltio'n gacwn, a phan fyddai'r llygaid glas treiddgar yn fflachio a'r tinc haearnaidd yn dod i'r llais, gwyddem nad oedd wiw inni ddal ati i'w herio, na meiddio ateb yn ôl! Tipyn o newid byd i'r 'Capten bach', fel y câi Griff ei adnabod yn Yr Abar, oedd gorfod bod gartref yng nghwmni pedair o ferched ar ôl byw ymysg dynion ar hyd ei oes! Wrth glustfeinio un tro, clywais Mam yn ei atgoffa yn ei ffordd dawel ei hun, 'Cofiwch Griff, dydach chi ddim yn delio efo navvies ar fwrdd y llong rŵan.'[52]

Er mai rhwystredigaeth bod yn ddi-waith oedd cefndir yr achos uchod, roedd addasu i fywyd gartref yn achosi straen i forwyr oedd mewn gwaith yn yr un modd. Dengys ymchwil gan Ganolfan Ymchwil Rhyngwladol y Morwyr fod dynion yn aml yn teimlo eu bod yn ddiangen wedi cyrraedd adref. Roedd trefn y cartref yn bwysig i'r teulu yn arbennig pan fyddai'r tad i ffwrdd ond roedd y drefn honno yn golygu bod y tad yn teimlo nad oedd croeso iddo ac nad oedd ei angen o ddydd i ddydd. Roedd problemau arbennig pe byddai gan y morwr statws ar ei long ond yn dod adref i dderbyn gorchmynion. Gallai hynny arwain at densiwn. Byddai nifer o gyplau'n ceisio addasu i bresenoldeb y morwr gartref ond y sefyllfa waethaf i'r llongwr oedd bod ei werth i'r cartref yn ddim amgenach na'r cyflog.[53]

Mae'n amlwg bod ymchwil fodern y Ganolfan yn ein galluogi i gael mewnwelediad i'r wedd hon ar fywyd y cartref morwrol dros y ddwy ganrif a hanner diwethaf ac yn sicr mae'n adlewyrchu profiadau morwyr sydd yn oesol. Er enghraifft, cofnodwyd llawer o'r agweddau y cyfeirir atynt yn adroddiad y Ganolfan gan y Capten W.E. Williams, Cricieth a ymddeolodd o yrfa lwyddiannus yn 1967, yma'n cyfeirio'n benodol at ei ymddeoliad:

> Ar y môr, roeddwn i yn rhywun o bwys, ond dyma fi bellach yn un o'r miloedd cyffredin nad oes neb yn malio botwm corn yn eu tynged. Mae toriad fel hwn yn sicr o

effeithio ar fywyd pawb meidrol, ac ar fywyd ei wraig a'i deulu hefyd. Mae gwraig llongwr yn fwy o feistres yn ei chegin ei hun na'r un wraig arall. Ar hyd ei bywyd priodasol bu'n hwylio llong yr aelwyd ei hunan, heb weled ei gŵr am fwy na naw mis o bob blwyddyn. Hi oedd yn gorfod gofalu am fagu'r plant, ac nid oedd yn hawdd iddi un amser drefnu gwyliau hyd yn oed, gan na wyddai byth pa bryd y deuwn adref; ac wedi i mi gyrraedd adref, pwy wyddai na ddeuai gair i'm galw yn ôl yr un mor ddirybudd?

Roedd fy ngwraig yn hen gyfarwydd ag ansicrwydd felly.

Bellach, dyma'r gŵr aflonydd wrth draed – a than draed y wraig bob dydd. Fe gollodd hithau yn awr ei hawl i gynllunio ei diwrnod ei hun. Sefyllfa ddyrys yn wir, a doedd dim i'w wneud ond ceisio cyfaddawd – ac nid oedd hynny yn hawdd ar y cychwyn i'r naill na'r llall. Roedd y capten wedi hen arfer cael pawb yn ei long yn cyrraedd ac yn estyn iddo, ond erbyn hyn roedd yn gorfod cydweithio yn y tŷ gyda chapten tipyn mwy profiadol a llawer mwy medrus. Ta waeth, nid fi oedd y cyntaf i fod yn y cyflwr hwn, a chefais dipyn o gysur wrth gofio am hen gapten arall oedd newydd ymddeol. Roedd yn edrych yn dda a lliw haul yn melynu ei groen.

'Wir! Rydach chi yn edrach yn dda,' meddwn wrtho.

'Dim rhyfedd,' meddai yntau'n sychlyd, 'mae'r sinc golchi llestri yn wynebu'r De!'[54]

Roedd hiwmor yr hen gapten yn crynhoi i'r dim y teimladau chwerwfelys a'r tonnau o emosiynau amrywiol a oedd yn rhan o fywyd gwraig y morwr.

Yn Fam ac yn Dad

Yn y cymunedau morwrol traddodiadol, yn gymunedau pysgota, pentrefi morwyr hwylio'r glannau, canolfannau adeiladu llongau neu borthladdoedd mawrion, derbyniwyd absenoldeb y gŵr fel y norm. Ond daeth y gwrthwyneb yn wir yn ystod ail hanner yr ugeinfed ganrif wrth i sawl agwedd ar ddiwydiannau morwrol traddodiadol brofi newidiadau mawr – gyda phentrefi pysgota yn troi at dwristiaeth, dociau yn cau a'r llynges fasnachol yn crebachu, er enghraifft. Yn awr roedd y morwr traddodiadol yn absennol o'i gartref am fisoedd ar y tro, yn greadur anghyffredin o fewn ei gymuned ei hun, a'i deulu o'r herwydd yn 'wahanol' i weddill aelodau cymdeithas y glannau. Fodd bynnag, erbyn degawdau olaf yr ugeinfed ganrif, golygai datblygiad y teulu un rhiant fel rhan dderbyniol o gymdeithas fod 'absenoldeb' gŵr neu bartner yn rhan annatod o gymdeithas ar hyd a lled y wlad.

Yn draddodiadol, gyda'r tad yn absennol o'r cartref morwrol am gymaint o amser, un gorchwyl oedd yn arbennig i wraig y morwr oedd y disgwyl iddi fod yn fam ac yn dad ac yn gyfrifol felly am bob agwedd ar y cartref a'r teulu. Adlewyrchwyd yr elfen hon yn fwyaf amlwg o safbwynt disgyblu plant. Derbynnid mai hynny oedd rôl y fam nid yn unig gan y plant ond gan y tad a hynny pan oedd y tad gartref hefyd. Un o ferched y Capten Henry Hughes, Moelfre, oedd Mrs Anita Parry a'i gŵr oedd y Capten Tom Parry, mab i deulu morwrol arall o'r pentref. Adref ar wyliau, byddai ef yn cefnogi Mrs Parry pan fyddai hi'n disgyblu'r plant gan mai dyna oedd y drefn yn ei gartref ef ei hun yn ystod ei fachgendod. Genhedlaeth yn ddiweddarach, bu i'r Capten Bob Evans o'r un pentref a'i wraig Lil (nad oedd o deulu na chymuned forwrol), drafod a chytuno mai lle'r fam fyddai disgyblu er mwyn sicrhau cysondeb pan fyddai'r Capten Evans oddi cartref. Gellid dadlau bod sawl mam mewn sawl cartref ar hyd a lled y wlad yn gweithredu fel rheolwraig a disgyblwraig ond un o nodweddion y cymunedau morwrol oedd y derbynnid ac y disgwylid hyn yn ddi-gwestiwn. Ymddengys fod y patrwm hwn yn gallu amrywio o gymuned i gymuned ar draws cymunedau morwrol Ewrop a cheir sawl enghraifft o gartrefi morwrol lle byddai'r fam a'r tad yn gytûn mai'r tad fyddai'n disgyblu o'r munud y byddai'n cerdded drwy ddrws y cartref wedi cyfnod ar y môr. Ond, yn gyffredinol, cydnabyddid mai rhan allweddol o fywyd y wraig mewn cartref morwrol oedd gweithredu fel penteulu yn enwedig wrth ddisgyblu ac mai, drwyddi draw, dyma oedd y norm yn y cymunedau morwrol.

Erbyn i Ganolfan Ymchwil Rhyngwladol y Morwyr wneud ei hastudiaeth yn 2003 roedd cymdeithasau morwrol traddodiadol wedi hen ddiflannu ond mae'r ymchwil yn datgelu ychydig ar fod yn fam ac yn dad yn y cyfnod diweddar, yn ogystal ag agweddau tuag at blant. Roedd presenoldeb plant o fewn y cartref ag agweddau positif a negyddol ar fywyd y wraig. Roedd merched yn cwyno am orfod bod yn fam ac yn dad a'r cyfrifoldeb o wneud penderfyniadau ynglŷn â lles eu plant heb eu gwŷr yn bresennol. Roedd cael plant hefyd yn cyfyngu ar y cyfle i hwylio hefo'u partneriaid (roedd hynny'n bolisi gan sawl cwmni), ac yn hynny o beth nid oedd gwahaniaeth rhyngddynt â gwragedd oedd â phlant sawl cenhedlaeth ynghynt. Roedd merched hefyd yn awyddus i ddiogelu eu plant rhag effeithiau gyrfa eu partner gan eu darbwyllo bod absenoldeb y tad oherwydd ei waith ac nid oherwydd unrhyw beth yr oedd y plant wedi ei wneud. Roeddynt hefyd yn diogelu plant pan fyddai'r tad ar fin mynd i ffwrdd neu ddod adref gan fod y cyfnodau hynny yn rhai llawn straen. Fodd bynnag, roedd merched yn derbyn bod y plant yn addasu ac yn derbyn dull y teulu o fyw. Yr hyn oedd yn ddiddorol oedd bod morwyr a'u partneriaid yn derbyn ideoleg draddodiadol parthed rôl rhieni, sef mai'r merched oedd y gorau ar gyfer edrych ar ôl plant ac mai rôl y gŵr oedd bod yn gyflenwr economaidd. Ymddengys fod hyn yn ei gwneud hi'n haws i deuluoedd ymdopi â sefyllfa lle'r oedd y morwr yn absennol cyhyd.[55] Fodd bynnag, roedd y straen o weithredu yn annibynnol ar y partner yn gallu effeithio ar iechyd gwraig y tŷ.

Iechyd

Am ran helaethaf y ddwy ganrif a hanner ddiwethaf bu safon iechyd merched Cymru yn gyson yn waeth na safon iechyd dynion. Roedd sawl rheswm dros hynny, er y disgwyl y dylasai merched fod yn iachach oherwydd bod eu byd yn cylchdroi o amgylch y cartref. Ond roedd y cartref hwnnw yn aml yn achos salwch a marwolaeth. Fel y gwelwyd eisoes, roedd cyflwr y tai eu hunain yn ffactor – yn aml yn damp, yn orlawn o bobl a heb gyfleusterau sylfaenol – gyda diet diffygiol yn ychwanegu at y broblem. Roedd dirwasgiad economaidd yn sicr o gael effaith niweidiol ar iechyd ac felly hefyd digwyddiadau fel streiciau docwyr neu forwyr, a dylid cadw mewn cof bod merched yn tueddu i fynd heb fwyd eu hunain er mwyn gweddill y teulu, yn arbennig mewn cyfnod o gyni. Fel y gwelwn yn y man, dengys ymchwil diweddar fod gwraig i forwr hefyd yn dioddef o safbwynt iechyd a bod hynny yn parhau yn wir heddiw er gwaethaf cymaint o welliannau i safon byw.

Roedd afiechydon amrywiol yn bygwth iechyd y cyhoedd, ac ar wahanol adegau gallasant fod yn beryglus iawn. Roedd sawl rheswm dros ledu afiechydon, megis yr amodau byw dychrynllyd mewn sawl rhan o'r trefi diwydiannol oedd yn prysur dyfu, er enghraifft. Roedd symudiad poblogaeth yn lledu afiechydon, boed hynny drwy gyfrwng mewnfudwyr parhaol i dref neu yn sgil tref farchnad yn dod â phobl ynghyd am gyfnod byr. Yn y cyd-destun hwn, roedd trefi porthladd yn amlwg yn ganolbwynt i fewnforio heintiau oherwydd natur eu gwaith beunyddiol. Tra oedd rhai heintiau fel teiffws yn gysylltiedig â, ac yn gyfyngedig i, fywyd ar fyrddau llongau cyrhaeddodd heintiau eraill Gymru o ganlyniad uniongyrchol i'r cynnydd mewn masnach ryngwladol yn y ddeunawfed ganrif. Un o'r rhain oedd y ffliw, oedd â'r potensial i ladd, ac ymddengys i sawl epidemig a phandemig gychwyn yn y dwyrain a chael eu cludo ar longau i Ewrop.

Un haint a oedd yn taro cymunedau'n rheolaidd yn ystod y bedwaredd ganrif ar bymtheg oedd colera Asiatig. Bu'r colera hwn yn amlwg yng Nghymru yn 1832, 1849, 1854 ac 1866.[56] Yr oedd amodau byw'r trefi yn dir ffrwythlon ar gyfer lledu'r haint. Yn ddigon naturiol nid oedd dianc i gymunedau'r arfordir, yn arbennig y rhai trefol, ac roedd eu lleoliad ar brif lwybrau masnach lleol a rhyngwladol yn golygu eu bod yn fwy tebygol o weld afiechyd fel colera yn cael ei gludo atynt. Ar Orffennaf 26, 1832 cyrhaeddodd y *Mary Ann* Abertawe gyda dau o'r criw yn marw o'r afiechyd. O fewn pythefnos roedd 56 wedi marw a dechreuodd ledaenu i'r ardaloedd diwydiannol cyfagos. Dechreuodd epidemig Cymru 1849 yng Nghaerdydd a bu farw bron i 400 yno, a 246 yn ychwanegol yng Nghasnewydd.[57] Cafwyd tri epidemig ym Môn yn ystod y ganrif, yn 1831, 1849 ac 1866. Oherwydd adroddiadau o epidemig yn Sunderland cafwyd ymgais i rwystro ei ledaeniad i Fôn a gwelwyd llongau fel cludwr arbennig o beryglus. Cafwyd adroddiadau fod llongau oddi ar arfordir yr ynys ger Biwmares yn cludo'r haint a bod un llong wedi hwylio heibio Caergybi yn ei gludo. Rhoddwyd pamffledi, dillad a phlancedi i deuluoedd tlawd a chafwyd ymdrech arbennig i'w perswadio i gael gwared â'r tomenni gwastraff a oedd i'w cael tu allan i bob tŷ bron.[58] Achoswyd lledaeniad yr afiechyd yng Nghaergybi yn 1866 gan sgwner o Garston a gyrhaeddodd y dref, a bu farw 27 o bobl yno. Yn Amlwch cyfyngwyd y 22 a fu farw yn 1849 i ardal y porthladd.[59] Ychydig o ymateb a gafwyd i ymddangosiad colera yng Nghaernarfon yn 1831 ac 1849 ond cafwyd ymateb gwahanol gan awdurdodau'r dref yn 1866 pan ledaenodd tu hwnt i ardaloedd tlotaf y dref borthladd. Aethpwyd ati wedyn i wella cyflenwadau dŵr a gwaredu gwastraff, ynghyd â sawl mesur arall cadarnhaol.[60] Yn sgil amrywiol ddatblygiadau parthed iechyd cyhoeddus, diflannodd colera fel bygythiad i fywydau trigolion Cymru erbyn yr ugeinfed ganrif.

Er nad oedd hanes o afiechydon llong yn dod i'r lan, digwyddodd yr union beth hwnnw yn Abertawe yn 1865. Roedd i Abertawe hanes hir o fasnachu ffyniannus gyda De America, yn cludo copr yn bennaf ond hefyd nitradau, ffosffadau a giwana. Ond roedd i'r fasnach beryglon gwirioneddol i fywydau'r morwyr oedd ynghlwm â hi wrth i'r dwymyn felen arwain at salwch a marwolaeth ar y llongau hynny. Roedd yr haint yn cael ei gludo gan fosgito ac roedd yn lladdwr mor gyffredin ar longau fel y gelwid Santiago de Cuba yn 'fynwent Abertawe'. Ym Medi 1865 dociodd yr *Hecla*, oedd wedi cludo copr o Santiago de Cuba, yn noc y Gogledd yng nghanol Abertawe. Er i rai o'i chriw farw ar y fordaith o'r dwymyn felen, nid oedd y llong yn dangos ei baner twymyn. Pan sylweddolwyd y perygl, ynyswyd y llong gan yr awdurdodau a chymerwyd camau i'w glanhau efo clorin a chlorid leim ac i'w mygdarthu. Er hynny dechreuodd yr epidemig ar 15 Medi. Bu farw pymtheg o bobl, dim ond dau ohonynt oedd heb gyswllt uniongyrchol â'r llong neu'r ynys rhwng y doc ac Afon Tawe. Gorfodwyd y criw i symud yr Hecla i lanfa ger yr harbwr allanol oherwydd bygythiadau i'w llosgi gan drigolion lleol. Er nad oedd yn amlwg ar y pryd, ymddengys mai'r tymheredd o dros 70°F a lleithder cymharol o dros 80° a olygai fod amodau tebyg i'r trofannau ar y llong, sef amgylchedd perffaith i'r mosgito fridio a ffynnu nid yn unig ar hyd y fordaith ond yn yr harbwr ei hun hefyd.[61]

Er mai digwyddiad anghyffredin oedd ymddangosiad y dwymyn felen yn Abertawe, ac er ymddangosiad colera yn achlysurol yn rhai o drefi porthladd Cymru, roedd sawl haint ac afiechyd arall, llawer mwy cyffredin, a effeithiai ar iechyd y cyhoedd. Ond un canlyniad amlwg i'r gwelliannau amrywiol a gyflwynwyd mewn sawl maes yn ymwneud â iechyd y cyhoedd gan yr awdurdodau yn ail hanner y bedwaredd ganrif ar bymtheg a degawdau cynnar yr ugeinfed ganrif, oedd bod llawer llai yn marw o afiechydon megis difftheria, y dwymyn goch, y pâs a'r frech goch. Ond nid oeddynt wedi diflannu'n gyfan gwbl ac roeddynt yn parhau i daflu cysgod dros deuluoedd neu gymunedau unigol, yn arbennig gan eu bod yn taro plant yn aml.[62] Roedd achos lledaenu afiechydon marwol yn gymhleth a gwelwyd hyn yn y cymunedau morwrol. Er enghraifft, credid mai un rheswm am ledaeniad heintiau oedd bod gormod o bobl yn byw yn yr un tŷ. Ond eto adroddodd Swyddog Meddygol Port Talbot yn 1928 fod 151 achos o'r dwymyn goch mewn 130 o dai ond mai 17 tŷ yn unig oedd â dau neu fwy o deuluoedd yn byw dan yr un to. Un ffactor ymhlith llawer a effeithiai ar iechyd y cyhoedd felly oedd safon tai a gormod o bobl yn byw dan yr un to.

Un effaith hir dymor ar iechyd merched dosbarth gweithiol oedd nad oeddynt yn cael digon o sylw meddygol, ac un rheswm amlwg oedd bod ymweliad gan feddyg yn gostus. Un canlyniad sicr i hyn oedd i amrywiol gymunedau dosbarth gweithiol Cymru ddibynnu ar deulu a chymdogion am gyngor ar iechyd ac ar wella salwch, fel cam cyntaf o leiaf. Roedd merched, fel mamau a chymdogion, yn amlwg yn y maes hwn ac roedd i nifer o gymunedau eu 'harbenigwyr', y mwyafrif ohonynt yn ferched mae'n debyg. Ym mhentref Moelfre cofiai Mrs Maggie Williams iddi fwyta cig efo cnonyn ynddo un tro ac aeth ei mam â hi at 'Nain Ifans' (Catrin Ifans) oedd yn cael ei hystyried yn feddyg ac yn nyrs. Ei hateb hi oedd rhoi asiffeta i Mrs Williams nes ei bod hi'n 'cicio y lle i lawr'.[63] Roedd Ann Tucker (Jones gynt) ym Mhenbonc yn enwog am ei gallu i drin yr eryr, a Betsan Owen oedd bydwraig y pentref – hi hefyd fyddai'n golchi cyrff y meirw.[64] Ni ddylid diystyru pwysigrwydd cyfraniad y merched hynny i'w cymunedau. Honnwyd i Mrs Catherine Jones o Gaernarfon ddod â 1,779 o blant i'r byd, heb fethiant, a bu'n gyfrifol am ei babi olaf a hithau'n 80 mlwydd oed.[65] Ond roedd yr awdurdodau yn pryderu am ddiffygion amlwg y drefn a'i effaith ar iechyd y cyhoedd. Collwyd nifer o blant, a mamau yn aml, wrth roi genedigaeth; yn y cartref fel arfer, a hynny gyda bydwragedd lleol nad oeddynt wedi derbyn hyfforddiant meddygol. Ateb y llywodraeth oedd Deddf Bydwragedd 1902 a fynnai bod yn rhaid derbyn hyfforddiant, cymwysterau a chofrestru'n ganolog i fod yn fydwraig – ond wrth gwrs byddai'n cymryd blynyddoedd i hynny gyrraedd pob rhan o'r wlad. Nid colli mam neu blant wrth eni oedd yr unig bryder. Roedd cyfradd marwolaeth plant yn uchel iawn ac yn gyson uwch yng Nghymru nac yng ngweddill yr Ynysoedd Prydeinig rhwng 1893-1914. Roedd diffyg dealltwriaeth yr awdurdodau o achosion marwolaeth a'r cysylltiad â thlodi yn amlwg gydag adroddiad yn 1904 yn beio mamau dosbarth gweithiol am anwybodaeth ynglŷn â maeth a glendid. Cafwyd camau eraill mwy positif megis Deddf Addysg 1906 a roddodd ganiatâd i awdurdodau addysg lleol gynnig cinio ysgol i blant a Deddf 1907 a gyflwynodd arolwg meddygol i blant ysgol.

Afiechyd cyffredin arall a effeithiai ar ferched a'u teuluoedd oedd y diciâu ac roedd yn llawer mwy amlwg yng nghefn gwlad Cymru na gweddill Ynysoedd Prydain. Rhwng 1903-1907 y pum sir oedd ar ben y rhestr o safbwynt marwolaeth o'r Diciâu oedd Aberteifi (gyda bron i ddwbl cyfradd cyfartalog Cymru a Lloegr), Meirionnydd, Caernarfon, Caerfyrddin a Phenfro gyda Môn yn seithfed (a byddai'r sir honno ar ben y rhestr yn fuan). Roedd pob un o'r siroedd uchod yn wledig ac ar yr arfordir. Ond roedd amrywiaeth o fewn siroedd – yn Sir Gaernarfon roedd y cyfradd marwolaeth yn llawer is yng nghymunedau gwyliau'r arfordir megis Llandudno, Conwy a Phenmaenmawr nag yng nghefn gwlad. Roedd amrywiaeth ar draws y wlad hefyd ac er bod achosion o'r diciâu yn gostwng ar draws Ynysoedd Prydain rhwng 1932 ac 1937 cafwyd cynnydd o 30% yn y Rhondda. Roedd y sefyllfa yng ngogledd a gorllewin Cymru yn waeth ac yn 1930 roedd nifer y marwolaethau o'r diciâu ymhlith merched ar Ynys Môn yr uchaf ond un o holl siroedd Cymru a Lloegr.[66] Er bod afiechydon, y diciâu yn eu plith, yn sicr yn effeithio ar iechyd merched dros yr hir dymor, bu digwyddiadau megis yr Ail Ryfel Byd yn fygythiad uniongyrchol i fywydau merched a gweddill trigolion rhai cymunedau morwrol. Un elfen allweddol o'r ymladd yn y rhyfel oedd bomio o'r awyr, gyda phorthladdoedd megis Caerdydd, Abertawe a Doc Penfro yn dargedau. Gorfodwyd merched a phlant i symud i Benrhyn Gŵyr er diogelwch.[67] Ym Mai 1941 roedd Doc Penfro yn wag gyda'r nosau wrth i ferched a'u plant adael am gefn gwlad.[68] Wrth gwrs, anfonwyd ifaciwîs o rai o borthladdoedd mawrion Lloegr i Gymru er eu diogelwch, ac roedd hynny'n cynnwys cymunedau glan môr Cymru, gan roi pwysau ychwanegol ar wraig y tŷ mewn sawl achos. Nid oedd dianc o'r ofn i fod i nifer o'r ifaciwîs, fodd bynnag, gan y gallai sawl cymuned ar arfordir dwyreiniol Môn, er enghraifft, weld golau llachar o gyfeiriad Lerpwl wrth i'r ddinas honno gael ei bomio.

Yn ddiddorol iawn, dengys ymchwil diweddar fod y cartref morwrol ei hun yn fwy tebygol o gael effaith negyddol ar iechyd gwraig y tŷ nag a ystyriwyd ynghynt. Tueddai partneriaid morwyr i gyfeirio at hwyliau emosiynol ansad ac iselder pan fyddai eu partner i ffwrdd ond rhoddwyd y bai ar y straen o gadw'r cartref a'r blinder corfforol a ddeuai yn sgil edrych ar ôl y cartref a bod yn fam ac yn dad. Roedd ateb nifer o'r merched i'r broblem yn amrywiol megis 'noson gynnar', 'cyfarfod efo cyfeillion' a 'bwyta er cysur'. Pwysleisiai mamau i blant ifanc y broblem o ddelio efo mân salwch yn absenoldeb y partner ac nad oedd yn bosibl i'r fam fod yn sâl, er y gellid dadlau bod hynny yn aml yn debyg i sefyllfa'r fam mewn cymuned lofaol, er enghraifft. Yn anffodus, byddai ymgais y fam i ymdopi yn ei salwch yn debygol iawn o ymestyn cyfnod y gwaeledd a'i gwneud hi'n anoddach iddi adfer ei hiechyd. Wrth drafod iechyd, fod bynnag, tueddai'r gwragedd i sôn am broblemau iechyd difrifol yn hytrach na'u hiechyd o ddydd i ddydd oedd, mewn gwirionedd, llawn bwysiced. Pan fyddai problem iechyd ddifrifol pwysleisiai'r merched yr angen am gefnogaeth emosiynol eu partner a chymorth ymarferol i redeg y cartref ac edrych ar ôl y plant.[69] Yn yr ystyr hwn roedd absenoldeb y partner ar y môr yn rhoi straen ychwanegol ar y fam.

Y ffactor hir dymor pwysicaf i effeithio ar iechyd y fam a'i theulu, yn arbennig yn achos y dosbarth gweithiol, oedd tlodi. Mewn cyfnodau o ddirwasgiad, neu o brinder arian yn gyffredinol, byddai merched yn mynd heb fwyd er mwyn sicrhau fod y plant a phennaeth y tŷ yn cael maeth, ac roedd hyn yn sicr o effeithio ar eu hiechyd. Yn y 1930au, er enghraifft, roedd effaith diffyg maeth yn waeth ar ferched na dynion a phlant yn yr ardaloedd dirwasgedig ac, fel y disgwyl, roedd ansawdd iechyd ynghlwm ag incwm y teulu.

Incwm y Cartref
Roedd sawl rheswm pam y byddai dyn yn troi at yrfa forwrol. Un oedd traddodiad, teuluol a chymunedol, ac roedd rhamant y môr yn apelio at rai, dynion ifanc yn arbennig. Ffactor allweddol, ar hyd rhan fawr o arfordir Cymru, oedd prinder gwaith amgen a'r ffaith fod cyfle am gyflogau uwch na'r hyn a gynigiwyd ym myd amaeth. Fodd bynnag, i nifer o drigolion y glannau roedd troi at yrfa forwrol, neu gefnu arni, yn dylanwadu ar ac yn cael ei ddylanwadu gan, y penderfyniad i briodi a chynnal teulu.

Os oedd sawl ysgogiad i ddyn droi at yrfa forwrol, hyd yn oed pe bai ond dros dro, beth oedd rhesymau merched yr arfordir dros briodi morwr? Yn amlwg byddai nifer o ffactorau yn dylanwadu ar pryd neu bwy y byddai merch yn ei briodi. Mewn sawl cymuned rhaid oedd i'r ferch ieuengaf a oedd â rhiant gweddw ddisgwyl cyn priodi. Mewn rhai cymunedau morwrol lle'r oedd perchnogaeth llongau yn gyffredin, roedd sicrhau fod merch yn priodi i deulu arall o berchnogion llongau, a thrwy hynny gyfrannu at sicrhau llwyddiant masnachol, yn ystyriaeth. Ond eto, efallai fod yr ateb yn un syml, fel y noda Vickers a Walsh: roedd dynion y glannau yn mynd i'r môr oherwydd ei fod yno, yn rhan annatod o'u hamgylchedd ac oherwydd nad oedd dewis arall iddynt.[70] O dderbyn hynny, nid yw'n syndod fod y merched hwythau yn priodi a byw o fewn cymuned forwrol – ac o bosib roedd llai o ddewis ganddynt hwy nag yn achos y dynion!

Hyd yn oed os nad oedd incwm yn ganolog i'r penderfyniad i briodi, rhaid oedd wrth arian i fyw. Ond sut oedd cyflog y morwr yn cymharu gyda gweithwyr mewn sectorau eraill? Rhwng 1867 ac 1870, er enghraifft, roedd cyflogau misol gweision fferm rhwng oddeutu £2.30 a £2.80 (ar ei uchaf ym Morgannwg). Yn y siroedd gwledig arfordirol roedd yn £2.30 ar gyfartaledd ac eithrio Sir Gaernarfon a Sir Feirionnydd lle gallai gwas fferm ddisgwyl £2.70 y mis. Ceid mwy o amrywiaeth yn 1898, gyda chyflogau Môn ychydig o dan £3, ond yn codi i £3.20 yn Sir Feirionnydd a Sir Gaerfyrddin gyda Sir Aberteifi yn cynnig y cyflog isaf drwy Gymru gyda thipyn llai na £3 y mis. Roedd cyflogau llongwyr abl a hwyliai o borthladdoedd Cymru ar gyfartaledd fel a ganlyn yn yr un blynyddoedd: 1867 – £2.85; 1868 – £2.71; 1869 – £3.09; 1870 – £2.80. Roedd y cyflogau ychydig bach yn well i'r llongwr abl felly ond roedd cyflogau'r gwas fferm yn cymharu'n eithaf ffafriol ar ddiwedd y ganrif pan oedd cyflogau misol y llongwr abl ar gyfartaledd fel a ganlyn: 1898 – £2.95; 1899 – £3.02; 1900 – £3.00.[71]

Mae'r ffigyrau amaethyddol yn cyfeirio at labrwyr priod

nad oeddynt yn byw ar y fferm, a hefyd yn cynnwys amcangyfrifon yn seiliedig ar ychwanegiadau mewn nwyddau. Yn achos y llongwyr, nid llongwr abl oedd y rheng isaf ar y llong, nid yw'r ffigyrau yn gwahaniaethu rhwng dynion priod a sengl ac nid oes cymhariaeth o ran oedran ychwaith. Mae'r ffigyrau hefyd yn seiliedig ar gyflogau'r rhai a hwyliai o borthladdoedd Cymru, ond roedd natur eu swyddi yn golygu bod morwyr Cymru i'w cael mewn porthladdoedd ym mhob rhan o'r byd. Dengys astudiaeth o gyflogau morwyr yn ystod ail hanner y bedwaredd ganrif ar bymtheg eu bod yn gyson newidiol ar draws gwledydd ac nad oeddynt yn cadw i fyny â'r cynnydd a fu mewn cyflogau diwydiannol. Un o nodweddion cyflogau morwrol, ac un a wnâi bywyd y morwr a'i deulu yn anodd, oedd gwahaniaethau rhanbarthol mewn cyflogau hyd yn oed o fewn yr un wlad, gyda gwahaniaethau mewn cyflogau rhwng y morwyr a hwyliai o Abertawe a Chaerdydd, er enghraifft. Pa mor nodweddiadol oedd y sefyllfa yng Nghaergybi ar ddechrau'r ugeinfed ganrif? Amcangyfrifwyd fod cyflogau ym mhorthladd y dref ar y pryd fel a ganlyn:

Capten llong – £200 y flwyddyn
Y mêt – £105
Llongwyr a stocwyr – £1 4s 0c yr wythnos (ond roedd llongwyr ar longau'r City of Dublin Steam Packet Co. yn derbyn rhyw 2 swllt yr wythnos yn fwy)
Crefftwyr yn yr Iard Longau – fel uchod
Labrwyr – 15 swllt yr wythnos
Porthorion yr orsaf reilffordd a'r warysau – 17 swllt yr wythnos.[72]

Yn ddiddorol, fodd bynnag, tra byddai'r cyflog yn aml yn cael ei nodi fel yr unig fantais gan y morwr ei hun, byddai gwragedd yn ei nodi mewn ffyrdd mwy amrywiol megis y gallu i brynu nwyddau moethus arbennig neu beidio gorfod poeni am arian.

Un ffactor pwysig iawn a ddenai dynion i'r môr, a merched i briodi morwr gellir tybio, oedd cyfle i'r morwr penderfynol ac uchelgeisiol sicrhau dyrchafiad ar raddfa a chyflymdra nad oedd ar gael ar y tir. Gallai llongwr abl godi i statws mêt, o fewn un rheng i fod yn gapten, ac wrth iddo godi drwy'r rhengoedd yna cynyddai'r cyflog. Erbyn diwedd y bedwaredd ganrif ar bymtheg golygai datblygiad y llongau stêm a hwyliai'r glannau ac ymhellach; gyda'r galw ar weithwyr a chanddynt sgiliau arbennig ar y naill law, a'r pwyslais ar gyflogi swyddogion oedd yn meddu ar gymwysterau ar y llall; fod cyfleoedd i ennill cyflog sylweddol yn cynyddu, mewn cyfnodau llewyrchus ym myd llongau o leiaf. Roedd bri ar rai swyddi o fewn y rhengoedd morwrol ac adlewyrchwyd hynny hyd yn oed ymhlith capteiniaid gyda'r rhai a hwyliai'n fyd eang yn uwch eu cyflog ac yn uwch eu parch yn lleol, na chapteiniaid llongau hwylio'r arfordir. Fel y noda David Jenkins wrth gyfeirio at Aber-porth:

> '... roedd gwragedd y capteiniaid yn bobl o gryn bwys yn y gymdeithas; cyfeiriwyd atynt yn adroddiadau'r capel neu'r papur lleol fel Mrs *Captain* Davies neu Mrs *Captain* Jenkins!'[75]

Roedd y ffactorau hyn hefyd yn sicr o ddylanwadu ar ferch wrth ddewis gŵr ac ar safon eu bywyd wedi priodi.

Y cyflog a'r statws a ddeuai yn ei sgil oedd y fantais fwyaf i wraig y capten a hwyliai i bedwar ban byd, fel yr awgrymir yn nyddiadur Ellen Owen, Tudweiliog, a hwyliodd efo'i gŵr, Capten Thomas Owen, ar y *Cambrian Monarch* yn 1881-82. Mewn llythyr at ei chwaer nododd:

> ... Mi fydd yn rit anoedd gan Tom rhoi gora ir mor, mi wn i ar y gora. y mae nhw am godi yn ai gyflog i 25 pound. mi wn i ar y gorau na lecith yr Onors yn tol iddo beidio mund efo hi. Y mae nhw yn meddwl llawer iawn o Tom. mi ddwedodd Capt. McGill... nad oes ganddynt yn ai emploi ddim capt gwerth ai alw yn Capt Ond y fo. ag un arall... [75]

Roedd hynny'n sicr yn gyflog uchel iawn oherwydd hyd yn oed ar ddechrau'r ugeinfed ganrif dim ond £18 y mis a dderbyniai nifer o gapteiniaid llongau hwyliau mawr.

Yn sicr byddai gwragedd capteiniaid llongau fforen yn fwy tebygol o gael nwyddau o bedwar ban byd, gan adlewyrchu eu cyfoeth a'u statws. Roedd hynny'n wir am y plant hefyd wrth iddynt hwythau dderbyn anrhegion o bob math, yn enwedig adeg y Nadolig. Cofiai Beti Isabel Hughes fel y byddai ei thad, y Capten Griff Griffiths, Sarn Mellteyrn, yn dod ag anrhegion gartref i'w mam, Lil, a'r plant; a dywed yn ei llyfr *O Su y Don*...

> Bu fy chwiorydd a minnau hefyd yn cael ein gwisgo mewn ffrogiau lliw hufen wedi'u gwneud o ddefnydd shantung o China bob haf am flynyddoedd hyd syrffed! Cofiaf glywed fel y bu i Nhad rowlio llathenni o'r defnydd yma o amgylch ei gorff er mwyn ei guddio o dan ei ddillad i osgoi talu treth arno wrth ddod drwy'r Customs. Dro arall, daeth a kimonos o sidan main a pharasol o Siapan, les cywrain o Tenerife, cadeiriau gwellt o Madeira, lliain bwrdd o gotwm gwyn o India a brodwaith llaw traddodiadol a thlws arno.[76]

Roedd manteision o ran cyflog a statws i wragedd capteiniaid a hwyliai'r arfordir hefyd. Yn wahanol i gapteiniaid y llongau fforen, roedd nifer o gapteiniaid llongau'r arfordir yn berchen ar eu llongau eu hunain. Golygai hynny y byddai unrhyw elw a ddeuai o fasnach y llong, wedi i amrywiol gostau gael eu tynnu, yn mynd i'r capten/perchennog. Unwaith eto deuai hyn ag incwm da i'r cartref a'r potensial i wneud elw sylweddol ar gyfnodau llewyrchus, er bod peryglon cyfnod o ddirwasgiad neu golli'r llong yn gyfan gwbl yn fygythiad real. Roedd cyfleoedd i wragedd i gapteiniaid hefyd fod yn berchen ar gyfranddaliadau mewn llongau'r arfordir neu fforen neu gwmnïau llongau, ac roedd y cyfle hwn ar gael i ddynion a merched eraill o fewn, a thu hwnt, i'r cymunedau morwrol, fel yr eglurir ym Mhennod 3.

Un mater oedd maint y cyflog, mater arall oedd y gyllideb deuluol a sut yr oedd y cyflog yn cael ei wario. Roedd angen gofal er mwyn dal deupen llinyn ynghyd, fel y mae'r enghraifft ganlynol o Tiger Bay yn ystod yr Ail Ryfel Byd yn ei adlewyrchu.[77] Roedd dau gyflog posibl ar gael i forwyr yn ystod y rhyfel ac yn naturiol effeithiai hynny ar gyllideb y teulu. Rhwng mordeithiau ac o dan amodau rhyfel cofrestrwyd morwyr gyda Chronfa Wrth Gefn y Morwyr a derbyniasant £4 7s 9c yr wythnos o'i gymharu â chyflog o £5 4s 6c ar long. Oherwydd absenoldeb y gŵr roedd y gyllideb deuluol yn nwylo'r wraig a noda Kenneth Little enghraifft o gyllideb wythnosol nodweddiadol:

Gwariant:	£	s	c
Rhent		19	5
Bwyd	2	14	3
Dillad		5	9
Glo		4	8 a dime
Nwy		4	5 a dime
Golau		1	7
Manion personol a'r cartref		15	4
Cyfanswm	5	5	6

Roedd swyddi eraill lleol yn cynnig llai na chyflog morwr: roedd gyrrwr lori yn cael £4 10 0 yr wythnos, labrwr £3 16 0 a boelerwyr £5 10 0 yr wythnos. Efallai fod hynny'n gysur i wraig y morwr ond, o'r enghraifft hon, roedd cadw deupen llinyn ynghyd ymhell o fod yn hawdd iddi.

Mae'n amlwg o'r uchod fod tynged gweithwyr y byd morwrol, yn gapteiniaid llongau fforen, yn llongwyr cyffredin neu'n weithwyr y dociau, ynghlwm â'r economi ehangach. Yn ystod cyfnod o ddirwasgiad byddai diweithdra yn rhan annatod o fywydau gwragedd gweithwyr morwrol a gallai daro unrhyw un, beth bynnag eu statws.

Ymddengys, fodd bynnag, i un garfan o weithwyr yn y sector morwrol lwyddo i ysgafnhau effaith y dirwasgiad rhwng y rhyfeloedd ar eu teuluoedd, sef gweithwyr y dociau. Yn y cyfnod pan fyddai gweithwyr dociau yn cael eu hystyried yn 'llafur ysbeidiol', llwyddodd nifer ohonynt i fanteisio ar y drefn a fodolai wedi 1921 pan allai gweithwyr hawlio budd-daliadau diweithdra os nad oeddynt yn gweithio ond tri diwrnod allan o bob chwech. Felly yn 1930 mewn arolwg o 1,000 o weithwyr dociau Casnewydd roedd 8s. 7d. mewn budd dâl diweithdra yn cael ei ychwanegu at gyflog wythnos o £2 18s.[78] Roedd y drefn yn wahanol yn nociau Caerdydd gyda'r cyflogwyr yno yn talu'n syth i Undeb y Trimwyr Glo, gyda'r undeb wedyn yn ei rannu'n gyfartal rhwng y 1,500 o ddynion.

Ar y llaw arall, llwyddodd rhai capteiniaid i ddefnyddio eu profiad i sicrhau gwaith drwy gyfnod o ddirwasgiad, fel yn achos y Capten Henry Hughes o Foelfre. Yn 1910 gwerthodd Henry Hughes y llong hwyliau yr oedd yn berchen arni, sef y *William Shepherd*, i berchnogion o'r Iwerddon a throdd ei gefn ar longau hwyliau am byth wedi pum mlynedd ar hugain o lwyddiant. Roedd Capten Hughes wedi gweld bod oes y llongau hwyliau yn dirwyn i ben ac mai stêm fyddai'r dyfodol. Gyda'r arian a dderbyniodd am y *William Shepherd* prynodd gyfranddaliadau yn y stemar *J. & J. Monks* gan ymuno â'i chriw ac yna dod yn gapten arni. Gweithiodd ar longau stêm wedi hynny am bum mlynedd ar hugain. Trawyd y cwmni yn galed adeg y Dirwasgiad Mawr ond rhoddodd y Capten Hughes her i'r cwmni: '*Give her to me. I'll run her.*' Ac felly y bu. Llwyddodd i ddefnyddio'i brofiad fel capten llongau hwyliau yn masnachu â chilfachau bychain i redeg ei long yn llwyddiannus tan i'r dirwasgiad ddod i ben, a bu hynny o fudd uniongyrchol i'w wraig a'i deulu.

Felly un fantais i wragedd morwyr oedd y posibilrwydd y gallai eu gwŷr ddefnyddio eu cysylltiadau neu brofiad i gael gwaith ble bynnag yr oedd yn codi a hynny heb gael eu gorfodi i adael eu cymuned. Ond eto erys rôl y wraig wrth reoli cyllideb y cartref yn allweddol ac, fel yn achos cymunedau glofaol y de yn y 1930au, roeddynt yn ychwanegu at incwm y teulu hefyd. Er enghraifft, er dycnwch y Capten Henry Hughes, dylid cadw mewn cof bod ei wraig, Catherine Hughes, yn cadw ymwelwyr yn ystod y cyfnod hwn er mwyn dal deupen llinyn ynghyd wrth i ddosbarth canol gogledd orllewin Lloegr ddarganfod bendithion gwyliau yng ngogledd orllewin Cymru. Felly hefyd, oherwydd bod rhent mor uchel yn Nhre-biwt y drefn oedd rhentu ystafelloedd i letywyr am 25 swllt yr wythnos, er mai morwyr mae'n debyg fyddai'r lletywyr hynny (yn ôl y gyfraith ar y pryd disgwylid iddynt hwy aros mewn llety cofrestredig).[79] Roedd yr arian ychwanegol a oedd ar gael i'r cartref yn amlwg yn gymorth mawr i wraig y tŷ. Ar y llaw arall, nid arian oedd yr unig gymorth oedd ar gael i wragedd y cymunedau morwrol.

Cymorth i'r Teulu

Er mai cyfeirio at gyfnod o ddirwasgiad mae'r enghreifftiau uchod, roedd tlodi'r cymunedau morwrol yn gyffredinol yn golygu fod merched yn aml yn gorfod bod yn ddarbodus a chymryd gofal gyda'r gyllideb deuluol, a oedd yn aml yn llwyr yn eu dwylo hwy oherwydd absenoldeb eu gwŷr. Gan fod gwraig y tŷ yn gyfrifol am bob agwedd ar fywyd y cartref morwrol yn absenoldeb y gŵr roeddynt yn aml iawn yn cael eu hystyried yn wragedd annibynnol. Ond pa mor wir oedd hynny mewn gwirionedd? Sut fath o gymorth oedd ar gael, ac a oedd hynny yn amrywio o gymuned i gymuned neu o gartref i gartref – ac a oedd ar gael yn gyson?

Mewn gwirionedd, roedd natur y cymunedau morwrol yn golygu fod strwythurau cymorth anffurfiol ar gael i ferched wrth gynnal cartref a theulu, a gallai cyfleoedd arbennig godi o dro i dro oherwydd eu bod yn rhan o fyd morwrol.

Yr hyn sydd yn amlwg mewn cymunedau morwrol traddodiadol, fel mewn cymunedau eraill, yw bod dibynnu ar deulu a chyfeillion yn allweddol. Yn amlwg gallai'r capten llong a oedd wedi ymddeol ddisgwyl bywyd gweddol gyfforddus ond rhaid cofio y byddai angen dibynnu ar deulu yn aml. Roedd y teulu Peters yn un o deuluoedd morwrol amlycaf Aberdyfi gan ddod i'r amlwg fel perchnogion slwpiau yn y 1750au. Yn ôl cyfrifiad 1841 roedd y Capten Peter Peters wedi ymddeol, yn 73 mlwydd oed, ac yn byw gyda'i or-wyres Charlotte Thomas, 17 mlwydd oed, a morwyn o'r enw Margaret Williams, 21 mlwydd oed. Yn 1974, nid oedd y Capten Harry Owen Roberts o Foelfre eisiau ymddeol o hwylio'r glannau ond roedd ei rieni yn sâl a'i wraig, Mrs Elizabeth Roberts, yn gofalu amdanynt, ac roedd bywyd yn anodd iddi hi. Oni bai am salwch ei rieni byddai'r Capten Harry Owen Roberts wedi parhau i weithio ac yn ffodus iddo efo llwyddodd i gael gwaith ym Môn yn gweithio ar un o longau'r Brifysgol ym Mangor, sef y *Prince Madoc*, tan 1977, oedd yn golygu y gallai fyw gartref.

Ac eithrio cymorth teuluoedd, yr hyn a oedd o fantais amlwg oedd natur glos y cymunedau morwrol hynny. Mae'n debygol nad oedd y sefyllfa o reidrwydd yn wahanol yn y trefi porthladd mawrion. Felly, er bod Tiger Bay yng Nghaerdydd yn gartref dros dro i gannoedd o forwyr mewn blwyddyn roedd hefyd yn gymuned glos iawn, fel y noda Neil Sinclair wrth drafod Stryd Frances:

> ... everyone on the street knew everyone else quite intimately. This goes without saying for the rest of Tiger Bay. Part of its uniqueness was this fact. We were the true definition of an "urban village". Everybody did know who your grandfather was, mother, relatives, etc. Which one was white, which "coloured". Which married Catholic, Moslem or Jew and so on. There were the Williamses in number 2, Reggie, Ivor and "Googie" among them. In number 4 was Mrs Ali, who was white like the Williams but whose daughter Miriam was black, Somali to be exact...[80]

Ond tybed ai gor-ramantu oedd yr awdur? Mae'n bosibl bod

natur anhysbys trigolion symudol porthladdoedd yn golygu nad oedd mor hawdd troi at gymdogion na theulu, fel y dengys yr adroddiad hwn o Gasnewydd yn 1841:

> One of the poor fellows who was recently discharged from the Dock Works, and who has since been unable to obtain employment, is now suffering the most terrible destitution at Pillgwenlly, having a wife and four helpless children almost starving, who have subsisted entirely on boiled turnips and a four penny loaf during the last seven days, and numerous other families are in the same condition. The unfortunate husband went yesterday in quest of employment, but from the severity of the weather, there can be little hope of speedy relief being obtained from his endeavours for his destitute and starving family.[81]

Nid oedd hwn yn achos anghyffredin yng Nghasnewydd a rhaid yn aml oedd cynorthwyo'r tlodion, fel y digwyddodd yn dilyn apêl gan y Maer yn 1824 pan gasglwyd dros £80: *'which is to be laid out in bread and potatoes and distributed among the poor.'*[82]

Ond yn gyffredinol, byddai gwraig y cartref morwrol yn draddodiadol yn rhan o gymuned forwrol ehangach, boed hynny'n bentref bach unig neu yng nghanol prysurdeb 'sailortown', ac o'r herwydd byddai digon o gefnogaeth gymdeithasol. Erbyn diwedd yr ugeinfed ganrif, fodd bynnag, roedd morwyr yn y lleiafrif mewn sawl cymuned forwrol, a hynny'n sylweddol, felly'n aml doedd gwraig y morwr ddim hyd yn oed yn adnabod rhywun yn yr un sefyllfa â hi. Ategwyd hyn gan ymchwil Canolfan Ymchwil Rhyngwladol y Morwyr. Un broblem arbennig i bartneriaid morwyr oedd y teimlad o arwahanrwydd cymdeithasol, gyda nifer o ferched yn teimlo fel petaent wedi eu gosod ar wahân i ferched a oedd wedi priodi dynion a weithient ar y tir. Credent hwy fod problemau arbennig gwraig i forwr yn rhywbeth na fyddai merched eraill yn ei ddeall.[83]

Yn ôl yr ymchwil hwn o'r sefyllfa ryngwladol ar droad y

mileniwm, byddai merched yn dibynnu arnynt eu hunain am gymorth ymarferol pan fyddai'r partner i ffwrdd, neu ar gyfeillion neu deulu estynedig, ond roedd bron i hanner y merched yn nodi nad oedd neb y gallent droi atynt am eu hanghenion emosiynol. Roedd llai na chwarter yn dweud y byddent yn troi at eu partner. Roedd absenoldeb y math yma o gefnogaeth yn gallu niweidio iechyd cyffredinol merched yn ogystal â'u hiechyd emosiynol. Mewn gwirionedd roedd gwragedd yn brysur iawn yn gwneud 'gwaith emosiwn', sef eu bod yn derbyn problemau eu partneriaid pan fyddent i ffwrdd neu gartref, ond ar yr un pryd yn ceisio diogelu eu partner rhag newydd neu ddigwyddiadau a allai arwain at emosiynau negyddol.[84]

Er gwaethaf natur glos nifer o gymunedau morwrol, drwyddynt draw cymunedau tlawd oeddynt ac roedd aelodau'r cymunedau hynny, beth bynnag eu statws, yn manteisio ar unrhyw gyfleoedd a ddeuai i'w rhan i'w cynnal eu hunain. Un o'r cyfleoedd amlwg oedd smyglo. Roedd smyglo'n rhan annatod o fywyd nifer o gymunedau morwrol a manteisiodd merched o bob dosbarth arno. Roedd bod yn wraig i gapten yn rhoi mantais ychwanegol gan mai ef oedd pennaeth y llong, ac fel y noda David Thomas roedd temtasiwn mawr, er enghraifft, i gapten a hwyliai i Ddulyn yn y ddeunawfed ganrif yn cludo llechi o un o borthladdoedd y gogledd orllewin i ddychwelyd mewn balast gyda sebon, halen neu ganhwyllau wedi eu cuddio oddi fewn i'w long a deuai ag elw iddo ef a nwyddau i'w wraig.[85] Roedd y math yma o fanteision ar gael i wragedd capteiniaid llongau'r arfordir ar adegau o ryfel hefyd. Yn ystod ac wedi'r Ail Ryfel Byd, er enghraifft, roedd dogni'n golygu prinder gartref yng Nghymru, ond gallai capten llong a hwyliai i'r Iwerddon fanteisio ar y cyfle i gael nwyddau nad oeddynt ar gael, neu yn brin iawn gartref. I Mrs Anita Parry o Foelfre, er enghraifft, roedd bywyd ychydig yn haws iddi hi adeg y rhyfel, a chanddi hithau ddau o blant bach adref, gan fod ei gŵr, y Capten Tom Parry, yn hwylio i'r Iwerddon yn aml ac felly yn dod â siwgr, menyn a chig adref (ac i eraill o'i deulu yn y pentref), a theganau a phethau da / losin i'r plant. Roedd parodrwydd Capten Parry i ddod â nwyddau i eraill yn y pentref yn adlewyrchu pwysigrwydd cyd-ddibyniaeth o fewn y cymunedau morwrol a'r fantais a ddeuai i'r cymunedau morwrol o natur ryngwladol y diwydiant.[86]

Clo

Yn union fel eu cyfoedion benywaidd mewn cymunedau eraill, y cartref a'r gwaith oedd ynghlwm â'i gadw oedd canolbwynt bywyd mwyafrif merched y cymunedau morwrol. Er y gwelliannau amlwg mewn sawl agwedd ar fywyd a gwaith y cartref dros ddwy ganrif a hanner, y wraig yn bennaf oedd yn ysgwyddo'r baich o gynnal y cartref o ddydd i ddydd. Roedd absenoldeb y gŵr am gyfnodau maith yn un o brif nodweddion y cartref morwrol a rhoddai hynny'n sicr fwy o straen arni yn ei bywyd beunyddiol. Fodd bynnag, does dim dwywaith i'r merched hynny ymateb i'r her ac er y dirywiad mewn strwythurau cymunedol traddodiadol i'w cynorthwyo fe feddant ar gymeriadau cryfion a olyga eu bod i raddau helaeth iawn yn wragedd annibynnol, er nad oedd hynny o reidrwydd o ddewis.

Nodiadau

[1] Deborah Simonton, *A History of European Women's Work: 1700 to the Present* (Llundain, Routledge, 1998), 4-8.

[2] Deirdre Beddoe, *Out of the Shadows: A History of Women in Twentieth-Century Wales* (Caerdydd, Gwasg Prifysgol Cymru, 2000), 9-10.

[3] D. Lloyd Hughes a Dorothy M. Williams, *Holyhead: The Story of a Port* (Dinbych, Gwasg Gee, 1967), 90.

[4] Edward Davies, *Hanes Porthmadog* (Caernarfon, Cwmni Y Cyhoeddwyr Cymreig, 1913), 28-31.

[5] http://www.peterfinch.co.uk/newtown.htm; (gwelwyd 7/10/2008); Ronald Rees, *King Copper: South Wales and the Copper Trade 1584-1895*

(Caerdydd, Gwasg Prifysgol Cymru, 2000), 46-47.

6 Beddoe, *Out of the Shadows*, 15.

7 *Monmouthshire Merlin* 21 Gorffennaf, 1829.

8 Beddoe, *Out of the Shadows*, 16.

9 Christopher Draper, *Llandudno Before the Hotels, 10,000 B.C.-1854 A.D.* (Llwyndyrys, Llygad Gwalch, 2007), 187-203.

10 'Report and Valuation for Purchases of Lleiniau at Moelfre Anglesey for Miss Jones, Gwredog, 3rd July, 1915', (Archifau Prifysgol Bangor, Llawysgrif Gwredog 775).

11 Beddoe, *Out of the Shadows*, 115.

12 C. Roy Lewis, 'Housing Areas in the Industrial Town: A Case Study of Newport, Gwent, 1850-1880', *Cylchgrawn Llyfrgell Genedlaethol Cymru*, 24, (1985/86), 127.

13 J Ifor Davies, *Growing up Among Sailors* (Dinbych, Gwasg Gee, 1983), 65.

14 Beti Isabel Hughes, *'O Su y Don...' Hanes Teulu Morwrol o Wynedd, 1840-1950* (Dinbych, Gwasg Gee, 1990), 50-51.

15 Davies, *Hanes Porthmadog*, 30.

16 Deirdre Beddoe 'Munitionettes, Maids and Mams: Women in Wales, 1914-1939' yn Angela V. John, (gol.), *Our Mother's Land: Chapters in Welsh Women's History 1830-1939* (Caerdydd, Gwasg Prifysgol Cymru, 1991), 201-203.

17 Steven Thompson, *A Social History of Health in Interwar Wales*, Traethawd Doethuriaeth, Aberystwyth 2001 (http://hdl.handle.net/2160/498), 159 (gwelwyd 06/06/2009).

18 Adroddiad Swyddog Meddygol Dosbarth Trefol Y Barri, (1920), 15 – gweler Thompson, *Health in Interwar Wales*, 165.

19 Adroddiad Swyddog Meddygol Bwrdeistref Sirol Caerdydd, (1927), 77 – gweler Thompson, *Health in Interwar Wales*, 166.

20 Thompson, *Health in Interwar Wales*, 166-168.

21 Beddoe, *Out of the Shadows*, 114-115.

22 D.W. Harris, *Maritime History of Rhyl and Rhuddlan* (Prestatyn, Books, Prints & Pictures, 1991), 139-146;

23 Hughes a Williams, *Holyhead: The Story of a Port*, 109-110.

24 Davies, *Hanes Porthmadog*, 33-34.

25 Thompson, *Health in Interwar Wales*, 238.

26 Beddoe, *Out of the Shadows*, 115.

27 Beddoe, 'Munitionettes, Maids and Mams', 204.

28 Beddoe, *Out of the Shadows*, 16.

29 Brit Berggreen, 'Dealing with Anomalies? Approaching Maritime Women', yn Lewis R. Fischer, Harald Hamre, Poul Holm, Jaap R. Bruijn (gol.), *The North Sea: Twelve Essays on Social History of Maritime Labour* (Stavanger, Stavanger Maritime Museum/The Association of North Sea Societies, 1992), 113.

30 Neil M.C. Sinclair, *The Tiger Bay Story* (Trefforest, Neil M.C. Sinclair, 1993), 97.

31 Beddoe, 'Munitionettes, Maids and Mams', 205.

32 Simonton, *A History of European Women's Work*, 4.

33 Beddoe, *Out of the Shadows*, 146.

[34] Beddoe, *Out of the Shadows*, 18.

[35] Thompson, *Health in Interwar Wales*, 108: Llyfrgell Genedlaethol Cymru, Cyflwyniad buddugol yn Eisteddfod Genedlaethol Bangor, 1915, sef 'An Account of the Standard of Living and Wages in one of the following sections (A) Farm Labourers (B) Quarrymen (C) Colliers (D) Tinworkers (E) Iron and Steelworkers'.

[36] Phyllis Grogan Chappell, *A Tiger Bay Childhood: Growing up in the 1930s* (Caerdydd, Butetown History and Arts Centre, 1994), 35.

[37] Beddoe, *Out of the Shadows*, 128.

[38] Beddoe, *Out of the Shadows*, 127-28.

[39] Lewis Lloyd, *Pwllheli: the Port and Mart of Llŷn* (Caernarfon, Gwasg Pantycelyn, 1991), 324-326.

[40] Beddoe, *Out of the Shadows*, 49.

[41] Cyfweliad efo Eunice Hughes, 17/12/1992 (casgliad yr awdur).

[42] Cyfweliad efo John Evans, 21/9/1994 (casgliad yr awdur).

[43] J. Geraint Jenkins, *Maritime Heritage: The Ships and Seamen of Southern Ceredigion* (Llandysul, Gomer, 1982), 153-154.

[44] Davies, *Growing up Among Sailors*, 155.

[45] Peter H. Fricke, 'Seafarer and Community' yn Peter H. Fricke (gol.), *Towards a Social Understanding of Seafaring* (Llundain, Croom Helm, 1973), 4-5.

[46] Hughes, '*O Su y Don...*', 63-67, 81.

[47] Davies, *Growing up Among Sailors*, 163.

[48] Norah Ayland, *Schooner Captain: The Story of Captain Hugh Shaw for Half a Century a Master in Sail in British Waters* (Truro, D. Bradford Barton Ltd, 1972), 21.

[49] Richard Gorski, 'Employers' Liability and the Victorian Seaman', *Mariner's Mirror*, 95, 1 (Chwefror, 2009), 68.

[50] Davies, *Growing up Among Sailors*, 86-87.

[51] Michelle Thomas, 'Lost at Home and Lost at Sea: the Predicament of Seafaring Families' (Seafarers International Research Centre, Prifysgol Caerdydd, 2003), 8, 33, 37-42 (gwelwyd 12/2/2009).

[52] Hughes, '*O Su y Don...*', 76.

[53] Thomas, 'Lost at Home and Lost at Sea: the Predicament of Seafaring Families', 76.

[54] W.E. Williams, *Llyncu'r Angor* (Tŷ ar y Graig, Dinbych, 1977), 12-13.

[55] Thomas, 'Lost at Home and Lost at Sea: the Predicament of Seafaring Families', 68-75.

[56] G. Penrhyn Jones, 'Cholera in Wales', *Cylchgrawn Llyfrgell Genedlaethol Cymru*, X/3, (Haf, 1958).

[57] Jones, 'Cholera in Wales', 286; 290-295.

[58] Hughes a Williams, *Holyhead: The Story of a Port*, 92.

[59] Jones, 'Cholera in Wales', 298-299.

[60] Lewis Lloyd, *The Port of Caernarfon, 1793-1900* (Caernarfon, Gwasg Pantycelyn, 1989), 7.

[61] Rees, *King Copper*, 38-41.

[62] Thompson, *Health in Interwar Wales*, 296.

[63] Cyfweliad efo Mrs Margaret Williams, 28/10/1993 (casgliad yr awdur).

[64] Cyfweliad efo Eunice Hughes, 3/03/1993 (casgliad yr awdur).

65 Lloyd, *The Port of Caernarfon*, 144.

66 Beddoe, *Out of the Shadows*, 22, 96-97.

67 Paul Ferris, *Gower in History: Myth, People, Landscape* (Y Gelli, Armanaleg Books, 2009), 183-184.

68 Beddoe, *Out of the Shadows*, 126-27.

69 Thomas, 'Lost at Home and Lost at Sea: the Predicament of Seafaring Families', 89-90.

70 Daniel Vickers a Vince Walsh, *Young Men and the Sea: Yankee Seafarers in the Age of Sail* (New Haven, Yale University Press, 2005).

71 'Table 3; Mean Wages for Able-Bodied Seamen Recruited in Welsh Ports, 1863-1900 (£ sterling per month)' yn Lewis R. Fischer, 'Seamen in a Space Economy: International Regional Patterns of Maritime Wages on Sailing Vessels, 1863-1900' yn Stephen Fisher (gol.), *Lisbon as a Port Town, the British Seaman and other Maritime Themes* (Exeter Maritime Studies No.2, 1988), 64.

72 Hughes a Williams, *Holyhead: The Story of a Port*, 150.

73 M. Thomas, 'Lost at Home and Lost at Sea: the Predicament of Seafaring Families', 29.

74 David Jenkins, 'Mrs. Capten Jenkins', *Y Wawr*, 89 (Hydref, 1990), 12-13.

75 Aled Eames, *Gwraig y Capten* (Gwasanaeth Archifau Gwynedd, Caernarfon, 1984), 85.

76 Hughes, '*O Su y Don...*', 65.

77 Kenneth Little, *Negroes in Britain: A Study of Racial Relations in English Society* (Llundain, Routledge, 2003), 146-148.

78 G. Phillips and N. Whiteside, *Casual Labour: The Unemployment Question in the Port Transport Industry 1880-1970* (Rhydychen, Oxford University Press, 1985), 187 – gweler Thompson, *Health in Interwar Wales*, 25.

79 Roedd tai lodjin yn rhan greiddiol o fywyd morwrol *sailortown* Caerdydd ac, o safbwynt undebau llafur, yn cael eu hystyried yn rhwystr i ddatblygu undebaeth ymhlith y morwyr: gweler M.J. Daunton, 'Jack Ashore: Seamen in Cardiff before 1914', *Cylchgrawn Hanes Cymru* IX, 2 (Rhagfyr, 1978), 176-203.

80 Sinclair, *The Tiger Bay Story*, 7-8.

81 *Monmouthshire Merlin* 6 Chwefror, 1841.

82 http://www.newportpast.com: The Newport Poor: http://www.newportpast.com/nfs/strands/poor/reports.htm (gwelwyd 10/1/09).

83 M. Thomas, 'Lost at Home and Lost at Sea: the Predicament of Seafaring Families', 9, 62.

84 M. Thomas, 'Lost at Home and Lost at Sea: the Predicament of Seafaring Families', 61-67.

85 David Thomas, *Hen Longau Sir Gaernarfon* (ail. arg. Llanrwst, Gwasg Carreg Gwalch, 2007), 143. Argraffiad Cyntaf (Caernarfon, Cymdeithas

86 Cyfweliadau efo Mrs Anita Parry: 3/03/1994; 12/11/1997 (casgliad yr awdur)

Pennod 2

Merched yn Gweithio'r Glannau

Mae nifer o ffactorau cyffredin sy'n dylanwadu'n uniongyrchol ar gyfleodd gwaith merched a dynion: yr economi, demograffeg a dosbarth, er enghraifft. Ond wrth astudio merched yn benodol, mae amryw ystyriaethau eraill megis agweddau cymdeithas (gan gynnwys agweddau merched eu hunain) at eu rôl economaidd ar y naill law, a phriodi a chael plant ar y llaw arall. Yn y ddeunawfed ganrif, gyda chymdeithas ac economi gwledig yn dominyddu, roedd y cartref yn uned economaidd a rôl merched ynddo yn allweddol. Fodd bynnag, ceir dadl fod cyfraniad y ferch yn economaidd, yn arbennig wrth weithio am ddim yn y cartref, ar ddyddyn neu ar fferm, wedi ei israddio wrth i ennill cyflog ddod yn ffon fesur yn yr oes ddiwydiannol. Nid oedd natur cymuned ac economi'r ddeunawfed ganrif yn golygu na allai merched weithio am gyflog – roedd cyfleoedd amrywiol i'w cael, ond roedd nifer o'r cyfleoedd gwaith hynny yn estyniad ar eu gwaith yn y tŷ neu ar y fferm, fel morwynion, er enghraifft. Er nad oes tystiolaeth feintiol ddibynadwy o ferched mewn diwydiant yn y ddeunawfed ganrif, credir eu bod yn bresennol i raddau nad ydym yn eu llawn sylweddoli, yn bennaf oherwydd eu hyblygrwydd a'r ffaith eu bod yn aml yn llafur rhad.

Felly hefyd yn ystod y chwyldro diwydiannol: er y pwyslais ar ferched a'u lle yn y cartref, roedd gwaith ar gael iddynt mewn sawl diwydiant er i'r cyfleoedd hynny gael eu cyfyngu yn aml (drwy ddeddfwriaeth yn achos y pyllau glo). Ond er gwaethaf eu cyfraniad i'r economi trefol a diwydiannol, doedd merched ddim yn cael eu trin yn gyfartal â dynion a rhaid cadw mewn cof fod nifer o swyddi nad oeddynt ar agor i ferched oherwydd y syniad mai 'gwaith dynion' oeddynt.[1] Er gwaetha'r dystiolaeth oedd yn dangos fod merched yn llwyddo ym myd gwaith a busnes, ac er i rai merched filwriaethu'n erbyn y drefn, cyfyng iawn oedd y cyfleoedd iddynt ym myd gwaith hyd yn oed ar gychwyn yr ugeinfed ganrif. Heb unrhyw amheuaeth llwyddodd y ddau ryfel byd i weddnewid bywydau merched ac erbyn degawdau olaf yr ugeinfed ganrif daeth merched yn fwyfwy amlwg mewn sawl maes gwaith, er nad oedd hynny o reidrwydd yn golygu cydraddoldeb â dynion. I nifer o gyflogwyr yr un oedd y manteision o gyflogi merched â dwy ganrif ynghynt, sef eu bod yn llafurlu mwy hyblyg na dynion ac yn rhatach i'w cyflogi. Fodd bynnag, erbyn y mileniwm newydd roedd yn amlwg hefyd fod merched wedi ennill yr hawl i fynediad i swyddi nad oedd ar gael i'w mamau na'u neiniau.

Ond er yr holl ddatblygiadau cymhleth ynghlwm â gwaith merched dros y ddwy ganrif a hanner ddiwethaf, ac er i haneswyr dalu llawer mwy o sylw i'r maes, nid ydym ond megis crafu'r wyneb ar hyn o bryd. Fel y noda Simonton, mae'n profi'n anodd asesu newid a pharhad a thebygrwydd a gwahaniaethau ar draws cyfnodau, ar draws gwledydd a rhwng amrywiol feysydd gwaith oherwydd bod ein gwybodaeth yn fratiog. Mae hynny yn sicr yn wir am gyfraniad merched i weithgareddau economaidd o fewn cymunedau morwrol.[2]

Roedd merched yn chwarae rhan amlwg mewn sawl agwedd ar y diwydiant pysgota ar hyd arfordir Cymru, ond nid oedd y cymunedau pysgota yn rhai unffurf ac felly amrywiol oedd rolau a phrofiadau merched yn economaidd o fewn y diwydiant. Ond un rhan o'r economi forwrol oedd y diwydiant pysgota ac, fel y pwysleisiwyd eisoes, amrywiai cymunedau morwrol o'r porthladdoedd mawrion rhyngwladol, cosmopolitan prysur ar y naill law i'r pentrefi a threflannau bychain, anghysbell, plwyfol yr olwg, ar y llaw arall.

Roedd gweini, y prif waith i fwyafrif y merched dros ran helaethaf y cyfnod dan sylw, yn perthyn cymaint i'r cymunedau morwrol ag i unrhyw gymuned arall. Yn yr un modd, roedd merched eu hunain yn aml yn gorfod troi eu dwylo at unrhyw fath o waith er mwyn dal deupen llinyn ynghyd – os yn wraig ddi-briod, dlawd, yn wraig weddw neu pan fyddai'r gŵr wedi colli ei waith dros dro, er enghraifft.

Roedd y gwaith ategol a oedd ynghlwm â'r diwydiannau morwrol (i'w cael yn bennaf yn y trefi a dinasoedd porthladd) yn cynnig rhai cyfleoedd i ferched nad oeddynt bob amser yn ansylweddol. Rhoddodd bwrlwm morwrol amrywiol gymunedau hefyd gyfleoedd i ferched i gyfrannu at fywyd morwrol a thrwy hynny wella eu byd yn sylweddol, cyfleoedd nad oedd ar gael i ferched mewn cymunedau eraill. I'r pegwn arall, golygai caledi bywyd y cymunedau morwrol fod nifer o ferched yn cefnu ar waith cyfreithlon ac yn troi at ddulliau amgen i oroesi o fewn y cymunedau hynny. Yn arbennig wrth i'r ugeinfed ganrif fynd rhagddi, golygodd newidiadau economaidd a datblygiad y wladwriaeth les, er enghraifft, gyfleoedd newydd i ferched yn y cymunedau morwrol fel pob man arall; ond nid oedd hynny'n golygu bod byd gwaith yn fêl i gyd i ferched y glannau.

Y Diwydiant Pysgota[3]

Bu pysgota'n greiddiol i hanes cymunedau morwrol Cymru a thros y canrifoedd bu cyfraniad merched yn ganolog i lwyddiant y diwydiant pysgota er bod union natur y cyfraniad hwnnw ymhell o fod yn unffurf.

Yn y mwyafrif o gymunedau pysgota Cymru dynion oedd yn pysgota, ond roedd natur y diwydiant yn golygu fod angen cefnogaeth ar y tir. Felly mewn cartrefi ar hyd y glannau byddai gwragedd a phlant pysgotwyr yn helpu wrth wneud rhwydi pysgota, er enghraifft. Ym Mae Ceredigion, roedd glanio'r penwaig yn ddigwyddiad cymunedol gyda merched a phlant yn tynnu'r cychod i'r lan yn glir o'r llanw uchel, gwagio'r rhwydi a chludo'r pysgod oddi yno. Ond yn Llŷn roedd y cwillwrs, sef pysgotwyr cimychiaid, yn ddynion profiadol a medrus ac yn gorfod trin cwch yn dda felly nid oedd merched yn amlwg yn y diwydiant yno.

Ond roedd merched yn hollol flaengar yn hanes diwydiant cocos gogledd Gŵyr. Yn 1921 roedd 100-200 o bobl yn pysgota cocos yn y gaeaf a 200-250 yn yr haf, a merched oedd y rhain bron yn ddieithriad.[4] Yn draddodiadol byddai'r merched o bysgotwyr a drigai'n agos i'r traeth yn dod gyda bagiau neu sachau i gario'r ddalfa tra byddai'r rhai a ddeuai o bell yn dod gydag asyn a chert neu fulod yn cludo cewyll.[5] Byddai'r merched yn gadael eu cartrefi am bedwar o'r gloch y bore i deithio'r tair milltir o dywod i gasglu'r cocos ar Draeth Llanrhidian, gyda'r rhan fwyaf o'r casglu yn digwydd ar y distyll. Yr un oedd y drefn ar arfordir gogleddol Moryd y Burry a hefyd yn aberoedd Tywi, Taf a'r Gwendraeth. Yn ystod y 1920au mulod oedd yn cludo'r cocos felly allai'r merched ond casglu 2-3 canpwys, sef y pwysau y gallai pob mul eu cludo. Yn ddiweddarach defnyddid ceir fflat gyda theiars rwber a dynnwyd gan geffylau, felly gellid cludo llawer mwy.

Roedd merched hefyd yn chwarae rhan amlwg yn y diwydiant casglu cregyn gleision yng Nghonwy. Erbyn yr 1980au roedd wyth cwch ynghlwm â'r diwydiant gyda'r pysgotwyr yn dod o bedwar teulu. Y dull o gasglu oedd i'r cwch adael Conwy gyda dau bysgotwr ar ei bwrdd yn pysgota gwely'r môr a dwy neu dair o ferched yn gadael y cwch ar yr aber i gasglu cregyn gleision ar y glannau. Byddai'r pysgota'n digwydd dros gyfnod o bedwar i bum awr ar lanw isel. Roedd y rhai a weithiai ar y glannau yn defnyddio twca (llafn siâp llwy) wedi ei wneud gan ofaint lleol yn ôl cyfarwyddiadau manwl y casglwr cregyn unigol. Byddai'r merched yn clymu clytiau o amgylch eu dwylo rhag ofn iddynt gael anaf a gwisgent sioliau gwlân dros eu pennau, sgert wlân, côt neu ddwy a thair pais wlanen.[6] Byddai pob cragen yn cael ei dal gyda'r llaw dde a'i thynnu oddi wrth y graig gyda'r llaw chwith cyn cael ei throsglwyddo i fasged weiren neu helygen. Byddai'r casglwr wedyn yn cael gwared â chregyn a oedd yn rhy fawr neu'n rhy fach cyn cerdded y tair neu bedair milltir i Gonwy a didoli'r cregyn ar y cei. Yna byddent yn mynd adref i gael bwyd cyn dychwelyd i gyfarfod y dynion. Treulid y pedair awr ganlynol yn didoli'r cregyn a gasglwyd o wely'r môr, a byddai'r merched hefyd yn helpu i baratoi'r cychod a rhoi'r cregyn mewn sachau yn barod i'w hanfon i'r burfa.[7]

Un rhan o'r diwydiant oedd dal yr helfa bysgod; proses yr un mor bwysig i'r diwydiant pysgota oedd ei baratoi ar gyfer y farchnad a'i werthu, ac eto roedd rôl merched yn allweddol. Roedd marchnata a gwerthu pysgod yn amrywio o anghenion economi cynnal, drwy ychwanegu at incwm y teulu neu fel busnes bach gyda photensial masnachol mwy i rai, tra bod pysgota dwys yr ugeinfed ganrif yn cynnig gwaith uniongyrchol ar raddfa fawr i nifer o ferched.

Yn draddodiadol gwerthai merched bysgod yn eu cymunedau lleol, naill ai fel rhan o economi'r cartref neu i gynnal eu hunain, os yn wraig weddw, er enghraifft. Ond ym mhentrefi Llangwm a Hook, gan nad oedd masnachwyr pysgod lleol i'w cael, y merched fyddai'n rheoli'r gwerthu. Yn ogystal ag Abertawe a threfi a phentrefi lleol cymoedd Nedd a'r Gwendraeth byddai'r merched yn teithio cyn belled â Chaerfyrddin, Caerdydd, Casnewydd a'r Rhondda a theithiai un ferch yr holl ffordd i Gaerfaddon.[8] Roedd y math yma o fasnachu yn gymysgedd o'r hen, sef gwerthu yn lleol, a manteisio ar drafnidiaeth fodern a roddai gyfle i gyrraedd marchnadoedd pellach i ffwrdd.

Roedd cyfleoedd ar gael i wragedd busnes mentrus ac ymarferol yn y diwydiant pysgota. Roedd porthladd a thref marchnad Pwllheli yn ganolfan bysgota bwysig yn ystod y bedwaredd ganrif ar bymtheg.[9] Rhoddodd y diwydiant gyfleoedd i werthwyr pysgod lleol, tri yn y dref ei hun yn 1871 a chwech yn 1881, yn cynnwys dwy ddynes a oedd, fe honnwyd, yn anllythrennog. Er hynny roeddynt yn fasnachwyr effeithiol iawn. Byddai un ohonynt yn dosbarthu cardiau o wahanol liwiau i'w chwsmeriaid mewn marchnadoedd pell. Byddai cynorthwy-ydd yn rhoi'r cyfeiriadau ar y cardiau a llwyddwyd i anfon rhwng 300 a 400 casgen neu flwch bob dydd ar y rheilffordd.[10]

Roedd sefydlu pysgota ar raddfa fasnachol fawr hefyd yn cynnig cyfleoedd economaidd i ferched mewn ffatrïoedd pysgota. Ffynnodd diwydiant pysgota Caergybi am gyfnod byr rhwng y rhyfeloedd byd oherwydd bod driffterau o'r Alban yn glanio yno. Roedd y pacio a'r diberfeddu yn digwydd ar Ynys Halen cyn i'r cynnyrch gael ei anfon ar drenau i'r farchnad. Cafwyd atgyfodiad byr yn y diwydiant yn y 1960au, yn bennaf oherwydd gweithgaredd pysgotwyr o ogledd Iwerddon, o Cill Chaoil (Kilkeel) yn arbennig.[11]

Felly ar amrywiol gyfnodau yn hanes Cymru, ac mewn sefyllfaoedd cyferbyniol, chwaraeodd merched ran bwysig yn y diwydiant paratoi a gwerthu pysgod a llwyddodd y gweithgareddau hyn i roi'r cyfle iddynt ychwanegu at incwm y teulu.

Cnwd y Glannau: Moresg a Gwymon

Roedd amlygrwydd merched mewn sawl diwydiant arfordirol yn adlewyrchu eu pwysigrwydd i'r economi leol yn ogystal â brwydr barhaol nifer o gymunedau mwyaf anghysbell y wlad i oroesi tlodi dybryd.

Bu ardal Niwbwrch yn ne orllewin Môn yn draddodiadol yn un o ardaloedd tlotaf yr ynys ac nid yw'n syndod i nifer o ddynion y fro droi at y môr am eu bywoliaeth gyda'r plwyf yn cynhyrchu sawl capten llong. Un o'r rhesymau dros gefnu ar y tir oedd daearyddiaeth y fro gyda'i thir anial a'r erwau o dwyni tywod – twyni a fu'n darparu gwaith unigryw i ferched y fro.[12]

Ar dwyni tywod Niwbwrch tyfai moresg a ddefnyddiwyd gan drigolion yr ardal i blethu matiau a rhaffau hesg. Gwragedd a merched fu'n bennaf gyfrifol am y gwaith, er i ddynion a bechgyn hefyd chwarae rhan amlwg yn ystod ail hanner y bedwaredd ganrif ar bymtheg pan fu'r diwydiant ar ei fwyaf llewyrchus. Ymddengys mai trigolion y pentref yn unig oedd yn feistri ar y grefft ac nad oedd wedi lledaenu rhyw lawer tu hwnt i'w ffiniau.

Roedd y moresg yn cael ei dorri yn yr haf ond hesg dwyflwydd oedd orau ar gyfer ei blethu. Roedd i bob teulu eu darn arbennig o'r twyn a byddai'r cynaeafu yn parhau am fis o leiaf. Byddai rhai yn cael trafferth cynaeafu eu hesg eu hunain, hen wragedd yn arbennig, ond gallent hwy brynu ysgubau moresg naill ai gan gymydog neu am swllt yr un ym marchnad Aberffraw.

Y cartref oedd sylfaen y cynhyrchu gyda phob tŷ yn ffatri ac mewn ambell ffatri byddai chwech neu fwy o ferched wedi ymgasglu i blethu. Er ei fod yn waith annifyr, roedd rhai o'r merched profiadol yn gallu plethu'n gyflym iawn. Y drefn oedd defnyddio'r llaw dde i blethu a'r llaw arall i fwydo mwy o hesg wrth i'r gwaith fynd yn ei flaen.

Cyn 1900 matiau oedd y prif gynnyrch. Roeddynt yn naw troedfedd o hyd a thair troedfedd o led ac fe'u defnyddiwyd ar un adeg i orchuddio teisi gwair. Yn draddodiadol siopwyr lleol oedd yn gyfrifol am, ac yn elwa'n sylweddol o'r, marchnata. Y drefn oedd i'r merched fynd â'r matiau i'r siop leol ac yno byddent yn cael gwerth swllt a deg ceiniog o nwyddau am bob mat. Byddai'r siopwr wedyn yn eu gwerthu am dri swllt yr un i fasnachwyr a ddeuai heibio yn yr haf. Fe wyddwn i'r rheiny wedyn eu gwerthu yn ffeiriau'r gogledd, Pwllheli a Chricieth yn arbennig, am bedwar swllt yr un. Roedd y rhaffau hesg yn cael eu defnyddio i bacio amrywiol nwyddau, megis crochenwaith, dodrefn a gwydr, yn ffatrïoedd canolbarth Lloegr.

Ar ddechrau'r ugeinfed ganrif sefydlwyd Cymdeithas Plethwyr Matiau Niwbwrch. O ganlyniad cynhyrchwyd amryw nwyddau newydd, megis basgedi, matiau bwrdd a matiau llawr a llwyddwyd i'w gwerthu ar draws Cymru a thu hwnt. Sefydlwyd canolfan farchnad yn Niwbwrch a thalwyd tri swllt am bob mat a dderbyniwyd. Ond er ymdrechion y Gymdeithas yn ystod cyfnod o galedi rhwng y ddau ryfel byd, diflannu wnaeth y diwydiant a phennod ddifyr yn hanes merched y fro.

Nid yn y gornel fach hon o Fôn yn unig yr oedd merched yn manteisio ar adnodau naturiol yr arfordir. Yn y ddeunawfed ganrif daeth llosgi rhedyn a llosgi gwymon yn ddiwydiant pwysig yn Sir Gaernarfon ac roedd y cynnyrch yn cael ei yrru yn bennaf i ganolfannau yng ngogledd orllewin Lloegr i wneud potash yn y diwydiant sebon; mae'n debyg fod merched ynghlwm â'r casglu.[13] Yn ne orllewin Cymru, un o gynhyrchion bwydydd enwocaf yr arfordir yw bara lawr, ac mewn rhannau o arfordir de Sir Benfro byddai merched yn hel gwymon er mwyn ei anfon i Abertawe i'w gynhyrchu. Byddent yn cychwyn ar y gwaith o gribinio'r gwymon oddi ar y creigiau yn gynnar yn y bore. Wedi ei gasglu byddai'r cnwd yn cael ei roi mewn sachau, a byddai'r merched yn cario'r sachau hynny ar eu pennau i gabanau arbennig a godwyd yn benodol ar gyfer y diwydiant hwn. Yn y caban byddai'r gwymon yn cael ei osod ar y llawr a'i droi yn rheolaidd er mwyn ei sychu. Cesglid tua chanpwys y dydd ar gyfartaledd ac ar ôl ei sychu fe'i cludid gan fasnachwyr lleol gyda chert a cheffyl neu asyn i Benfro ar ddydd Llun. Ar ôl ei gludo i Abertawe ar drên byddai'n cael ei olchi a'i ferwi i'w wneud yn fara lawr. Ac eithrio'r masnachwyr o ddynion a gludai'r cnwd i Benfro, unig gyfraniad y dynion oedd adeiladu'r cabanau ar siâp A drwy ddefnyddio broc môr a moresg.[14] Er ein bod yn cysylltu casglu'r gwymon â Phenrhyn Gŵyr, ceid enghraifft o ferched yn cynorthwyo gyda'r gasglu cyn belled ag Abermaw yn y 1920au, unwaith eto i'w gludo i Abertawe.[15]

Gweini

Er y cyfleoedd unigryw a ddeuai i ran merched yr arfordir yn Niwbwrch a de sir Benfro, yn y bedwaredd ganrif ar bymtheg roedd cyfleoedd gwaith i ferched Cymru ar y cyfan yn gyfyng iawn. Mewn gwirionedd, pedwar maes penodol oedd yn dominyddu, sef morwyn yn y cartref, gwneud dillad, amaethyddiaeth a 'bwyd, diod a llety'.[16] Bod yn forwyn oedd prif waith cyflogedig merched Cymru am ran fawr iawn o'r cyfnod dan sylw, sefyllfa nad oedd wedi ei chyfyngu i Gymru. Roedd mwyafrif llethol y morwynion cartref hyn yn ifanc, yn sengl ac iddynt hwy roedd gadael eu cartref i fynd i weini yn rhan naturiol o gylch bywyd cyn priodi. Gan mai'r cartref oedd prif fan gweithio merched priod am ran helaeth o'r cyfnod dan sylw, yna efallai nad yw'n syndod ychwaith mai gweini oedd y prif agoriad i ferched sengl o ran cyflogaeth.

Roedd gweini hefyd yn nodweddiadol o fanteision cyflogi merched, yn sicr yn yr economi wledig, sef eu hyblygrwydd a'u parodrwydd i weithio am gyflog isel neu am lety yn unig. Mae'n wir fod y gair 'morwyn' yn ymbarél i amrediad eang o brofiadau – o aros gydag un person yn ei henaint am lety a bwyd yn unig, i yrfa gyflogedig mewn plasty bonheddwr. Ond prif nodweddion gwasanaethu mewn cartref i fwyafrif y merched oedd oriau hir, tâl gwael a diffyg rhyddid oherwydd eu bod dan reolaeth meistr (neu feistres) y cartref.

Er i'r Rhyfel Mawr roi cyfleoedd newydd ac eang i ferched, ac er y gwerthfawrogiad o'u hymdrechion yn yr ymgyrch ryfel, mewn gwirionedd ychydig o gyfleoedd gwaith oedd ar gael iddynt wedi 1918. Felly bod yn forwyn oedd y swydd fwyaf cyffredin o hyd i ferched Cymru rhwng y rhyfeloedd gyda 35% o ferched y wlad yn gweithio mewn rhyw fath o wasanaeth personol yn 1935.[17] Gan nad oedd digon o gyfleoedd i forwynion yng nghymunedau bychain cefn gwlad Cymru yr ateb i nifer oedd symud i drefi, a oedd yn cynnwys trefi porthladd, yng Nghymru a Lloegr, ac nid oedd y cyfnod rhwng y rhyfeloedd yn eithriad.

Yn y cyd-destun morwrol, dwy gymuned borthladd fawr a ddenai merched Cymru i weini – o gefn gwlad, ardaloedd diwydiannol a'r cymunedau morwrol fel ei gilydd – sef Lerpwl a Chaerdydd. Wrth i ddynion ifanc heidio i ardaloedd diwydiannol cymoedd y de pan oedd diwydiant yn tyfu yno, roedd Caerdydd yn tyfu oherwydd datblygiad y porthladd a bwrlwm masnachol. Yno, merched ifainc oedd mwyafrif y mewnfudwyr a hynny, mae'n debyg, i weini yn y dref brysur hon.[18] Mantais Lerpwl fel cyrchfan oedd ei Chymreictod amlwg gyda chysylltiadau teuluol neu gymunedol â nifer o bentrefi bychain y gogledd, er nad oedd y cysylltiadau hynny wedi eu cyfyngu i'r cymunedau porthladd.

A oedd unrhyw nodweddion arbennig i weini mewn cymunedau morwrol? Mae'n debyg nad oedd. Yr oedd merched ifanc yr un mor debygol o adael cymunedau bychain y glannau oherwydd diffyg cyfleoedd yn lleol ac roedd y trefi porthladd yn sicr o ddenu merched i weini o bob man. Mae Beddoe yn iawn i bwysleisio'r angen am brosiect ymchwil penodol yn canolbwyntio ar brofiadau'r merched a aeth i weini ac yn sicr o fewn unrhyw ymchwil o'r fath mae lle i gymharu profiadau ar draws cymunedau Cymru a thu hwnt, gan gynnwys y cymunedau morwrol.

Manwerthu

Er ei bwysigrwydd economaidd, cymdeithasol a diwylliannol, ychydig o sylw y mae haneswyr wedi ei roi i'r fasnach fanwerthu, er bod hynny'n raddol newid.[19] Mae'r ymchwil sydd wedi ei wneud hyd yma, fodd bynnag, yn ddadlennol. Er enghraifft, mae'n amlwg fod agweddau o siopa sydd yn ymddangosiadol fodern, fel edrych ar ffenestri siopau, dim ond edrych o amgylch nwyddau siop, arddangosfeydd atyniadol a chynllunio mewnol wedi datblygu ymhell cyn diwedd y bedwaredd ganrif ar bymtheg. Mae'n amlwg hefyd fod gormod o sylw wedi ei roi i hanes datblygiad siopau mawrion, fel y siopau adrannol a'r siopau cadwyn, a'r dinasoedd mawrion gan anwybyddu mwyafrif y manwerthwyr, gan gynnwys y manwerthwyr hynny a ddibynnai ar sgiliau traddodiadol fel teilwyr a gwneuthurwyr esgidiau. Yn sicr, nid ydym yn gwybod digon am hanes y manwerthwyr bychain hyn.[20]

Roedd siopau yn rhan bwysig o gymunedau cefn gwlad, diwydiannol a morwrol fel ei gilydd, ond, fel yr awgrymir uchod, bu newid mawr mewn siopau dros ddwy ganrif a hanner.[21] Yn amlwg effeithiodd y newidiadau hynny ar rôl merched ynddynt a'r cyfleoedd a oedd ar gael iddynt. Yn ystod y ddeunawfed ganrif a rhan fawr o'r bedwaredd ganrif ar bymtheg, ystyriwyd bod gweithio fel rhan o'r fasnach fanwerthu yn grefft i ddynion yn bennaf ac felly byddai hogyn ifanc yn cael ei brentisio fel groser neu deiliwr, gyda siopau ar y cyfan yn fach ac yn arbenigol. Tueddai'r merched a weithiai yn y siopau hynny i fod yn aelod o'r teulu, yn wraig neu ferch ac a weithiai yn aml yn ddi-dâl, ond gwelwyd newid mewn siopau wrth i'r ganrif fynd rhagddi.

Elfen bwysig o'r broses o ddiwydiannu a threfoli oedd masgynhyrchu a'r diwylliant prynu, a olygai fod llawer mwy o nwyddau ar gael. Gwelwyd amrywiaeth o ran y mathau o siopau oedd ar gael hefyd, gyda'r siop adrannol yn un enghraifft amlwg. Gyda'r siopau mawrion newydd hyn daeth cyfleoedd i ferched o bob cefndir. Yn gyffredinol, y drefn arferol oedd i reolwr y siop, yn ddyn, fod yn gyfrifol am lu o weithwyr di-grefft gyda nifer ohonynt yn ferched a gyflogwyd yn bennaf yn adrannau 'ysgafn' y siop, megis y becws neu adran pethau da / losin – ac wrth gwrs mantais fawr o'u cyflogi oedd eu bod yn llafur rhad iawn. Ni ddiflannodd y siopau bychain o'r tir, ac roeddynt yn dal i gyflogi merched (a oedd, fel y nodwyd uchod, fel arfer yn aelod o'r teulu). Ond ymddengys fod perchnogion siopau wedi troi fwyfwy at gyflogi merched ifanc o'r tu allan i'r teulu o'r 1850au ymlaen. Y rheswm dros hyn, mae'n debyg, oedd eu bod am i'w gwragedd a'u merched gael eu hystyried yn ddosbarth canol, gan dderbyn y disgwyliad cymdeithasol na ddylai merched o'r dosbarth hwnnw weithio.

Parhau i ddatblygu wnaeth y fasnach fanwerthu drwy'r ugeinfed ganrif, gyda datblygiadau'r archfarchnadoedd ar ddiwedd yr ugeinfed ganrif yn benllanw dominyddiaeth cwmnïau mawrion a'r egwyddor o bopeth dan un to.

Yr hyn sydd yn sicr yw bod merched yn allweddol i lwyddiant siopau drwy gydol y ddwy ganrif a hanner ddiwethaf, beth bynnag eu natur a'u lleoliad. Mae'n anodd iawn asesu faint o ferched oedd yn gweithio o fewn y drefn oherwydd nid yw cyfrifiadau, er enghraifft, yn nodi a oedd gwraig neu ferched perchennog y siop yn gweithio yno. Mae rolau merched o fewn y fasnach fanwerthu yn amlwg yn adlewyrchu agweddau cymdeithas tuag atynt hefyd – ar y cyfan roedd merched o fewn y diwydiant yn gynorthwywyr mewn siopau ond nid yn berchnogion nac yn rheolwyr, er bod hynny wedi dechrau newid erbyn diwedd yr ugeinfed ganrif. Ond er eu pwysigrwydd i'r fasnach fanwerthu, yn gyffredinol roedd cyflogau merched tua hanner rhai dynion ar gyfartaledd.

Yn aml cadw siop oedd yr unig ffordd y gallai merched gweddw neu ddi-briod geisio cynnal eu hunain, ac roedd hynny'n wir am y cymunedau morwrol fel pob cymuned arall. Fel arfer un ystafell fach mewn tŷ oedd siopau'r merched hynny ac roeddynt yn gwerthu amrediad cyfyng o nwyddau.

Ni chyfyngwyd hyn i bentrefi bychain. Yng Nghaergybi ar droad yr ugeinfed ganrif, ochr yn ochr â'r siopau mawrion fel yr Emporium (oedd â phedwar yn gweini i lawr y grisiau ac wyth gwniadwraig a dwy hetwraig yn gweithio ar y llawr cyntaf) roedd siopau bychain arbenigol fel siop Sarah Parry a werthai daffi a siop Miss Hughes, Stafford House, a werthai fŵts ac esgidiau.[22] Cofia Neil Sinclair y *'penny shops'* yn Tiger Bay yng Nghaerdydd y 1940au a'r 1950au yn cael eu rhedeg gan amrywiol wragedd fel Polly Lope, dynes ddu o dras Portiwgalaidd, a'r drws nesaf iddi Mary Ahmed, hefyd yn gwerthu pethau da / losin am geiniog, siop groser Mrs Jeffrey, siop sglodion Mrs Gunderson, siop pethau da Mrs Earl, lle byddai nifer o ferched yn sefyll yn sgwrsio, a siop y cigydd yn cael ei redeg yn ddiweddarach gan Ethel Adeni, Cymraes oedd yn briod efo gŵr o Aden.[23] Roedd ceisio dal deupen llinyn ynghyd yn amlwg yn anodd iawn i ferched y siopau hyn, ac roedd eu cynildeb yn chwedlonol. Fel hyn y disgrifiodd Evan Andrew (ganwyd yn 1916) siop Miss Phillips yn Aberystwyth: *'She sold sweets, yeast, Rinso washing powder and bundles of wood. Boy was she tight. If you bought a pennyworth of sweets and the scales went down too fast, she would break a sweet in half.'*[24]

Roedd y siopau bychain hyn yn gallu bod yn ganolfannau cymunedol pwysig, fel yn achos siop Mary Jones ym Mhen Stryd ym mhentref Moelfre ar ddechrau'r ugeinfed ganrif. Siop fach oedd hi yn gwerthu pethau da a sigarennau; roedd tân mawr yno a byddai pawb yn ymgynnull gyda'r nos i gael sgwrs, er nad oedd neb dan bedair ar ddeg mlwydd oed yn cael mynediad. Un garfan amlwg yno gyda'r nosau oedd hogiau ifainc oedd adref o'r môr a byddent hwy yn prynu siocled, a oedd yn costio rhyw ddwy geiniog y chwarter, i bawb fyddai yn y siop.[25] Mae'n amlwg hefyd fod y siopau bychain hyn yn gyfrwng i gadw pobl o amrywiol gymunedau morwrol mewn cysylltiad â'i gilydd, gan hybu'r busnes yr un pryd. Yn ninas Bangor, er enghraifft, ceir hanes am un ferch o Langwnnadl yn Llŷn oedd yn briod â chapten o Aberdaugleddau ac a oedd yn cadw siop yn Hirael, ardal porthladd y ddinas – oherwydd hynny byddai holl gapteiniaid Nefyn yn prynu o'i siop hi.[26]

Wrth gwrs, roedd siopau mwy sylweddol yn y trefi porthladd nad oeddynt wedi eu cyfyngu i wasanaethu anghenion morwrol yn unig. Un o brif siopau Abermaw erbyn ail hanner y ddeunawfed ganrif oedd 'Siop Fawr' ac er mai fel groser (a chyfranddalwyr mewn llongau) y disgrifiwyd y teulu Griffith/Griffiths a gadwai'r siop roeddynt hefyd yn gwerthu amrediad o nwyddau. Deuai'r nwyddau hynny mewn llongau a ddychwelai i'r porthladd o Lundain a Lerpwl, ymhlith llefydd eraill. Wedi marwolaeth ei gŵr, Robert Griffith, yn 1775 bu ei weddw Elizabeth Griffith yn rhedeg y busnes gyda chymorth dau o'i meibion gan adael ystâd gwerth £195 pan fu farw yn 1814.[27] Tra oedd Abermaw yn datblygu'n dref i dwristiaid, nid oedd ardaloedd porthladd tlawd y trefi mawrion heb eu siopau o safon, a pherchnogion benywaidd, ac adlewyrchir hyn yn yr hysbyseb a ganlyn o Gasnewydd yn 1840:

> Sarah Temperance Williams begs most respectfully to announce to the ladies of Newport, that she has just returned from London with a choice selection of millinery, and for the convenience of her business has taken a house at No.4. Great Dock Street, (the first turning in Llanarth Street) where her showroom will be opened on Tuesday 26th inst.[28]

Dylid cyfeirio at un grŵp arall o fanwerthwyr a oedd yn amlwg mewn cymunedau porthladd fel pobman arall. Ochr yn ochr â'r siopau bychain roedd pacmyn a phedleriaid yn bwysig i gymunedau bychain diarffordd yr arfordir ac roedd rhai ohonynt hwythau'n ferched. Disgrifia Ann James Garbett ddechrau'r ugeinfed ganrif ym Morth-y-gest yn Sir Gaernarfon:

Roedd teuluoedd o sipsiwn yn byw ar y Traeth Mawr ddechrau'r ganrif hon ac fe ddeuai merched o gwmpas i werthu pegiau dillad. Os prynech dipyn o les am ddarn o arian gwynion, hawliai'r sipsi allu darogan y dyfodol trwy edrych ar gledr eich llaw![29]

Roedd merched felly yn amlwg mewn sawl agwedd o'r fasnach fanwerthu, ac yn allweddol i'w llwyddiant, ond roedd y fasnach hefyd â phwysigrwydd ehangach na'i rôl economaidd ac yn hyn o beth roedd merched yn allweddol. Adlewyrchwyd hynny hefyd yn achos un o gonglfeini'r cymunedau morwrol, sef y dafarn.

Tafarndai

Un o'r meysydd gwaith mwyaf cyffredin i ferched, yn ôl cyfrifiadau'r bedwaredd ganrif ar bymtheg o leiaf, oedd 'bwyd, diod a llety'. Yn ganolog i'r categori hwn roedd tafarndai – rhan draddodiadol o fywyd cymunedau ar hyd a lled y wlad. Ym Mhorth Amlwch honnid bod pob yn ail dŷ yno yn dŷ tafarn ar ddechrau'r bedwaredd ganrif ar bymtheg – a nodwyd bod 21 yn y dref yn 1828.[30] Ym Mhwllheli yn 1851, roedd un tŷ tafarn ar ddeg yn y Stryd Fawr a phump ohonynt yn nwylo merched, pob un yn wragedd gweddw, sef Eleanor Wright, 46 oed, masnachwr gwin; Dorothy Jones, 82 oed, tafarnwraig; Ellen Roberts, 48 oed, bragwr a thafarnwraig gyda chymorth ei mab William, 18 oed, a'i merch Catherine, 14; Elizabeth Roberts, 26 oed, a oedd yn cadw gwesty a Magdalen Roberts 64 oed, tafarnwraig.[31] Yn ogystal â chynnig cyfleoedd i wragedd gweddw wneud bywoliaeth, un o nodweddion tafarndai mewn porthladdoedd oedd bod merched yn aml yn eu rhedeg yn absenoldeb y gŵr o forwr ac roedd hynny yn wir yng nghymunedau morwrol y glannau gwledig a'r trefi morwrol.

Heb dystiolaeth bendant mae'n anodd asesu profiadau merched o fewn y dafarn. Yn amlwg roedd angen bod yn

gyfrifol am redeg y dafarn o ddydd i ddydd, a allai fod hefyd
yn drafferthus iawn yng nghanol cynulleidfa feddw, a rhaid
cofio y byddai nifer o'r cwsmeriaid yn y porthladdoedd
mawrion yn estron, yn awchu am eu diod ac yn aml yn barod
i ddefnyddio eu dyrnau, neu waeth, i ddatrys ffrae. Yn sicr
nid hawdd oedd bod yn ddynes yn rhedeg tafarn.

Er gwaethaf datblygiad y dref fel cyrchfan i ymwelwyr
erbyn diwedd y bedwaredd ganrif ar bymtheg, roedd tafarndai
ar gyfer morwyr a physgotwyr yn nhref y Rhyl. Cyfeiria D.
Harris at y Ferry Inn ger y Foryd a oedd yn nwylo John Parry,
a oedd wedi byw yn y dafarn am bron i ddeugain mlynedd.
Roedd y dafarn, mae'n debyg, yn gyrchfan i forwyr caled: '...
but they were kept in good order, thanks mainly to Mrs. Parry.'[32]

Gwelwn bwysigrwydd tafarndai i'r gymuned forwrol, a
phwysigrwydd merched o'u mewn, ym mhlwyf Llandudoch,
plwyf gwledig arfordirol sy'n cynnwys rhan o borthladd
Aberteifi, i'r de o'r Teifi. Yno, bu o leiaf 23 o dafarndai a
gwestai dros y ddwy ganrif a hanner ddiwethaf. Roedd gan
berchnogion 11 ohonynt gysylltiad uniongyrchol â'r
diwydiannau morwrol ar ryw gyfnod neu'i gilydd, gan
gynnwys morwyr a rhaffwyr. Yng nghanol y bedwaredd
ganrif ar bymtheg arferai'r Gymdeithas Bysgotwyr leol
gyfarfod yn nhafarn The Sloop ac yna daeth yn gyrchfan i'r
St Dogmaels Labourers, Tradesmen, Seamen and
Fishermen Society. Mary Davis oedd y dafarnwraig yn 1875
ac fe briododd ei merch, Ann, y Capten William Thomas o'r
White Star Line. Bu'r ddwy yn rhedeg y dafarn ar y cyd hyd
at y 1890au pan oedd Mary Davies yn ei hwyth degau.[33]
Roedd y Cardigan Bay Inn hefyd yn nodweddiadol o'r
patrwm. Yn y 1870au roedd Elizabeth Tucker (gwraig y saer
coed James Tucker oedd yn aml yn treulio cyfnodau oddi
cartref yn hwylio'r moroedd) yn dafarnwraig ac yn derbyn
cymorth ei merch, Ellen, mae'n debyg, cyn iddi hi briodi yn
bedair ar bymtheng mlwydd oed. Erbyn y 1880au roedd

Capten John Jones a'i deulu yn byw yno, gyda'i fam yn cynorthwyo. Bu farw ei wraig yn 1896 yn 42 oed. Ymddengys fod y Capten yn berchen ar y dafarn tan o leiaf 1906 ac mae'n debygol mai ei chwaer Mary Jones, a fu farw yn 1907 yn 65 oed, fu yn ei gynorthwyo.[34] Yn amlwg roedd perchnogaeth neu denantiaeth tafarn hefyd yn gweithredu fel math o yswiriant ar gyfer y dydd pan fyddai'r gŵr yn ymddeol neu, yn fwy cyffredin, erbyn y byddai'r wraig yn weddw. Roedd un ar ddeg o wragedd gweddw yn rhedeg tafarndai yn y detholiad uchod, gyda phump ohonynt yn weddwon o gartrefi 'morwrol'.[35]

Merched ym Mywyd Masnachol y Cymunedau Morwrol

Er i ferched chwarae rhan allweddol o fewn manwerthu a chadw tafarndai, ac i'r meysydd hynny fod yn hollbwysig i'w bywydau hwythau hefyd, rhaid ystyried pa mor amlwg oedd merched fel perchnogion neu denantiaid tafarndai a siopau'r cymunedau morwrol. Mae hynny yn ei dro yn arwain at ystyriaeth ar eu hamlygrwydd ym mywyd masnachol y trefi a'r pentrefi porthladd yn gyffredinol a sut roedd hynny'n cymharu â phrofiadau merched mewn cymunedau eraill.

Un ffynhonnell ddefnyddiol i'r perwyl hwn yw cyfeirlyfrau masnach. Cyhoeddwyd y cyntaf yn Llundain yn y ddeunawfed ganrif ac erbyn canol y bedwaredd ganrif ar bymtheg roedd nifer ohonynt ar gael a rhestrent amrywiol fusnesau yn lleol, er nad oeddynt o reidrwydd yn cael eu cyhoeddi'n rheolaidd. Er eu cryfderau amlwg, wrth geisio olrhain patrymau masnachol penodol, er enghraifft, roedd ynddynt nifer o wendidau – yn bennaf nad oeddynt yn cynnwys pob masnachwr/busnes. Ceir sawl problem ymarferol hefyd, sef bod un masnachwr yn gallu cael ei gynnwys dan sawl pennawd mewn cyfeirlyfr.[36] Gan mai cyfeirlyfrau masnach ydynt yn hytrach na chyfrifiad o gyflogaeth, yng nghyd-destun yr astudiaeth hon defnyddiwyd un cyfeirlyfr yn unig fel ffon fesur syml er mwyn asesu amlygrwydd merched o fewn y byd masnachol. Dewiswyd sampl o 22 o gymunedau ar hyd a lled gogledd Cymru o *Sutton's North Wales Directory* am y flwyddyn 1889-1890, gan amrywio o gymunedau gwledig anghysbell isel eu poblogaeth i drefi sylweddol, yn gymunedau cefn gwlad a chymunedau'r arfordir, er mwyn cymharu a gwrthgyferbynnu ystod eang o gymunedau. Felly, o safbwynt cymunedau'r glannau, mae'r sampl yn cynnwys amrywiaeth o borthladdoedd megis pentref bychan gwledig Aberffraw, porthladd sylweddol yn gwasanaethu ardal eang (Caernarfon), porthladd diwydiannol ei natur (Cei Conna) a chymuned oedd yn datblygu yn sgil twf twristiaeth (Tywyn). Er mai braslun yn unig a geir yma fe godir sawl trywydd diddorol.

Pa mor amlwg oedd merched yn y byd masnachol yn gyffredinol o'u cymharu â dynion? Roedd y sampl cyfan yn cynnwys 3,088 o fusnesau ac o'r rheiny roedd 405 yn nwylo merched, sef 13% o'r cyfanswm. Roedd 11% o sampl y wlad yn ferched ond roedd y ganran yn sylweddol uwch yng nghymunedau'r arfordir, sef 14%. Roedd gwahaniaeth yn yr ardaloedd trefol gyda 13% o fusnesau trefi porthladd fel Amlwch, Cei Conna a Chonwy yn nwylo merched o'u cymharu ag 11% yn nhrefi marchnad cefn gwlad fel Llangefni, Llanrwst a'r Wyddgrug. Roedd gwahaniaeth llawer amlycach yn y cymunedau llai. Yng nghymunedau gwledig yr arfordir, fel Abersoch a Harlech, er enghraifft, roedd dros 17.5 % o'r busnesau yn cael eu rhedeg gan ferched ond yn y cymunedau gwledig bychain fel y Gaerwen, Brychdyn a Llansannan roedd y ganran yn 10%. Felly, yn achos yr un ffynhonnell hon, roedd merched yn fwy amlwg ym mywyd masnachol y cymunedau morwrol nag yng nghymunedau'r wlad ond y syndod yw bod y ganran yn sylweddol uwch yn y cymunedau arfordirol llai. Mae'n bosibl mai absenoldeb dynion o'r cymunedau hynny sy'n esbonio'r gwahaniaeth hwn, ond a fyddai ystyried y meysydd y bu merched yn fwyaf amlwg ynddynt yn cynnig goleuni pellach?

Drwyddi draw, mae'r detholiad yn cadarnhau casgliadau William a Jones parthed cyflogaeth merched, sef eu bod yn fwyaf amlwg yn y meysydd amaethyddol, dillad a 'bwyd, diod a llety' (yn amlwg nid yw gweini yn ymddangos yn y cyfeiriadau masnach). Fel y dengys Ffigur 2, roedd cadw llety a manwerthu yn gyfrifol am dros hanner y cyfleoedd gwaith i ferched gyda'r ganran yn uwch fyth pe byddem yn ychwanegu tai bwyta/coffi a thafarndai.

A oedd merched yn fwy amlwg yn y diwydiant manwerthu yng nghymunedau'r glannau o'u cymharu â chymunedau eraill? Mae Sheryllynne Haggerty yn ei hastudiaeth o Lerpwl wedi dangos i ferched lwyddo i ddarganfod lle iddynt eu hunain yn rhedeg mentrau bychain mewn marchnad nwyddau traul oedd yn prysur dyfu o fewn economi porthladd Lerpwl yn y ddeunawfed ganrif.[37] Fodd bynnag, eithriad yw ei hastudiaeth hi ac ar y cyfan prin iawn yw'r sylw a roddwyd i'r fasnach manwerthu yng nghyd-destun cymunedau morwrol. Crafu'r wyneb er mwyn codi ambell gwestiwn yn unig sy'n dilyn yn y bennod yma felly, ac yn sicr ni ddylid ei ystyried fel unrhyw fath o astudiaeth fanwl.

Mae'r ffigyrau a ganlyn yn trafod pa ganran o siopau amrywiol y 22 o gymunedau gogledd Cymru sydd yn ein sampl oedd yn nwylo merched. Er nad yw'r cyfeirlyfrau yn dangos pa fusnesau oedd yn rhai teuluol, beth oedd maint y siopau a nifer eu gweithwyr (a faint o'r gweithwyr hynny oedd yn ferched), mae'r sampl yn cynnig arweiniad ynglŷn â darganfod a oedd mwy o ferched yn rhedeg eu siopau eu hunain mewn cymunedau morwrol mewn cymhariaeth â chymunedau eraill. Yn ôl y cyfeirlyfr arbennig hwn roedd 20% o'r amrywiol fanwerthwyr – yn cynnwys siopau, siopau ffrwythau, siopau groser a gwerthwyr tybaco – yn ferched.

Ffigur 2
Dosraniad meysydd gwaith merched mewn sampl o 22 o gymunedau gogledd Cymru
(fel canran o holl ferched y sampl)

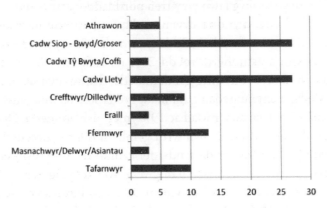

Ffynhonnell: Sutton's North Wales Directory, 1889-1890.

Roedd gwahaniaeth amlwg rhwng y siopau gwledig a siopau'r glannau, gyda 22.5% o siopau'r glannau ym meddiant merched o'i gymharu â 15% yn y wlad. Yn ogystal, roedd gwahaniaethau amlwg rhwng cymunedau bychain yr arfordir a'r porthladdoedd mwy sylweddol. Roedd 14% o'r manwerthwyr yn y cymunedau bychain, megis Aberffraw, Abersoch, Cemaes, Harlech, Mostyn a Phensarn yn ferched, ond roedd y ganran yn llawer uwch yn y cymunedau mwy. Roedd 23% o fanwerthwyr Amlwch, Caernarfon, Cei Conna, Conwy a Thywyn yn ferched a gellir awgrymu fod y ganran yn uwch yma oherwydd bwrlwm masnachol y trefi hyn ac oherwydd twf y diwydiant twristiaeth ar hyd y glannau erbyn diwedd y bedwaredd ganrif ar bymtheg. Fodd bynnag, pe baem yn canolbwyntio ar y porthladdoedd oedd yn bennaf ynghlwm â diwydiannau morwrol traddodiadol, fel adeiladu llongau ac allforio a mewnforio, er enghraifft, yna roedd 26% o siopau Amlwch, Caernarfon, Cei Conna a Mostyn yn nwylo merched. Dylid pwysleisio mai amrwd iawn yw'r dadansoddiad hwn, yn seiliedig ar un cyfeirlyfr o un flwyddyn yn unig, ond mae'r awgrym yma fod merched o fanwerthwyr yn llawer mwy amlwg ar hyd yr arfordir nag yng nghefn gwlad a'u bod yn amlwg iawn yn y trefi porthladd yn arbennig.

Ond a oedd yr un patrwm yn dilyn o safbwynt merched fel ceidwaid tafarndai? Oddi mewn i'r 22 o gymunedau amrywiol a astudiwyd, roedd 20% o'r tafarndai yn nwylo merched a bron dim gwahaniaeth rhwng cymunedau gwledig a chymunedau'r glannau, gyda merched yn gyfrifol am 20% o dafarndai'r wlad ac 19% yn y porthladdoedd. Ond ceir darlun diddorol iawn wrth gymharu nifer y merched a oedd yn berchen ar dafarndai fel canran o'r holl fusnesau oedd yn nwylo merched. Tra gwelir bod ychydig dan 10% o'r holl ferched a oedd yn ymwneud â byd busnes yn cadw tafarn, roedd dros 12% o'r merched yn y wlad yn dafarnwyr o'i gymharu ag 8% yn y porthladdoedd. O gofio lle canolog y dafarn yn y porthladdoedd mae'r ganran o bosibl yn annisgwyl, ond wrth gwrs nid oedd pwysigrwydd y dafarn i gymdeithas wedi ei gyfyngu i'r porthladdoedd.

Gan fod y sampl o'r wlad yn cynnwys sawl tref farchnad bwysig, megis Llanrwst a'r Wyddgrug, efallai nad yw'n syndod fod canran y merched a weithiai fel masnachwyr, delwyr ac amrywiol wasanaethau eraill yn uwch yno nag yn y trefi porthladd. Nid yw hynny'n golygu nad oedd merched yn chwarae rhan bwysig yn yr agweddau hyn yn y porthladdoedd, ond yn amlwg rhaid edrych y tu hwnt i gyfeirlyfrau er mwyn eu canfod. Cipolwg yn unig a ellir ei gael mewn cyfeirlyfr, nid darlun cynhwysfawr. Er enghraifft, tra oedd deg o'r 23 tŷ tafarn a dau o'r pedwar gwesty ym Mhwllheli yn nwylo merched yn 1880, roedd merched yn amlwg mewn agweddau eraill ar fywyd masnachol y dref hefyd. Roedd dwy o fasnachwyr glo'r dref yn ferched, sef Judith Davies, 10 Gaol Street, a Rachel Evans, 20 Sand Street.[38] Mae'n werth tynnu sylw hefyd at wasanaeth y post yn y cyfnod hwn. Yn yr astudiaeth hon roedd 20 o'r 22 postfeistr yn ddynion, a dim un o'r ddwy bostfeitres yn y glannau. Ond tueddai swyddfeydd post i fod yn rhan o fusnesau llawer mwy a hynny'n aml yn fusnes teuluol, a chynigient amrywiol gyfleoedd i ferched. Yn 1844 bu farw Mrs Margaret Williams yn Nefyn – hi oedd yn cadw'r post yn Nefyn ac yn lythyrwraig rhwng Nefyn a Phwllheli am flynyddoedd. Yn 1892 daeth Swyddfa Bost Pwllheli dan reolaeth uniongyrchol y Swyddfa Bost Gyffredin, ond parhaodd un aelod o'r teulu a fu'n rhedeg y swyddfa ers cenedlaethau i fod yn aelod o'r staff. Ymddeolodd Mrs Robyns Owen yn 1900 wedi deugain mlynedd o wasanaeth.[39]

Roedd datblygiad gwasanaeth y Post yn cynnig cyfleoedd i ferched o rengoedd isaf cymdeithas hefyd. Ym Moelfre byddai Elizabeth Hughes – neu Betty Pips ar lafar gwlad – yn nodedig am sefyll y tu allan i Swyddfa Bost y pentref gan ddisgwyl i delegram gyrraedd ar gyfer un o ddwsinau o gartrefi morwrol y fro ac yna ei gludo i'r cartref priodol am geiniog y tro – gan gerdded hyd at bump neu chwe milltir pe byddai angen.

Ond er bod merched yn amlwg ym mywyd masnachol y cymunedau morwrol, nid oedd yr un ddynes yn y sampl yn adlewyrchu'r byd masnachol morwrol pur, megis adeiladwyr llongau a gwneuthurwyr hwyliau. Roeddynt yn bodoli yn y cymunedau hynny, fodd bynnag, ac ambell waith roeddynt yn cael eu cofnodi hyd yn oed mewn cyfeirlyfrau. Mae cyfeirlyfr Pearse a Brown yn 1869 yn nodi'r masnachwyr a oedd ynghlwm â gwasanaethu anghenion llongau yn Abertawe, sef saith siandler, dau gynhyrchydd bisgedi llongau, chwe chynhyrchydd hwyliau, un rhaffwr, un gof angorion a chwe gwneuthurwr blociau a pholion. Roedd un o'r rhain yn ddynes, sef Mrs. W. Evans, 13 Stryd Adelaide, a oedd yn wneuthurwr blociau.[40] Roedd Meshach Roberts yn fuddsoddwr amlwg yn llongau canol y

bedwaredd ganrif ar bymtheg ym Mangor. Yn 1848 roedd
yn un o bum buddsoddwr yn y sgwner 80 tunnell *Ann and
Catherine* ac roedd dwy o'r buddsoddwyr eraill yn ferched.
Fe'i hadeiladwyd ym Mhwllheli yn 1840 a deuai un o'i
pherchnogion, sef Ann Evans, o'r dref. Ei galwedigaeth hi
oedd Masnachwr Coed, sy'n adlewyrchu'r hyn oedd yn aml
yn wir am longau newydd, sef bod llawer o'r buddsoddwyr
ynghlwm â rhyw agwedd ar y busnes llongau. Er i Meshach
Roberts werthu ei gyfranddaliadau yn y llong yn 1853, i
Nicholas Treweek o Amlwch, cadwodd Ann Evans ei siâr
hi.[41] Lleiafrif oedd y merched hyn, a daeth cyfleoedd eraill
wrth i natur y cymunedau morwrol newid.

Roedd cynnig llety yn rhan bwysig o fywyd
porthladdoedd, ond roedd twristiaeth yn cynnig mwy o
gyfleoedd fyth yn y maes hwn. Yn y sampl o 22 o
gymunedau'r gogledd, roedd canran y ceidwaid llety yn
uwch yn y cymunedau morwrol nag yn y wlad ac mae'n
debygol iawn mai twf y diwydiant twristiaeth oedd yn
gyfrifol am hynny. Yn sicr, roedd merched yn cael eu gweld
yn fwyfwy amlwg yn y byd masnachol newydd hwn fel yn
achos Tywyn lle'r oedd 23 o dai llety yn y fro a 15 o
ystafelloedd ar osod mewn tai preifat. Roedd 10 o'r 23
ceidwad tai llety yn ferched, a phob un o'r 15 o ystafelloedd
yn nwylo gwragedd priod (ond faint oedd yn wragedd
gweddw ni wyddys) a hwythau hefyd yn hysbysebu
rhagoriaethau eu hystafelloedd arbennig hwy. Roedd
twristiaeth yn amlwg yn cynnig cyfleoedd mewn mannau
anghysbell iawn hefyd, megis Abersoch. Yno roedd pum tŷ
llety gyda dau ohonynt yn nwylo merched. Roedd
arwyddion o newid hyd yn oed mewn ambell i dref
borthladd draddodiadol – roedd 14 o ystafelloedd i'w cael
yng Nghaernarfon erbyn hynny gyda 13 ohonynt yn nwylo
merched!

Ysgolion

Yn ôl cyfeirlyfr Sutton, roedd nifer o ferched yn cadw ysgolion yng Nghaernarfon. Golygai datblygiadau ym myd addysg fod galw am athrawesau ym mwrlwm rhai o'r trefi porthladd, a galw am addysgu merched y dosbarth canol. Datblygodd cyfleoedd felly i ferched fel mewn sawl tref ar hyd a lled Cymru. Roedd bod yn athrawes yn un o'r ychydig lwybrau gyrfaol amlwg ar agor i ferched am ran helaeth o'r cyfnod dan sylw, gyda'r gobaith o ddyrchafiad i swydd prifathrawes i rai tra byddai eraill yn rhedeg eu hysgolion eu hunain. Yn ôl cyfeirlyfr Sutton, roedd y ganran o ferched o athrawesau yn uwch yn y cymunedau morwrol nag yn y wlad, sef 6% o holl ferched y sampl o'i gymharu â 4%. Roedd i Gaernarfon draddodiad o ysgolion perffeithio lleol ar gyfer merched i ddynion busnes a masnach y dref. Yn 1852 roedd Miss Titterton's Ladies Seminary yn codi ffioedd o £2 2swllt y flwyddyn i blant dan 10 oed, a £4 4s i rai dros hynny. Roedd Misses Marshall yn cadw'r Ladies School gan godi 30 gini'r flwyddyn ar gyfer preswylwyr gyda disgyblion dyddiol yn talu 6 gini'r flwyddyn.[42]

Yr un oedd y drefn mewn trefi porthladd eraill. Yn ystod y bedwaredd ganrif ar bymtheg sefydlwyd nifer o ysgolion/academïau ym Mhwllheli. Saesneg oedd cyfrwng dysgu'r ysgolion hyn ac roeddynt wedi eu hanelu at blant y dosbarth canol. Roedd un o'r ysgolion/academïau preifat hyn, ar gyfer merched, yn cael ei rhedeg gan Miss Edwards yn Stryd Penlan ac fel hyn yr hysbysebodd hi ei sefydliad yn y wasg leol yn 1835:

> MISS EDWARDS Respectfully informs her Friends and the Public, that she will be happy to receive into her Establishment a few young LADIES, whom she will instruct in every Branch of liberal and finished Education, uniting the advantages of school with the comforts of home ... [43]

Wedi 1850 bu nifer o ysgolion ar gyfer merched yn y dref, yn ysbeidiol o leiaf. Roedd gan Charlotte A. Williams ysgol breswyl yn Caroline Square a dilynwyd hi yn 1862 gan Misses Bryant a Watts. Roedd Miss Bryant yn dal i fod yno yn 1868 ac erbyn hyn roedd ysgol ddydd wedi ei sefydlu gan Miss Jones yn Picton Castle. Erbyn 1871 roedd y ddwy wedi diflannu ond roedd gan Miss Procter, o Tewkesbury yn wreiddiol, ysgol yn Salem Terrace. nid oedd cofnod ohoni yn 1880 ond roedd gan Miss Fanny Williams ysgol yn Bay View Terrace erbyn hynny; cyn iddi hi adael roedd ysgol breswyl arall wedi ei hagor ym Mrynhyfryd gan Mrs Howett Jones.[44] Nid plant o gefndir breintiedig yn unig a dderbyniai addysg – yn 1848 bu Gwarcheidwaid Tloty Pwllheli yn hysbysebu am athrawes ar gyflog o £25 y flwyddyn.[45]

Er nad oedd cyfeirlyfr Sutton yn nodi llawer o ysgolion yn y cymunedau arfordirol llai, roedd amrywiol sefyllfaoedd anffurfiol a roddai gyfleoedd i ferched ennill ceiniog neu ddwy fel athrawesau, a chychwyn gyrfa i ferched eraill yr un pryd. Cawn enghraifft o hyn ym mhentref Moelfre yn 1930:

> Llongyfarch Miss Jeannie Owen, Bryn Awelon, am basio arholiad London College of Music, efo first class certificate am chwarae y piano – a nid yw hi'n ddeg mlwydd oed eto. Ei hathrawes yw Miss Margaret Jones [Alawes y Don] , LL.C.M., Moelfre.[46]

Ond nid oedd pawb yn derbyn cyfleoedd a gafodd merched fel Miss Jeannie Owen, oedd yn ferch i gapten llong. Yn aml iawn roedd yr amrywiol athrawesau hyn yn arallgyfeirio, drwy gyfuno bod yn athrawes efo cadw lletty, er enghraifft. Yng nghyfeirlyfr Sutton cawn gyfeiriad at dri athro cerdd yng Nghaernarfon, un yn ddynes sef 'Ellen Edwards (navigation) 13 Tithebarn St.'

Mordwyo
Yn y ddeunawfed ganrif a rhan fawr o'r bedwaredd ganrif ar bymtheg, ysgol brofiad oedd addysg morwyr. Dechreuodd

yr addysg honno yn aml ar gwch lleol neu ar fwrdd llong oedd yn yr harbwr neu ar y traeth wrth i fechgyn ifainc wylio llwytho neu ddadlwytho llong, neu wrth chwarae ar longau oedd wedi'u hangori a gwrando ar straeon y morwyr oedd gartref ar wyliau. Wedi mynd i'r môr, yn aml yn ifanc iawn, byddai'n rhaid dysgu amrywiol sgiliau'r morwr – ac roedd sgiliau mordwyo'n allweddol. Wrth i'r bedwaredd ganrif ar bymtheg fynd rhagddi daeth ennill cymwysterau ffurfiol yn orfodol i unrhyw un oedd am ddyrchafiad yn y llynges fasnach. Felly rhan bwysig o fywyd mewn sawl cymuned forwrol oedd sicrhau cyfleoedd ffurfiol i baratoi bechgyn lleol ar gyfer gyrfa forwrol. Byddai nifer o brifathrawon blaengar ym mhentrefi a threfi'r glannau yn cynnig addysg mewn mordwyo i'r bechgyn – ond y bechgyn yn unig mae'n debyg – yn yr ysgol, fel rhan o'u haddysg gyffredinol. Yn ogystal, peth cyffredin iawn oedd i forwr, gartref ar ôl mordaith hir, dreulio amser yn yr ysgol fordwyaeth leol lle byddai hen forwyr yn dysgu'r morwyr ifanc am ddeddfau'r môr. Roedd yr ysgolion hyn yn bwysig iawn yn hanes y cymunedau morwrol.

Roedd nifer o athrawon yr ysgolion morwrol lleol hyn yn ferched. Y mwyaf unigryw, mae'n debyg, oedd Sarah Jane Rees, neu Cranogwen. Fe'i ganed yn Llangrannog yn 1839, yn ferch i'r Capten John Rees a Frances Rees. Roedd ganddi dri brawd ac roedd ei rhieni yn awyddus i'w merch gael yr un cyfleoedd o ran addysg â'i brodyr; ond nid addysg ffurfiol yn unig a'i paratôdd ar gyfer ei gyrfa, a'i bywyd, hynod. Treuliai oriau ar draeth Llangrannog a oedd yn borthladd prysur. Pan oedd yn 13 mlwydd oed fe'i hanfonwyd i Aberteifi i ddysgu gwniedyddiaeth ond roedd galwad y môr yn rhy gryf ac ymunodd â'i thad i hwylio'r glannau. Mae'n rhaid ei bod wedi cael profiad helaeth o'r môr a hithau yn ifanc iawn oherwydd yn 1860, yn 21 oed, daeth yn ysgolfeistres ym Mhontgarreg. Yno dysgodd forwriaeth i forwyr, a roddodd y cyfle iddynt ennill y tystysgrifau oedd wedi dod yn hanfodol er mwyn dringo'r ysgol yrfa forwrol. Maes o law, gelwid y llongwyr hynny a hyfforddwyd ganddi yn 'Gapteiniaid Cranogwen'.[47]

Roedd nifer o ferched, llai adnabyddus yn genedlaethol na Chranogwen, yn hyfforddi hogiau ar gyfer gyrfa forwrol. Bu David Thomas yn holi Mrs Linton (Mrs Jones yn ddiweddarach) merch Capten Thomas Thomas y *Josephine*, Tudweiliog, yn 1927.[48] Bu hi'n dysgu morwriaeth yn y Tŷ Coch, Porth Dinllaen, am dros 34 o flynyddoedd yn ail hanner y bedwaredd ganrif ar bymtheg a hi hefyd oedd casglwr tollau harbwr Porth Dinllaen a'r gohebydd lleol i'r *Shipping Gazette*! Mae tystiolaeth bod merch yn paratoi hogiau Moelfre ar gyfer gyrfa forwrol yn Ysgol Llanallgo yn 1894. Y flwyddyn honno ymddiswyddodd Mrs Roberts, yr ysgolfeistres, a chafwyd cryn drafodaeth yn *Y Clorianydd* parthed rhagoriaethau'r athrawes gyda rhai yn honni ei bod wedi ei gor ganmol. Er nad oedd cyfeiriad at ddysgu mordwyaeth yn benodol, un elfen o'r ffrae a gafwyd yng ngholofnau'r papur oedd yr honiad: '... noddweddiad neillduol yn Mrs Roberts ydoedd ei gallu deheuig i gyfrannu dysgeidiaeth. Y mae amryw o'i disgyblion heddyw wedi mynd drwy yr arholiadau angenrheidiol fel cadbeiniaid a mates llongau mawrion, y rhai sydd yn hwylio i'r gwledydd pell.' Ond, mewn ateb i'r honiad, galwyd ar y papur i roi 'enwau y pass captains and mates a addysgwyd.' Er nad yw'n glir ai cyfeirio at ddysgu mordwyaeth ynteu at safon yr addysg yn gyffredinol yr oedd yr adroddiad, yr hyn sydd yn sicr yw i brifathro newydd yr ysgol, Mr Edwards, ddysgu mordwyaeth i'r bechgyn drwy gydol ei brifathrawiaeth.[49] Mae'n debyg fod hyn yn adlewyrchu patrwm ar hyd y glannau – yn ôl Llyfrau Gleision 1847 roedd Ysgol Genedlaethol yn Abermaw, er enghraifft, gyda'r athro yn dysgu mordwyaeth i'r bechgyn ond nid felly'r athrawes.[50]

Ond roedd merched yn amlwg yn dysgu mordwyaeth a'r

enwocaf oedd Ann Edwards, Caernarfon, merch i'r Capten
William Francis o Amlwch, ac mae'n bosib mai ei merch hi
yw Ellen Edwards, yr athrawes gerdd y cyfeiriwyd ati eisoes
yng nghyfeirlyfr Sutton. Sefydlodd Capten Francis ei ysgol
yn Parys Lodge Square yn Amlwch gyda chymorth ei fab a'i
ferch, Ann; ysgol a ddaeth yn enwog am ei safonau uchel.[51]
Wedi iddi hi symud i Gaernarfon bu Ann yn dysgu
mordwyaeth a morwriaeth yno o tua 1830 tan ei marwolaeth
yn 1889 yn 79 mlwydd oed. Pan gyhoeddwyd canlyniadau
arholiadau'r Bwrdd Masnach yn *Y Genedl Gymreig*, Rhagfyr
26, 1878 yn enwi 32 o longwyr llwyddiannus yn yr
arholiadau o gapteiniaeth i ail swyddogion, dynion o ogledd
Sir Gaernarfon a de Môn yn bennaf, nodwyd:

> Addysgwyd yr oll ohonynt gan Mrs Edwards, yr athrawes
> enwog mewn morwriaeth, New Street, Caernarfon.

Hi fu'n gyfrifol am ddysgu'r mwyafrif helaeth o'r dynion o
ardal Caernarfon a gafodd eu dyrchafu yn ddiweddarach yn
gapteiniaid. Yn eu plith roedd y Capten Robert Thomas,
Llandwrog, a hwyliodd y *Meirioneth* ar y fordaith gyflymaf
erioed o Gaerdydd i San Francisco ac yn ôl yn 1887-88.
Dywedwyd iddi ddysgu mordwyaeth i'r Capten T. Barlow
Pritchard, Cricieth, capten cyntaf y *Mauretania* .[52]

Fe'i gwobrwywyd am ei gwaith a derbyniodd bensiwn y
wladwriaeth gan y Frenhines Fictoria yn sgil pwysau gan y
Rhyddfrydwyr Cymreig, yr oedd cymaint ohonynt yn
amlwg yn y diwydiant llongau. Dyma enghraifft brin o
gydnabyddiaeth swyddogol i wraig a gyfrannodd yn helaeth
i fywyd morwrol y bedwaredd ganrif ar bymtheg.

Badau Achub

Roedd mynnu cymwysterau gan forwyr yn rhan o symudiad
ehangach i godi safonau iechyd a diogelwch yn y busnes
llongau, ac nid oedd y datblygiadau angenrheidiol wedi eu

cyfyngu i'r llongau a'u criwiau yn unig. Cyn y bedwaredd ganrif ar bymtheg, ychydig o gymorth a gâi llongau a morwyr o gyfeiriad y tir, boed hynny ar ffurf arwyddion o beryglon neu gymorth parod mewn argyfwng, ac eithrio drwy gyfrwng trigolion y glannau a oedd yn barod bob amser i geisio cynorthwyo llong neu gwch mewn trafferthion. Ond yn ystod y ddeunawfed ganrif a'r bedwaredd ganrif ar bymtheg, fe gafwyd sawl cam pendant tuag at wella'r sefyllfa – yn amrywio o adeiladu goleudai i sefydlu Sefydliad Brenhinol y Badau Achub (y *Royal National Lifeboat Institution*).

Un o'r ardaloedd a fu'n arloesol yn y symudiad i achub bywydau ar y môr oedd Ynys Môn, a hynny drwy waith James a Frances Williams.[53] Ar 20 Mawrth, 1823, sef diwrnod cyntaf James Williams fel rheithor Llanfair-yng-nghornwy yng ngogledd orllewin anghysbell a stormus yr ynys, aeth y ddau am dro. Yr hyn a welsant oedd yr *Alert*, paced hwylio, yn suddo wedi iddi daro Maen y Bugael oddi ar yr arfordir. Er nad oedd yn stormus y diwrnod hwnnw, boddwyd cant a deugain o bobl. Roedd Frances Williams yn benderfynol na fyddai hyn yn digwydd eto. Aeth ati i wneud lithograff o sgets a wnaed ganddi o ymweliad y brenin Siôr IV â Chaergybi yn 1821. Gwerthodd gopïau o'i gwaith a sefydlu cronfa i wobrwyo'r rhai a ymdrechai i achub bywydau neu eiddo ar y môr. Perswadiodd ei gŵr i anfon llythyr apêl at George Palmer, cynllunydd badau achub yn Swydd Essex yn Lloegr, ac o ganlyniad derbyniodd Ynys Môn ei bad achub cyntaf ym mhentref Cemlyn ar arfordir y gogledd ar 11 Tachwedd, 1828.

Sylweddolodd Frances Williams a'i gŵr fod angen mwy nag un bad achub i warchod arfordir mor beryglus. Yn Rhagfyr 1828 felly sefydlwyd yr *Anglesey Association for the Preservation of Life from Shipwreck*. Dewiswyd James Williams yn drysorydd, ond nid oedd lle i Frances ar y pwyllgor! Erbyn 1830 roedd dau fad achub ychwanegol gan y gymdeithas a'r ddau ar Ynys Cybi, un yng Nghaergybi a'r llall yn Rhoscolyn. Rhwng 1829 ac 1856, pan ddaeth y gymdeithas yn rhan o Sefydliad Cenedlaethol Brenhinol y Badau Achub (RNLI), achubwyd dros 400 o fywydau gan fadau Môn, a'r flwyddyn honno bu farw Frances Williams.

Nid codi arian yn unig wnaeth hi. Ar un achlysur pan glywodd fod ceidwad y goleudy ar y Moelrhoniaid yn wael, aeth hi a'i gŵr yn y bad mewn tywydd difrifol a rhoi'r cymorth angenrheidiol iddo. Yn sicr mae hanes Frances Williams yn adlewyrchu rôl unigryw rhai merched yn y gymuned forwrol.

Yn draddodiadol roedd rôl merched o fewn cyfundrefn y badau achub yn gyfyngedig, fel y dengys profiad Moelfre. Agorwyd gorsaf bad achub yn y pentref yn 1848, oherwydd medrusrwydd ei physgotwyr mae'n ymddangos. Daeth y bad achub yn symbol o falchder i'r pentrefwyr ac roedd ei record o achub bywydau a gwrhydri ei chriwiau yn ychwanegu at y balchder hwnnw. Roedd rhan merched o fewn y pentref wedi ei gyfyngu i'r agweddau y tueddir i'w cysylltu gyda chyfrifoldeb merched yn y cyd-destun hwn, sef codi arian – naill ai drwy ddigwyddiadau o fewn y pentref ar gyfer trigolion y pentref neu drwy fanteisio ar haelioni ymwelwyr drwy gasglu arian ar ddiwrnod bad achub yn yr haf. Yn negawdau olaf yr ugeinfed ganrif, wrth i'r RNLI gynnal stondin nwyddau yn y pentref, bu cyfraniad merched o wirfoddolwyr yn allweddol. Yn 2007, er enghraifft, derbyniodd Margaret Tierney dystysgrif gan yr RNLI yn cydnabod ei gwasanaeth o bron i chwarter canrif fel gwirfoddolwraig.

Byddai merched hefyd yn rhoi cymorth ymarferol. Wedi achub criw llong mewn tywydd garw gaeafol, er enghraifft, yna'n aml byddai'r rhai a achubwyd yn derbyn noddfa yng nghapel y pentref gyda'r merched yn gyfrifol am eu bwydo a sicrhau diodydd poeth iddynt cyn i gymorth meddygol gyrraedd. Yn ddiddorol iawn, derbyniodd Nel Matthews, gwraig y Cocsyn John Matthews, gydnabyddiaeth gan yr RNLI am ei gwaith unigryw hi hefo'r bad achub. Pan fyddai'r Cocsyn Matthews yn derbyn neges bod angen lansio'r bad achub yna Mrs Matthews fyddai'n mynd o ddrws i ddrws yn y pentref, a hithau gan amlaf yn dywydd stormus, gwlyb, gaeafol ac yng nghanol tywyllwch y nos, i gasglu criw ynghyd. Ymddengys mai dyma'r unig dro i'r RNLI gynnig y fath gydnabyddiaeth. Er nad oes tystiolaeth i ferched y pentref hwylio ar y bad cyn degawdau olaf yr ugeinfed ganrif byddai merched weithiau yn helpu efo'r wins yng nghwt y bad achub. Erbyn diwedd yr ugeinfed ganrif, fodd bynnag, derbyniwyd Dwynwen Parry fel aelod benywaidd swyddogol cyntaf bad achub Moelfre, oedd yn adlewyrchu datblygiadau ar lefel genedlaethol.

Yn 2004 enillodd mam i ddau o blant, Aileen Jones, cocsyn bad achub Porth-cawl, Fedal Efydd am Ddewrder am ei rhan yn y gwaith o achub dau bysgotwr y *Gower Pride* a oedd wedi mynd i drafferthion yn dilyn methiant ei pheiriant. Yn wyneb gwyntoedd tymhestlog cryfion a moroedd garw taflwyd y *Gower Pride* yn erbyn y bad achub ond llwyddodd Aileen Jones i wahanu'r ddau gwch. Yn raddol llwyddwyd i dynnu'r cwch pysgota o berygl. Nid oedd dynes wedi ennill medal o'r fath ers 1888.

Derbyniodd tri aelod arall o griw bad achub Porth-cawl fedalau am eu rhan hwythau yn yr achubiaeth. Ar y pryd roedd 350 (7%) o ferched yn aelodau o griwiau badau achub yr RNLI allan o gyfanswm o 4,800 o aelodau criwiau badau achub a chychod gwyllt yr RNLI. Yng Nghymru roedd 23 gorsaf, sef 13% o orsafoedd yr RNLI ar draws Ynysoedd Prydain ac Iwerddon, ond roedd gan Gymru 71 dynes yn aelodau o griwiau badau achub – dros 20% o gyfanswm y merched a oedd yn aelodau o holl griwiau achub yr RNLI.[54]

Goleudai

Bu amrywiol arwyddion ar hyd arfordir Cymru yn
gweithredu fel rhybudd i longau yn dyddio, o bosibl, o
gyfnod y Rhufeiniaid. Fodd bynnag, rhaid oedd disgwyl tan
y ddeunawfed ganrif cyn gweld datblygu amrywiol oleudai o
safon ar hyd ein harfordir. Ym mwyafrif llethol y deunaw
goleudy Cymreig, bu'r ceidwad yn byw gyda'i wraig a'i
blant.[55] Ymhlith amrywiol ddyletswyddau'r ceidwad roedd
sicrhau fod y golau yn gweithio drwy'r nos, trimio'r wic,
gofalu am y tanwydd, paentio a gwaith cynnal a chadw,
sicrhau fod y peirianwaith yn gweithio ac, yn allweddol,
glanhau'r ffenestri a'r lensys. Mae'n anodd credu na fyddai
gwraig y ceidwad yn chwarae rhyw ran yn y gwaith hwn.[56]
Ceir tystiolaeth i gadarnhau hyn o Ynys Lawd, oddi ar Ynys
Cybi. Roedd dau geidwad i oleudy Ynys Lawd – yn 1812
penodwyd John Jones yn geidwad cynorthwyol i Hugh
Griffiths. Roedd gan y ddau ohonynt deulu ac roeddynt oll
yn byw ar Ynys Lawd. Yn 1828 bu farw John Jones, gan adael
gweddw, Ann, a saith o blant; pump ohonynt yn ddibynnol
arni. Perswadiodd Hugh Griffiths yr awdurdodau yn Trinity
House i benodi Ann Jones yn geidwad gydag ef. Nid oedd yr
awdurdodau fel arfer yn hoffi penodi merch i weithio gyda
dyn mewn goleudy anghysbell ond roedd sawl rheswm dros
ildio y tro hwn. Yn y lle cyntaf roedd teuluoedd y ddau
geidwad yn byw ar yr ynys ac roedd pont newydd wedi ei
hadeiladu i gysylltu'r ynys â'r tir mawr. Ond efallai mai'r hyn
a berswadiodd yr awdurdodau i benodi Ann Jones oedd i
Hugh Griffiths dynnu eu sylw at y ffaith iddi fod ar yr ynys
ers pymtheng mlynedd a'i bod felly yn gwybod sut i drin yr
offer a gwneud y gwaith angenrheidiol. Bu hi'n gwasanaethu
yno hyd ganol y 1840au ac fe'i holynwyd gan ei mab Jac
Jones (a gafodd ei eni yn y goleudy yn 1820).[57] Bu yntau'n
byw ar yr ynys gyda'i wraig, Margaret, a'u chwech o blant tan
1859 pan fu farw o ganlyniad i ddamwain yn ystod storm

ddifrifol. Cofnodwyd bod Margaret Jones a'i phlant yn byw yng Nghaergybi yn 1861 a'i bod yn derbyn pensiwn gan Trinity House. Yn wahanol i sawl swydd forwrol arall felly, o leiaf bu iddi dderbyn rhyw iawndal wedi iddi golli ei gŵr.

Gwelwyd pwysigrwydd merched y goleudy o safbwynt achub bywydau mewn digwyddiad oddi ar Benrhyn Gŵyr yn 1883.[58] Ar 27 Ionawr aeth y barc Almaenig, *Admiral Prinz Adalbert of Danzig*, i drafferthion ac aeth y bad achub lleol, y *Wolverhampton*, i'w hachub. Yn anffodus aeth y bad achub ei hun i drafferthion a chollwyd pedwar o'r criw. Aeth ceidwad y goleudy, Abraham Ace, a'i ferched, Jessie Ace a Margaret Wright, ati i'w cynorthwyo gyda chymorth y Gynnwr Hutchings o gaer y goleudy, gan achub John Thomas a Williams Rosser, dau aelod o griw'r bad achub. Derbyniodd y cocsyn fedal arian yr RNLI a £50 am ei ran yn yr achubiaeth a derbyniodd y Gynnwr Hutchings felwm. Ni dderbyniodd y merched unrhyw gydnabyddiaeth gan yr RNLI ond derbyniodd y ddwy dlws aur yr un gan Ymerodres yr Almaen am ofalu am griw'r barc.

Datblygiad arall a fu'n allweddol o safbwynt diogelwch ar y môr, ac oedd yn gyfraniad pwysig i wella effeithlonrwydd y busnes llongau, oedd gwelliannau mewn dulliau cyfathrebu. Yn 1826 sefydlwyd System Deligraff Optegol a oedd yn gallu trosglwyddo negeseuon o Fynydd Twr (Caergybi) i Lerpwl drwy gyfres o orsafoedd teligraff ym Môn, yng Ngharreg Lwyd a Chefn Du, ac yna Ynys Seiriol, ymlaen i'r Gogarth ar y tir mawr, Llysfaen, Y Foryd, Foel Nant (ger Prestatyn) ac yna i Loegr: Ynys Hilbre, Bidston a Lerpwl. Yn ogystal â chludo negeseuon i'w gilydd roedd y gorsafoedd teligraff hefyd yn gallu cysylltu â llongau ac yna trosglwyddo'r negeseuon er budd perchnogion llongau, docfeistri ac eraill ymhell cyn i'r llong gyrraedd pen ei thaith.[59]

Fel yn achos y goleudai roedd teulu cyfan yn aml yn

gyfrifol am y gorsafoedd gyda'r wraig yn cynorthwyo o bryd i'w gilydd, mae'n debyg. Roedd ambell orsaf yn cynnal diwrnod agored i drigolion lleol tra byddai eraill yn derbyn ymwelwyr ac yma hefyd roedd rôl y wraig yn bwysig. Er mai answyddogol oedd cyfraniad gwraig y ceidwad ar y cyfan, roedd rhai merched yn geidwaid cynorthwyol swyddogol ac ambell un yn geidwad ei hun. Bu nifer o ferched yn gwasanaethu yng ngorsafoedd y gogledd fel hyn.[60] Bu Mary Adams yn geidwad Ynys Seiriol yn 1860-61, Ann Jones yn geidwad cynorthwyol ar y Gogarth yn 1849 ac yna Jane Jones rhwng 1853 ac 1861 (pan aeth y system deligraff yn drydanol), a Sidney Rowlands oedd ceidwad cynorthwyol Cefn Du rhwng 1849 ac 1857. Mae'n bosibl mai hi oedd merch Richard Rowlands oedd yn geidwad am 34 o flynyddoedd a phriododd Hugh Jones oedd o bosibl yn gyn-geidwad Ynys Seiriol. Roedd Mary yn wraig i William Williams oedd yn geidwad Y Gogarth (a elwid yn Penmynydd yn lleol) ond wedi iddo farw yn 1848 fe'i penodwyd hi yn geidwad Llysfaen a bu yno hyd cau'r orsaf yn 1861 (ailbriododd yn 1856). Cyfeiriai cyfrifiad 1871 ati fel 'cyn ceidwad [sic] teligraff' ac fe nodir ar ei charreg fedd: *'In memory of Mary Hughes Llysfaen Telegraph'*. Yn ddiddorol iawn, ac eithrio cyfnod o ddeng mlynedd, bu gorsaf Bidston dros y ffin yn llwyr yn nwylo merched gyda cheidwad y goleudy hithau'n ddynes.

Gweithwyr y Dociau

Mae porthladd addas ar gyfer trosglwyddo cargo ar, ac oddi ar, gychod a llongau yn allweddol i lwyddiant y busnes llongau, ac i'r economi ehangach. Gallai hynny ddigwydd ar draethau agored heb unrhyw offer arbenigol, ar gei syml ar y lan neu, i'r pegwn arall, mewn dociau mawrion wedi eu cynllunio'n bwrpasol a gydag offer addas i'r gwaith. Erbyn degawdau olaf yr ugeinfed ganrif golygai datblygiadau technolegol gyfleoedd newydd i, a phwysau cynyddol ar, borthladdoedd a rhaid oedd iddynt, fel pob busnes arall, fod yn barod i addasu a newid yn barhaol.

Erbyn heddiw mae porthladdoedd yn gweithio 24 awr y dydd, hefo'r dechnoleg ddiweddaraf ym mhob maes ac mae amrywiaeth eang o weithwyr yn gweithio ar amrediad eang o dasgau. Adlewyrchwyd y newid hwn yn y gymuned leol hefyd. Yn draddodiadol yr harbwr a'r dociau oedd canolbwynt tref borthladd gyda'r boblogaeth yn byw ger y porthladd a chanran sylweddol yn gweithio yno. Ond wrth i drefi a dinasoedd dyfu daeth y porthladd yn un rhan o'r dref neu'r ddinas gyda gweithwyr y dociau yn gallu byw yn bell o'r gweithle.

Heddiw nid yw merched o weithwyr mewn porthladd yn beth anghyffredin ac maent i'w cael mewn amrediad o swyddi. Adlewyrcha hyn y newid a fu mewn agweddau tuag at ferched yn y gweithle a'r newid a fu yn y mathau o swyddi a sgiliau sydd yn rhan o fywyd porthladd modern. Ond er mai fel maes gwaith dynion yr ystyrir gwaith dociau yn draddodiadol, y gwirionedd yw i ferched chwarae rhan bwysig mewn sawl agwedd ar waith y dociau dros y canrifoedd.

Hyd yn oed cyn y chwyldro diwydiannol roedd cyswllt amlwg rhwng gweithgaredd morwrol a'r diwydiannau cloddio Bu merched yn chwarae rhan bwysig o safbwynt cludo'r cerrig i'r porthladd a'u llwytho i'r llongau, fel y tystia Walter Davies wrth ddisgrifio'r diwydiant calchfaen oddi ar arfordir Gŵyr ar ddechrau'r bedwaredd ganrif ar bymtheg:

> A great trade in limstone is carried on along the coast of Gower in Glamorganshire; several hundred cargoes being shipped off for the coast of Devon, &c. during the summer. The vessels employed in this trade are from thirty to eighty tons burden. The people of the country get a good livelihood by this means; the men dig the stones both winter and summer; and as the vessels trade only in the summer, they get together several cargoes by the commencement of the trade: the men break the stones,

after blasting the rocks, to a size easy to be lifted up; the women then, having a horse, and a little staked car made for the purpose, convey the stones to the shipping places within low-water mark; and at high water the vessels are moored alongside the heaps, which are known by poles being fixed in them, and there wait till the tide begins to ebb, when they are thrown into the vessels (by means of a temporary stage) by men and women, who receive a good hire from the captains, with an allowance of beer.[61]

Ceir tystiolaeth o amrywiol agweddau ar waith merched ar wahanol adegau yn natblygiad porthladd Abertawe. Fe wyddom fod merched wedi chwarae rhan yn y gwaith o adeiladu cei ym mhorthladd y dref yn y 1650au a'r 1660au.[62] Nododd rhigymwr yng nghanol y ddeunawfed ganrif mai merched oedd yn cludo glo o'r porthladd i'r llongau yn barod i'w hallforio.[63] Wrth i'r dref a'r porthladd dyfu yn sgil diwydiannu gwelwyd merched eto'n amlwg. Ac eithrio copr o Giwba, byddai'r copr a gyrhaeddai Abertawe yn cael ei drosglwyddo i lanfeydd efo stordai arbennig. Yno byddai'r blociau mawr o gopr yn cael eu torri yn ddarnau llai gan weithwyr gyda chymorth morthwylion mawr pwrpasol. Deuai mwyafrif y gweithwyr hyn o ardal dlotaf y dref, sef Little Ireland – yn ddynion a bechgyn, merched a genethod. Roedd yr amodau gwaith yn ddychrynllyd a'r olygfa yn hunllefus: *'queer genuises of women, with short pipe in mouth... an old coat buttoned over their ordinary dress, begrimed with the yellowish green powder of the ore, looking like the inhabitants of another world.'*[64]

Ond roedd agwedd ar fwrlwm diwydiannol i'w chael mewn porthladdoedd llai hefyd. Un o fewnforion pwysicaf cymunedau bach a mawr de Ceredigion a gogledd Sir Benfro cyn 1939 oedd cwlm, sef llwch glo caled.[65] Byddai'n cael ei werthu fesul casgen i ffermwyr a thyddynwyr lleol. Ar fuarthau'r ffermydd cymysgid y llwch gyda chlai lleol gan gynhyrchu tanwydd du oedd yn rhoi gwres sylweddol yn nhanau'r gegin ddydd a nos; ond yng Nghei Newydd byddai'r cwlm yn cael ei gymysgu ar y traeth gan ferched am gyflog o ddwy geiniog y dydd. Yn Aberteifi roedd John Esau o'r Hope and Anchor, Mrs Davies o'r Royal Oak a'r Cardigan Mercantile Company yn gyfrifol am werthu'r cwlm yn lleol, er nad oeddynt yn ei fewnforio eu hunain.[66]

Yn draddodiadol, dynion oedd yn cael eu cyflogi yn yr iardiau adeiladu llongau ond, fel mewn sawl maes arall, roedd pethau'n wahanol mewn cyfnod o ryfel. Un o adeiladwyr llongau amlycaf y gogledd oedd cwmni James Crichton a oedd yn berchen ar iardiau yng Nghei Conna a Saltney, ar y ffin â Lloegr. Bu i'r Rhyfel Mawr gychwyn o fewn blwyddyn i'r cwmni agor ei hiard yn Saltney ac, oherwydd y galw am ddynion i ymladd, yr unig ddewis oedd gan y cwmni er mwyn sicrhau'r gweithlu oedd cyflogi merched.[67] Yn y de orllewin, roedd iard longau Doc Penfro eisoes yn adnabyddus am adeiladu llongau rhyfel ond er ei henwogrwydd a safon ei gwaith roedd ar drothwy dirywiad erbyn dechrau'r ugeinfed ganrif. Cuddiwyd y cwymp i ryw raddau gan anghenion y Rhyfel Mawr ac mae ymweliad Franklin D. Roosevelt, yn ei swydd fel is-Ysgrifennydd Llynges yr Unol Daleithiau, â Doc Penfro yng Ngorffennaf 1918 yn datgelu un ffaith ddiddorol am ferched y fro. Mewn llythyr at Ysgrifennydd y Llynges nododd Roosevelt fod Doc Penfro yn: '*an old, small affair somewhat like our Portsmouth Navy Yard,*' ac adroddodd: '*It has been expanded since the War from 1,000 to nearly 4,000 employees, and does mostly repair work to patrol vessels etc, and is also building four submarines. I was particularly interested to see over 500 women employed in various capacities, some of them even acting as molders' helpers in the foundry, and all of them doing excellent work.*'[68] Roedd hyn mor wahanol i'r sefyllfa ddwy ganrif ynghynt. Y llong gyntaf i'w hadeiladu yn Iard Gaddarn ar

Limpin Hill yn Sir Benfro (rhywbryd yng nghanol y bedwaredd ganrif ar bymtheg mae'n debyg) oedd yr *Eliza*. Yn ôl y traddodiad llafar fe'i henwyd ar ôl merch y gŵr a'i hadeiladodd am iddi, er yn hogan fach, fod wrthi drwy'r nos yn dal cannwyll wrth i'r gwaith o'i hadeiladu fynd rhagddo.[69]

Roedd amrywiol gyfleoedd i ferched yn gysylltiedig â'r dociau felly. Yng Nghaerdydd honnid bod merched cryf a chaled i'w cael ar y dociau. Roedd rhwng 400 a 500 o ferched yn cael eu cyflogi i ddadlwytho a dosbarthu tatws yn nociau Caerdydd, y mwyafrif ohonynt o dras Gwyddelig.[70] Adeg y Dirwasgiad, er enghraifft, byddai masnachwyr tatws yn cyflogi merched i gludo bagiau canpwys o datws i'r warysau, gwaith a fynnai nerth bôn braich.[71] I'r ymwelwyr a hwyliai i Rhyl yn y 1830au roedd cerbydau yn disgwyl i'w cludo i Abergele ac i Ddinbych, Rhuthun a Llanelwy, ac roedd y gwasanaeth hwn yn nwylo gyrrwr o'r enw Sarah Williams.[72] Roedd gan Ymddiriedolaeth Harbwr Abermaw yr hawl i osod tollau'r harbwr a'u casglu, a'r taliadau hyn oedd prif ffynhonnell incwm yr Ymddiriedolaeth. Erbyn y 1860au daeth cyfle i unrhyw un gynnig am yr hawl i gasglu'r tollau mewn ocsiwn a gynhaliwyd yn Aberystwyth. Y drefn oedd hysbysu'r cyhoedd o swm y tollau a gasglwyd yn ystod y flwyddyn flaenorol ac wedyn byddai'r darpar gasglwyr yn gwneud cynnig am yr hawl i'w casglu, gan sicrhau digon o elw iddynt eu hunain. Yn 1865 cynhaliwyd yr ocsiwn ar Ddydd Llun, 25 Medi a'r pris gwarant oedd £280. Y casglwr a enillodd y dydd y tro hwn oedd Mrs. Jane Edwards.[73]

Ym Mehefin 1887 bu damwain mewn iard adeiladu llongau yn y Rhyl a oedd ym mherchnogaeth gŵr o'r enw Robert Jones a llosgwyd merch ifanc yn ddifrifol. Yn ôl papur newydd ar y pryd:

> It appears that some beeswax and turpentine were set near the fire to melt and the mixture took fire. The girl attempted to extinguish it, and failing that made an

attempt to throw it out. Her clothes however caught fire and she was very badly burned. Both Mr. & Mrs. Jones were also burned in the arms.[74]

Awgryma D.W. Harris mai cynorthwyo i wneud hwyliau o bosibl oedd y ferch ac mae'r ffaith i Mrs. Jones hefyd gael ei llosgi yn awgrymu ei bod hithau hefyd yn gweithio yn yr iard.

Roedd sawl agwedd annymunol i fywyd y porthladdoedd ac un o'r rheiny oedd 'crimpio', sef twyllo morwyr – gan amlaf pan yn feddw – i ymaelodi â chriw llong heb obaith o ddianc. Roedd merched yn amlwg yn y weithred hon. Fel hyn y disgrifiodd Capten Hugh Roberts, Benllech, Môn, rai o 'crimps' Lerpwl, ar ddiwedd y bedwaredd ganrif ar bymtheg mae'n debyg:

> Mrs. Hughes and Mrs. Murphy in Liverpool, these two women kept a hard-up Boarding House; y cnafon melltigedig, "top-ranking crimps", byddai y ddwy ar y cei pan fyddai llong yn mynd heb hanner dwsin neu ragor o longwyr am y Pier Head jump… Gwelais y ddwy yma, fwy nag unwaith yn fflatio dynion "as flat as a flat fish"os oedd ganddynt ormod i'w ddweud, "they could fight like cats", ni ŵyr pobl yma ddim beth yw mynd i'r môr.[75]

Yn amlwg roedd merched yn fwy na pharod i droi at ddulliau amgen o oroesi yn y cymunedau morwrol pe byddai angen, yn barod i fanteisio ar unrhyw gyfleoedd a ddeuai i'w rhan.

Smyglo a Llongddryllio

Roedd smyglo yn rhan annatod o fywydau cymunedau'r arfordir ar hyd a lled Ewrop a thu hwnt. Yn wir, yn aml ystyrid smyglo'n weithred gyfreithlon ac yn rhan o'u traddodiad gan drigolion y cymunedau morwrol. Cafwyd cynnydd sylweddol mewn smyglo yng Nghymru yn y ddeunawfed ganrif, am resymau amrywiol ond cysylltiedig. Gyda'r uchelwyr yn amharod i dalu trethi uwch, er mwyn talu costau cynyddol amrywiol ryfeloedd, er enghraifft, disgynnai'r trethi ar y nwyddau oedd yn angenrheidiol i fywydau bob dydd y werin bobl – glo a halen yn arbennig. Yr hyn sy'n sicr yw bod smyglo yn gyffredin iawn ar hyd arfordir Cymru.[76] I'r smyglo fod yn llwyddiannus, gan gynnwys osgoi'r awdurdodau, rhaid oedd cael cydweithrediad effeithiol y gymuned leol, o'r werin bobl i'r uchelwyr. Yn aml iawn ni erlynwyd y rhai o rengoedd isaf cymdeithas oedd yn chwarae rhan yn y smyglo oherwydd eu bod mor dlawd, ac roedd yn amhosibl dal y cyfoethogion a fanteisiai ar smyglo. Roedd llwyddiant smyglo mewn cymuned felly yn dibynnu ar y gymdeithas gyfan ac, wrth gwrs, roedd hynny'n cynnwys merched.

Erbyn canol y ddeunawfed ganrif roedd smyglo wedi cyrraedd ei uchafbwynt yn y gogledd. Cyn 1765, roedd Ynys Manaw yn annibynnol ar Loegr ac felly nid oedd yn disgyn dan ei chyfreithiau na'i thollau. O'r herwydd roedd yn ganolfan berffaith ar gyfer cadw nwyddau fel rym, tybaco a gin – ac roedd Ynys Môn ac arfordir gogledd Cymru felly'n ddelfrydol ar gyfer cludo nwyddau i'r tir mawr. Yn wir, credid nad oedd nifer o longau Gwyddelig a hwyliai'r gogledd yn gwneud dim ond smyglo. Wedi i Ynys Manaw ddod i ddwylo coron Lloegr bu i smyglo o'r cyfeiriad hwnnw ddistewi ond roedd smyglwyr o'r Iwerddon yn parhau'n broblem, yn arbennig oherwydd eu cysylltiad â smyglwyr o'r wladwriaeth Ffrengig. Nid oedd y smyglwyr wedyn mor broblemus ag y buont – y Gwyddelod oedd yn dominyddu'r maes efo'u llongau pwrpasol – ond ffolineb fyddai awgrymu nad oedd y Cymry'n chwarae rhan amlwg. Roedd temtasiwn mawr, er enghraifft, i gapten a hwyliai i Ddulyn yn cludo llechi i ddychwelyd gyda sebon, halen neu ganhwyllau wedi eu cuddio yn y llong.[77]

Yn y de roedd Cwm Nedd yn ardal brysur iawn o safbwynt smyglo ac roedd cyfraniad merched yn amlwg.[78] Yn ystod y ddeunawfed ganrif byddai llongau o ardal

Castell-nedd yn cludo glo i'r Iwerddon ond yn dychwelyd gyda nwyddau gwaharddedig tra byddai brandi yn cael ei guddio mewn llestri arbennig ar gychod pysgota. Yn 1726, llwyddodd un swyddog i gipio nwyddau oddi ar y smyglwyr – ond ymosododd y smyglwyr yn eu tro ar y swyddog gan adfeddiannu eu gwin a'u brandi. Y smyglwyr a oedd yn gyfrifol am yr ymosodiad oedd Catherine Lloyd, Catherine Morgan, Elizabeth Chandler a Mary Shaw! Ymddengys mai Catherine Lloyd, tafarnwraig y Ferry Inn yn Llansawel, oedd yr arweinydd. Er ei bod hi'n amheus a oedd merched fel Catherine Lloyd yn chwarae rhan yn y gweithgareddau smyglo ar y môr ei hun, heb unrhyw amheuaeth roedd hi'n gyfrifol am bob agwedd arall o'r gwaith gan gynnwys trefnu'r smyglo, dwyn y nwyddau oddi ar swyddogion a gweithredu fel asiant ar gyfer dosbarthu'r nwyddau anghyfreithlon drwy Gwm Nedd. Ond daeth gyrfa Catherine Lloyd i ben yn 1734 pan wnaeth y camgymeriad o gynnig cotwm gwaharddedig o India i Edward Dalton, casglwr tollau o Lanelli nad oedd ar ddyletswydd ar y pryd:

> Said Widdow is very well to pass in ye world and Suppos'd to have All Her Riches by Running of Goods for SHE is an old offender and NOTED SMUGGLER' [79]

Nid dyna fu diwedd rhan merched yn y smyglo yn lleol fodd bynnag ac yn 1758 cafwyd adroddiad am bedair menyw a aeth o Lansawel i Bridgewater i gasglu te anghyfreithlon. Adlewyrchai hyn pa mor anodd oedd hi i'r awdurdodau atal smyglo mewn unrhyw fro.

Roedd agweddau tuag at gymryd nwyddau oddi ar long a ddrylliwyd yn debyg i'r agwedd tuag at smyglo, sef ei fod yn gyfreithlon ac yn rhan o draddodiad. Yn sicr nid oedd neb yn ystyried manteisio ar longddrylliad fel trosedd foesol. Nid mater o gymryd y cargo yn unig ydoedd – mewn rhai achosion byddai pob rhan o'r llong yn cael ei gymryd at ryw ddefnydd neu'i gilydd.

Ond os oedd cymryd nwyddau oddi ar longau a ddrylliwyd, gan gynnwys datgymalu'r llong, yn cael ei dderbyn gan y cymunedau morwrol, mater llawer mwy amheus oedd llongddryllio bwriadol. Ond eto roedd hanes hir i'r weithred hon. Yn ôl yr hanes roedd Syr John Bodfel, sgweier Parciau ar ynys Môn yn yr ail ganrif ar bymtheg, yn lleidr. Byddai'n cael cymorth dynes o'r enw Gaenor oedd yn byw mewn bwthyn ger y Swnt, gyferbyn ag Ynys Moelfre, i losgi coelcerthi er mwyn denu llongau i'r creigiau. Yna byddent yn cael eu hysbeilio. Grŵp arall o longddryllwyr adnabyddus iawn oedd Lladron Crigyll a weithiai oddi ar arfordir de orllewin Môn, ac roedd merched yn eu plith. Roedd ardal Rhossili ar Benrhyn Gŵyr yn adnabyddus am ei llongddryllwyr a dywedir bod rhan o fynwent Rhosili heb gerrig beddi oherwydd mai yno y claddwyd cyrff y morwyr a fu farw o ganlyniad i longddryllio.[80]

Puteindra a thor-cyfraith
Yn draddodiadol ystyrir porthladdoedd a'u cyffiniau cyfagos yn gymunedau unigryw gyda thor-cyfraith, trais a phuteindra a sawl agwedd ar yr is-fyd yn bla. Mae digon o dystiolaeth i gefnogi'r farn hon o bob rhan o arfordir Cymru, o borthladdoedd mawrion fel Casnewydd i drefi porthladd llai fel Caernarfon. Gyda thwf porthladd Caerdydd, er enghraifft, weithiau byddai cymaint â 120 o longau yn y porthladd ar unrhyw adeg, yn gorfod disgwyl rhai dyddiau, neu hyd yn oed wythnosau, am wynt teg. Byddai morwyr yn crwydro'r dociau yn chwilio am waith, mewn cyfnod o ddirwasgiad, er enghraifft, ac roedd morwyr a oedd wedi hwylio o rannau pellennig o'r byd yn cyrraedd y porthladd a heidio i'r lan. Roedd nifer fawr o'r morwyr hyn yn awchu am ddiod a merched ac roedd mwy na digon i'w gwasanaethu. Erbyn canol y bedwaredd ganrif ar bymtheg roedd yr ardal eisoes yn enwog am y rhesymau anghywir, gan gynnwys

trais, dwyn a phroblem arbennig o gyfeiriad ffeuau opiwm (golchdai Chineaidd oeddynt yn swyddogol).[81] Yng nghanol hyn i gyd, roedd puteindra'n broblem sylweddol. Yn 1860, cofnodwyd 420 o buteiniaid yn gweithio yn Nhrebiwt. Yn 1861 rhestrwyd 131 o buteindai a 39 o dafarndai a oedd hefyd yn buteindai yn yr ardal.[82]

Bu amrywiol resymau pam y bu i ferched droi at buteindra, ac yn sicr nid problem wedi ei gyfyngu i gymunedau porthladd yn unig ydoedd. Yn gyffredinol tueddai puteiniaid y bedwaredd ganrif ar bymtheg i fod yn eu harddegau hwyr neu eu hugeiniau cynnar, yn aml yn anllythrennog, yn dlawd ac o deuluoedd oedd wedi chwalu. Wedi eu hel o'u cartrefi nid oedd dewis arall iddynt yn aml ond troi at buteindra. Byddai rhai yn gyn-forwynion wedi eu cam-drin neu eu treisio gan eu meistri ac, wedi iddynt ddianc heb unrhyw obaith o waith, yr unig ddewis a oedd yn agored iddynt yn aml oedd troi at buteindra. Byddai nifer o fewnfudwyr i wlad estron hefyd yn eu cael eu hunain mewn sefyllfa lle nad oedd dewis arall iddynt; eraill wedi eu gorfodi i ddod i'r wlad fel puteiniaid. Er i rai puteiniaid lwyddo i wella'u byd drwy eu proffesiwn, ac er bod rhai ohonynt yn rheoli puteindai, i fwyafrif y puteiniaid roedd bywyd yn llawn tlodi, afiechydon a pheryglon, yn arbennig o gofio fod puteindra yn aml yn gysylltiedig â thor-cyfraith a thrais.[83]

Er y cyfeiriadau at buteindra mewn amrywiol ffynonellau – cofnodion llysoedd a phapurau newydd, er enghraifft – nid mater hawdd yw asesu nifer y puteiniaid o fewn y cymunedau morwrol. Yn un peth roedd natur y gwaith yn cilio oddi wrth gyhoeddusrwydd, ac er bod cyfrifiadau yn cyfeirio atynt, roedd anghysondeb rhwng y cofnodi hwnnw o ardal i ardal ac o gyfrifiad i gyfrifiad. Felly wrth drafod galwedigaethau menywod yn ardal Llanelli, Porth Tywyn a Phenbre rhwng 1841 ac 1891 ymddengys mai tri maes yn unig oedd yn denu merched, sef gwasanaeth domestig, dillad ac amaethyddiaeth.[84] Bu i rai gael eu cofnodi o fewn y diwydiant metel a oedd yn amlwg yn yr ardal ond ni chofnodwyd fod gan unrhyw ferch gysylltiad â'r porthladd – yr unig eithriad yw un ddynes a gofnodwyd fel putain yn 1851.[85] Yng Nghaergybi yn 1861, fodd bynnag, cofnodwyd pedair putain yn y dref, felly mae'n debygol fod mwy na'r nifer hynny yn gweithio yno mewn gwirionedd. Roedd y pedair yn byw mewn un tŷ llety ac roedd trigolion y tŷ fel a ganlyn: Catherine Owens, 63 oed oedd y pennaeth ac fe'i cofnodwyd fel 'ceidwad tŷ llety'. Yn aros yn y tŷ roedd John Owen, morwr 60 oed. Yna ceid pedair putain: Elizabeth Jones, 22 oed, Sarah Mason, 18 oed, Ellin Phillips, 22 oed, a Mary Jones, 31 oed. Roedd tri o blant yn y tŷ: plentyn amddifad o'r enw Michael Bones, dwy oed; ac yna Richard Jones (blwydd oed) ac Ellin Jones (dwyflwydd oed), y ddau mae'n debyg yn blant i Mary Jones. Diddorol yw nodi fod y pedair putain o gymunedau'r arfordir – sef Caergybi, Porthaethwy, Penrhosllugwy, sef plwyf gwledig ar arfordir dwyreiniol Môn, a thref Caernarfon. Noda Lewis Lloyd fod Mill Lane yng Nghaernarfon yn enwog am ei phuteindai gyda nifer o dai yn gartref i ferched sengl a oedd â '*no occupation*' yn ôl Cyfrifiad 1871. Cododd problem wrth geisio darganfod faint o buteiniaid oedd yn yr ardal yn sgil cau puteindai Mill Lane gan yr awdurdodau. O ganlyniad rhaid oedd i ferched weithio'r strydoedd gan nad oedd dewis arall: fel y dywedodd un butain wrth yr ynadon: '*prostitution must be carried on somewhere.*'[86]

Nid oedd puteindra wedi ei gyfyngu i unrhyw un grŵp ethnig ac nid oedd puteiniaid estron yn beth newydd yng Nghymru ychwaith. Ar ddiwedd yr ail ganrif ar bymtheg, er enghraifft, bu merched o'r Iwerddon yn cael eu mewnforio drwy borthladd Mostyn fel puteiniaid i'w symud ymlaen i drefi a dinasoedd Lloegr.[87] Yng Nghaernarfon, roedd mwyafrif ceidwaid y puteindai yn ferched a mwyafrif y puteiniaid yn Gymry, ond gyda rhai Gwyddelod a Saeson yn eu plith.[88] Mae hanes llafar yn nodi fod puteindy ar y cei ym Mhorth Amlwch a phuteiniaid Chineaidd yn gweithio ynddo – daethant yno oherwydd cysylltiadau lleol â phorthladd rhyngwladol Lerpwl.[89] Yn 1909 adroddodd y *Jewish Chronicle* fod cyfarfod wedi ei gynnal yng Nghaerdydd i wrthwynebu puteindra, a nodwyd bod yr ynadon lleol wedi llwyddo i sicrhau alltudiaeth 35 o buteiniaid Iddewig, er i ddwy gael aros.[90] Oherwydd y ddwy yma llwyddwyd i ddenu chwe deg o buteiniaid Iddewig eraill i'r dref. Ymddengys fod Iddewon yn ganolog i bob agwedd ar buteindra fel cwsmeriaid, rheolwyr, masnachwyr, perchnogion puteindai, *madams* a phuteiniaid. Ar y llaw arall, bu'r dosbarth canol Iddewig yn ceisio sefydlu grwpiau cymorth a fyddai'n disgwyl am ferched sengl yn y dociau er mwyn eu gwarchod. Ni wyddys a ddigwyddodd hynny yng Nghaerdydd yn benodol, ond yn sicr bu'r dosbarth canol yno yn noddi grwpiau *vigilante* ac roedd Cymdeithas Gwyliadwriaeth Caerdydd yn weithredol yn 1903.

Roedd cadw puteindy yn drosedd a'r gosb fel arfer oedd dirwy o 10 swllt, ond nid oedd hynny'n ddigon i'w hatal. Adlewyrchir y frwydr ddiddiwedd ac amhosibl a wynebai'r awdurdodau gan adroddiad un heddwas yng Nghaerdydd yng nghanol y bedwaredd ganrif ar bymtheg a honnodd iddo gymryd rhan mewn 80 cyrch ar buteindai mewn blwyddyn.[91]

Fel y nodwyd eisoes, canfod eu hunain mewn anobaith llwyr oedd hanes nifer o ferched a heb unrhyw ddewis ond troi at gardota neu ddwyn neu buteindra – neu gymysgedd o'r rhain – i geisio goroesi. Roedd morwyr yn aml yn cael eu 'Shanghaied', sef bod puteiniaid wedi cymryd eu harian.

Nid oedd puteiniaid yn dwyn wedi ei gyfyngu i'r puteindai eu hunain ac roedd merched heblaw puteiniaid hwythau'n troi at ddwyn. Yn Ionawr 1844 arestiwyd Anne Williams, neu 'Nanny Wyllt', a rhai dynion oedd yn ei chwmni, am fod yn lladron pen ffordd ar Lôn Bangor yng Nghaernarfon. Roedd hi yn '*woman of the very worst character*' yn ôl y *Carnarvon and Denbigh Herald* (Ionawr 6, 1844).[92] Yn yr un dref cafwyd Margaret Presdee, neu 'Begw Dau Ŵr', yn euog o ddwyn pwrs dyn yn nhafarn y Duke of Wellington a'i charcharu. Roedd hi yn ôl yn y carchar yn 1844, y tro hwn am ymosod – cyfeiriodd y papur newydd lleol ati fel '*a well known nymph of the pavement*'. Yn Awst yr un flwyddyn fe'i cafwyd yn euog o dderbyn nwyddau wedi eu dwyn a'r tro hwn cafodd ei thrawsgludo i Awstralia am saith mlynedd.[93]

Roedd tor-cyfraith yn rhan o fywyd nifer o ferched o oedran ifanc iawn, gydag oedolion yn barod i fanteisio arnynt. Yn y bedwaredd ganrif ar bymtheg mewnforiwyd coed i Gaernarfon o Ogledd America ac angorwyd y llongau yn y Fenai. Yn 1852 adroddwyd yn y wasg leol achos o fasnachwr nwyddau morwrol lleol oedd yn talu i ddwy ferch, 7 a 9 mlwydd oed, am ddwyn '*pieces of rope, attached to a raft of timber, lying on the beach, adjoining the yard of Messrs. Owen.*'[94] Ond roedd achosion llawer gwaeth na'r uchod. Yn y *Cardiff and Merthyr Guardian* ar Chwefror y 9fed 1861, er enghraifft, adroddwyd:

> Jane Orchard and Mary Burridge alias "Nailsea Pat" Two good looking unfortunates were charged with assaulting a bad house keeper named Jane Williams on Thursday last. Mr. Wilcocks appeared for the complainant and Mr. Owen for the defendants. There was a cross summons against Williams for assaulting Orchard. Their case showed the foulsome way in which this social evil is carried on. It was sworn that Williams had actually placed her niece a little child of 11 in bed with an American sea Captain, Williams denied it. Hair was pulled, the poker was used, oaths uttered windows smashed and images destroyed. After hearing the evidence Mr. Jones ordered Orchard and Burridge to pay three shillings and sixpence each and costs for the damage, and two shillings each for the assault. Or in default 14 days imprisonment. Williams was discharged.

Yn amlwg roedd trais yn rhan o fywyd bob dydd y merched hyn ac nid oedd y llysoedd yn ddigon i godi ofn arnynt, fel mae'r adroddiad a ganlyn o achos yng Nghasnewydd yn ei ddangos:

> A Dock Nuisance
> Mary Ann Walsh was charged with being a drunk and disorderly character at the Newport Dock. Sergeant Long, of the Dock Police Force, said prisoner had been "up" once before for similar conduct. On this occasion she was drunk, and stript to fight another woman on the dock. The Mayor said Mary Ann would require half the time of a policeman to look after her. She said the officer had spite against her. The Superintendent gave the prisoner a bad character. Fined five shillings or one month. She went down "saucing" Sergeant Long at a smart rate.[95]

Roedd gorfod troi at buteindra yn ddigon peryglus i ferched, fel y cofiai Bill Gibbs, ond nododd hefyd fod rhai merched yn barod i amddiffyn eu hunain:

> Some women were rough characters. There was one in particular, Gwennie Williams; she used to prefer Scandinavians or French sailors. There was another one who was nasty called Maggie Williams, she always carried a hat-pin for her protection, there were a lot of sailors who got holes in them.[96]

Hyd yn oed ar ddiwedd yr ugeinfed ganrif, gyda dociau Caerdydd wedi dirywio, parhau oedd puteindra a'r peryglon i'r merched hynny, fel mae achos enwog Lynette White yn ein hatgoffa. Yn Chwefror 1988 aeth Jeffrey Gafoor i ddociau Caerdydd i chwilio am butain, sef Lynette White. Roeddynt wedi cytuno ar bris o £30, ond wedi cyrraedd ei fflat, oedd heb na dŵr na thrydan, newidiodd Gafoor ei feddwl. Cafwyd ffrae a llofruddiwyd Lynette White.[97] Denodd yr achos sylw yn rhannol oherwydd iddo ddigwydd yn nociau Caerdydd. Ond teg dweud fod cymunedau fel Tiger Bay yn aml yn cael eu pardduo'n gyfan gwbl ar gam, fel y tystia Neil Sinclair yn ei bennod 'The Legend, the Media and Tiger Bay' gan dynnu sylw at enghreifftiau o'r wasg Gymreig a'r wasg yn Llundain yn creu penawdau nad oeddynt yn aml yn gywir, ond eu bod yn cadarnhau'r ddelwedd yr hoffai rhai ei chreu o Tiger Bay.[98]

Heb unrhyw amheuaeth bu puteindra yn rhan annatod o fywyd nifer o gymunedau morwrol, ac mae'n parhau i fod felly heddiw mewn porthladdoedd ar draws y byd. Er bod troi at buteindra yn aml yn ganlyniad i anobaith llwyr roedd hefyd yn adlewyrchu'r gymdeithas. O gofio tlodi nifer o gymunedau morwrol Cymru nid yw'n syndod i'r trigolion droi at weithredoedd anghyfreithlon fel puteindra er mwyn goroesi, hyd yn oed pe bai hynny ond am gyfnod byr, gan amlaf oherwydd nad oedd dewis arall ar gael iddynt. Roedd manteisio ar gyfleoedd a ddeuai i'w rhan yn ganolog i fodolaeth sawl cymuned forwrol, ac fe wyddai merched hynny gystal â neb. Nid yw'n syndod felly i ferched y glannau fanteisio ar, a chwarae rhan amlwg yn, un maes a achosodd newid chwyldroadol yn y cymunedau morwrol dros y ganrif a hanner ddiwethaf yn arbennig, sef y diwydiant ymwelwyr.

Twristiaeth

Bu twf y diwydiant ymwelwyr yn un o'r datblygiadau pwysicaf yn hanes cymunedau arfordir Cymru. Fel yn hanes sawl diwydiant arall, mae union natur ac effaith y datblygiad hwn yn amrywio o ardal i ardal ac o gyfnod i gyfnod. Dros y deugain mlynedd diwethaf, yn enwedig yn ardaloedd mwyaf Cymreig ein gwlad o ran iaith, bu trafodaeth frwd ar fanteision a pheryglon y diwydiant.

I'r hanesydd morwrol, mae'r diwydiant ymwelwyr yn destun astudiaeth o'r modd yr addasodd cymunedau morwrol nid yn unig i dwf twristiaeth, ond i'r dirywiad yng ngweithgareddau morwrol traddodiadol cymunedau'r glannau a ddigwyddodd ar yr un pryd. Ond yma yng Nghymru, nid yw haneswyr wedi talu llawer o sylw i ganolfannau ymwelwyr yr arfordir ac awgryma Peter Borsay, hanesydd sydd wedi astudio hanes agweddau ar ddiwydiant ymwelwyr y glannau yng Nghymru, ddau reswm dros hynny. Yn gyntaf, y ffaith fod hanes morwrol a'r arfordir yn aml yn cael ei weld yn rhywbeth estron i Gymru. Yn ail, roedd natur y diwydiant – yn Seisnig a chyda phwyslais ar fwynhau – yn mynd yn groes i agweddau sy'n aml yn cael eu hystyried yn ganolog i'n hunaniaeth fel cenedl megis gwaith, crefydd, addysg ac iaith.[99] Yr hyn sydd yn sicr yw i ferched fanteisio ar sawl agwedd ar y diwydiant o'r cychwyn cyntaf a'u bod, mewn sawl ystyr, yn ganolog i lwyddiant y diwydiant; ac i'r diwydiant yn ei dro gynnig cyfleoedd i ferched na fyddai, o bosibl, wedi codi hebddo.

Yn ystod y ddeunawfed ganrif y dechreuodd ymwelwyr ddod i Gymru ar eu gwyliau. Dyma pryd y bu i'r Saeson ddarganfod Cymru a bu dynion fel Thomas Pennant yn dangos i'r Saeson fod i Gymru werth deallusol. Apeliai'r tirlun gwyllt at arlunwyr a llenorion o Loegr ac yn ystod y rhyfeloedd yn erbyn y wladwriaeth Ffrengig (1793-1815) roedd hi bron yn amhosibl i Sais grwydro'r Cyfandir. Cynhyrchwyd toreth o lyfrau'n disgrifio teithiau yng Nghymru. Ond er gwaethaf yr holl sôn am Gymru, a thwf ardaloedd anghysbell Cymru fel cyrchfannau i ymwelwyr, digon araf oedd trafnidiaeth yng Nghymru a'r tuedd oedd i deithwyr ymweld ag atyniadau mwyaf amlwg y wlad. Er pwysigrwydd llongau stêm i gludo twristiaid i amrywiol ganolfannau ar hyd arfordir Cymru, dyfodiad y rheilffyrdd rhwng 1850 a 1875 a roddodd fod i dwristiaeth fel diwydiant.[100] O ganlyniad, datblygodd nifer o ganolfannau ymwelwyr ar hyd a lled arfordir Cymru – ond ni fyddai pob ardal yn elwa. Pan gyrhaeddodd y rheilffordd Aberteifi yn 1885 bu'n hwb i ddatblygu twristiaeth yng Ngwbert, Poppit, Tresaith, Llangrannog ac Aber-porth.[101] Ond bu diffyg rheilffordd yn anfantais fawr i sawl ardal ac ni welwyd datblygu i'r un graddau ym mhob rhan o arfordir Cymru.

Un o'r trefi a geisiodd sefydlu ei hun fel canolfan ffasiynol rhwng 1780 ac 1830 oedd Abertawe. Roedd merched yn amlwg ymhlith y rhai hynny a oedd yn cynnig llety naill ai yn eu cartrefi neu mewn ystafelloedd gydag ardal y Burrows yn ffasiynol iawn. Ychydig a wyddom am brisiau llety er bod rhai eithriadau fel yn achos Mrs Francis a gadwai dŷ yn Mount Street: *'for the reception of a select number of Boarders, not exceeding six or eight Ladies and Gentlemen, on the very moderate terms of One Guinea and a Half each per week, including board and lodging.'*[102] Roedd cyfraniad merched yn amlwg yn niwydiant y peiriannau ymdrochi, gan i nifer dderbyn swyddi fel tywyswyr (neu *dipper*, sef sicrhau fod yr ymdrochwyr yn cael eu trochi go iawn!) – oherwydd roedd galw amlwg am y peiriannau gan ferched. Ond roedd merched hefyd yn barod i gystadlu yn erbyn dynion am y busnes o logi'r peiriannau ymdrochi i'r ymwelwyr. Gwelodd Mr L. Mawbey un o'i gyn-dywyswyr, Mrs Catherine Rosser, yn mynd ati i osod ei pheiriannau ymdrochi ei hun ar y traeth yn 1807. Yn 1808 roedd ganddi wyth peiriant newydd a sicrhaodd ei bod yn datblygu'r busnes yn llwyddiannus ac erbyn 1811 roedd ganddi beiriannau newydd, ag iddynt ffenestri a charpedi! Roedd ei busnes yn dal i fynd yn 1823 a rhai blynyddoedd yn ddiweddarach cafwyd cofnod o beiriannau ymdrochi yn y dref fel a ganlyn: '*... and there a roaring trade in that line of evolution was carried on by an elderly lady, a terror to the small fry she manipulated, known as "Kattie".'*[103]

Roedd *sea bathing* wedi lledu i rannau eraill o Gymru yn y cyfnod cynnar hwn gan gynnwys Abermaw, a oedd wedi dechrau dod yn amlwg fel cyrchfan i ymwelwyr ers o leiaf 1766. Yn ganolog i ddatblygiad y diwydiant ymwelwyr yn y dref roedd y Corsygedol Arms a oedd yn nwylo landlordiaid o ddynion ac o ferched yn eu tro. Ar ddiwedd y ddeunawfed ganrif roedd i'r dafarn hefyd dŷ llety ynghlwm ag ef; y

dafarnwraig ar y pryd oedd gwraig weddw o'r enw Lowri
Lewis (1759-1805): 'and the facilities of the inn were crowned
by her kindly attentions.'[104]

Nid oedd pob cymuned mor flaengar ag Abermaw. Ni
ddechreuodd y Rhyl ddatblygu fel cyrchfan i ymwelwyr tan
y 1820au a phrin ac elfennol oedd y cyfleusterau: 'There was
not a single shop in the place, such a thing as a bathing machine
had never been heard of. They did not know what lodging house
meant.'[105] Pan ymwelodd llong enwog Brunell, The Great
Eastern, â phorthladd Caergybi yn 1859 adroddodd yr
Illustrated London News: 'Paltry little dens and roadside
alehouses command a price for dingy accommodation which
would make our best London houses stare.'[106] Ond yn raddol
datblygodd y ddwy dref i geisio manteisio ar ymwelwyr a
oedd am aros am wyliau (yn achos y Rhyl), a theithwyr oedd
yn pasio drwy'r dref (yn achos Caergybi), a bu merched yn
flaengar eto. Roedd un gwesty yn y Rhyl yn y 1820au yn
nwylo Mr Fielding a'i fab a'i ferch, Miss Ann Mary Fielding,
o Gaer yn wreiddiol, ac roedd hi'n 'polite and attentive
hostess, and spares no exertion to ensure the comfort and
satisfaction of her guests.'[107] O'r chwe gwesty oedd yn y Rhyl
erbyn diwedd y 1830au roedd y perchnogion i gyd yn
ddynion, ond roedd cyfeiriad hefyd at faddonau poeth ac
oer yn y dref, oedd yn atyniad arbennig ac yn nwylo gwraig
o'r enw Miss Stephens.[108] Yn yr un modd, yng Nghaergybi'r
1850au disgrifiodd Thomas Jackson y Royal Hotel, a oedd
ynghlwm â'r orsaf reilffordd, fel gwesty oedd yn cynnig popeth
y byddai rhywun yn ei ddisgwyl gan westy o'r safon uchaf:

> It is presided over by Mrs. Hibbert [roedd ei gŵr hefo hi
> hefyd], late of Wolverton Station, whose unwearied
> exertions are employed to secure her inmates, as far as
> possible, all that can be desired. Here are hot, cold and
> shower baths... [109]

Cawn argraff o botensial twristiaeth a'i bwysigrwydd drwy

edrych ar sefyllfa merched yn Aberystwyth yn 1841. Yng nghyfrifiad 1841 ni chofnodwyd yr un tlotyn o ddyn ond roedd 14 o dlodion benywaidd yn y dref. Yn yr un flwyddyn roedd y Gogerddan Arms Hotel, Aberystwyth, yn nwylo Abel Powell Davies a'i wraig Margaret, ac roeddynt yn cyflogi dau labrwr a deg o forwynion rhwng 14 a 25 oed.[110]

Erbyn 1849 roedd y rheilffordd wedi cyrraedd y Creuddyn yn y gogledd, a dechreuodd Barwn Mostyn gynllunio cyrchfan wyliau ar ei dir. Dyma gychwyn hanes Llandudno fel tref wyliau ac erbyn 1856 roedd ystafelloedd i 8,000 o ymwelwyr yno. Er mai fel cyrchfan i'r dosbarth canol y rhagwelwyd Llandudno a Bae Colwyn, rhwng 1870 ac 1914 datblygodd mynd i lan y môr yn rhan o ddiwylliant y dosbarth gweithiol, er bod pellter o'u cartrefi yn ffactor allweddol a ddylanwadai ar gyrchfannau'r gweithwyr.[111] Datblygodd trefi glan môr y gogledd, megis y Rhyl, yn ail hanner y bedwaredd ganrif ar bymtheg, gyda galw o du'r dosbarth gweithiol yng ngogledd orllewin Lloegr yn allweddol. Erbyn degawdau cynnar yr ugeinfed ganrif roedd Prestatyn yn y gogledd a Phenarth a Phorth-cawl yn y de yn datblygu hefyd. Erbyn yr ugeinfed ganrif roedd patrwm amlwg o ran tarddiad yr ymwelwyr. Roedd gogledd Cymru yn gwasanaethu ardal ddiwydiannol gogledd orllewin Lloegr ac arfordir bae Ceredigion yn gwasanaethu'r gororau a gorllewin Canolbarth Lloegr, gydag arfordir de Cymru yn gwasanaethu de Cymru a rhannau o dde-orllewin Lloegr.[112] Mae'r dalgylch twristaidd hwn wedi aros bron yn gyson hyd heddiw.[113]

Erbyn diwedd y bedwaredd ganrif ar bymtheg roedd ymwelwyr yn rhan annatod o gymunedau morwrol sawl ardal, a merched yn manteisio arnynt. Roedd Catrin Edwards, merch y saer coed o forwr, Siôn Edwards, 'yr un mor driw i'r môr' â'i thad gan ei bod hi'n cadw cytiau ymdrochi ar draeth Cricieth yn yr haf a gwelid hi yno yn siarad 'dan het wellt fawr, mewn ffrog goch a ffedog wen.'[114] Roedd hyd yn oed pentrefi glan môr bychain anghysbell fel Moelfre yn denu ymwelwyr, yn arbennig gan fod y trên wedi cyrraedd Benllech yn 1909.[115] O'r cychwyn cyntaf roedd merched y pentref yn ganolog i'r diwydiant newydd. Ysgrifennodd Miss Kitty Griffiths (ganwyd 1901) ysgrif yn disgrifio hanes ei theulu yn dechrau cadw ymwelwyr, neu *visitors*, fel hyn:

> Gadawais yr ysgol yn 14 mlwydd oed gan fod mam yn sâl. Ddechreuon ni gadw *visitors* – dyma'r cyfnod y dechreuodd ymwelwyr ddod i Moelfre am y tro gyntaf. Roedd car a cheffyl yn cludo'r ymwelwyr o stesion Benllech i Moelfre. Mrs Lewis Aelwyd Isaf oedd yn gyfrifol am gyflwyno llythyr gan yr ymwelwyr i'r teulu yn y lle cyntaf. Roedd rhai pobl yn hysbysebu am *visitors* yn y papurau newydd.[116]

Er bod yr ymwelwyr yn datblygu'n rhan o gylch bywyd Moelfre, nid oedd y pentref wedi dechrau tyfu yn sgil twristiaeth nac wedi datblygu'n ormodol ar ei gyfer ychwaith. Siopau ar gyfer y trigolion lleol oedd mwyafrif siopau'r pentref ar ddechrau'r ugeinfed ganrif, ond yn arwyddocaol roedd caffi yn y pentref erbyn hyn ac roedd y *Royal Charter Tea Rooms* yn nwylo Capten Owens a'i wraig.[117]

Wedi'r Rhyfel Mawr, datblygodd y diwydiant ymwelwyr ymhellach ar hyd glannau Cymru, er bod y cyfnod yn un o ddirwasgiad. Galluogai'r rheilffyrdd bobl o ardaloedd daearyddol llawer pellach i ymweld â'r glannau ac roedd y gost o fewn cyrraedd pobl hefyd. Roedd cyflogau'n codi ac felly hefyd y galw am wyliau ar yr arfordir.[118] Os oedd y modur yn beth prin iawn yng nghefn gwlad Cymru cyn y rhyfel yna erbyn diwedd y 1920au roedd amryw o'r dosbarth canol yn gallu eu fforddio, a byddai gweld modur gan ymwelydd o Sais mewn pentref bach ar yr arfordir yn llai anghyfarwydd. Ond yr hyn a fyddai'n dylanwadu fwyaf fodd bynnag oedd dyfodiad y bws a'r charabanc – o ganlyniad, byddai ymwelwyr yn gallu cyrraedd mannau anghysbell iawn.[119]

Parhau i ffynnu roedd nifer o ganolfannau twristaidd mawr traddodiadol Cymru, gan gynnig cyfleoedd gwaith i ferched lleol ac o bell. Daeth Winifred Lavin i Aberystwyth yn y 1930au i weithio yng ngwesty crand y Queens:

> 'I was a housemaid and waitress, I used to work whenever they were busy. It was a lot of hard work as there weren't all the different facilities for cleaning that there are today. There was a lovely ballroom and I helped behind the bar there...'[120]

Roedd gwestai mawr crand wedi agor eu drysau mewn sawl tref o ganol y bedwaredd ganrif ar bymtheg ymlaen, gan anelu at ymwelwyr o'r dosbarth uchaf. Adlewyrchai hyn y cynnydd sylweddol yn y niferoedd a aethai ar wyliau.

Roedd y tri degau yn gyfnod anodd iawn i drigolion y Gymru wledig, gan gynnwys y glannau, felly onid oedd twristiaeth yn cynnig achubiaeth bosibl? Mae'r ffaith fod ymwelwyr yn parhau i ddod i Foelfre yn ystod cyni mawr y tri degau yn awgrymu nad oedd y Dirwasgiad Mawr yn taro pawb mor galed â'i gilydd, ac efallai'n cadarnhau mai'r dosbarth canol fyddai'n dod bryd hynny. Y drefn mewn sawl ardal oedd i deuluoedd dosbarth canol rentu tŷ cyfan dros yr haf ar gyfer y fam, y plant a'r morwynion gydag aelodau cyflogedig y teulu yn ymuno â hwy ar y penwythnosau, gan deithio ar y trên. Mae'n ddigon posibl mai'r drefn yn y tai haf hynny oedd i berchnogion y tŷ weini arnynt.[121] Yn sicr dyna'r drefn ym Moelfre a'r cyffiniau pan fyddai teulu dosbarth canol yn rhentu'r tŷ, neu ran ohono, am wythnos.

Fe gadwai Mr a Mrs Griffiths, Bryn Peris, Moelfre, ymwelwyr – ac mae eu Llyfr Ymwelwyr wedi goroesi. Dechreuwyd ei gadw yn 1929, ac er nad oes tystiolaeth bod llyfr arall wedi ei gadw cyn hynny, mae'n amlwg o rai o'r sylwadau ynddo eu bod yn cadw ymwelwyr cyn y dyddiad hwnnw.[122] Byddai'r ymwelwyr yn nodi eu henwau a'u cyfeiriad ac yna'n rhoi sylw ar eu harhosiad yn y llyfr. Gan ei bod yn anodd gwybod ai cyfeirio at un person yn unig, at gwpwl neu efallai deulu mae cofnod arbennig, rhaid cyfeirio at bob cofnod fel uned.

1929 – 9 uned
1930 – 17 uned
1931 – 9 uned
1932 – 4 uned
Saib tan 1938 pan fu 5 uned yn aros efo'r teulu.

Ymddengys fod 1930 yn gofnod llawn ac felly mae'n debygol mai tua 17 uned y flwyddyn oedd yn arferol. Ar y llaw arall, gellir casglu fod y dirywiad yn y niferoedd erbyn 1931 ac yn ddiweddarach yn 1932 yn ganlyniad i'r Dirwasgiad Mawr, er bod y cyfeiriad cynharach at brysurdeb y gwasanaeth trenau ar ddydd Sadwrn yn tueddu i wrthddweud hynny. Gellir cynnig esboniad arall mai penderfyniad personol y teulu i beidio â chadw ymwelwyr o bosibl sy'n esbonio'r bwlch wedyn tan 1939. Mae'r llyfr yn cadarnhau mai misoedd Gorffennaf ac Awst oedd y rhai prysuraf. Byddai pobl yn aros am wythnos neu bythefnos fel arfer ond ceir cyfeiriadau at benwythnosau y tu allan i'r tymor arferol hefyd ac yn sicr nid oedd ymweliadau wedi eu cyfyngu i'r haf hyd yn oed yn y tri degau. A yw hi'n deg awgrymu mai aelodau o'r dosbarth canol oedd yr ymwelwyr hyn eto, neu o leiaf ganran uchel ohonynt oherwydd eu bod yn dod am benwythnos y tu allan i'r tymor yn groes i arferiad y dosbarth gweithiol?

Roedd mwy nag un uned yn aros ar unwaith ac yn sicr felly byddai gan Mrs Griffiths ddigon i'w chadw'n brysur a'i chroeso'n sicrhau fod sawl un yn dychwelyd yn flynyddol. Fe nododd P. T. P. Herbert o Withington ym Manceinion yn falch iawn yn 1931 mai dyma ei *'Seventh Visit & still Coming.'* Roedd pob un o'r ymwelwyr, ac eithrio un o Worcester, yn dod o ogledd orllewin Lloegr ac o Fanceinion a'r cyffiniau. Roedd rhai yn dod o'r un gymdogaeth gan awgrymu y byddai gwybodaeth am y pentref yn cael ei ledaenu ar lafar. Prin iawn yw'r enwau Cymraeg, er y gallai rhai fod o dras Cymreig.

Digon di-nod yw'r sylwadau fel arfer ond maent i gyd yn ganmoliaethus, fel y gellid ei ddisgwyl mae'n debyg! Nodir yn gyntaf ai hwn oedd y gwyliau cyntaf neu'r ail ac ati, ac un nodwedd gyffredin yw'r cyfeiriadau mynych at y croeso ym Mryn Peris: '*Coming again. I'll tell the world!*' meddai Rhys Davies, eto o Withington ym Manceinion. '*Three Cheers for Wales!!!*' '*We have had a splendid time thanks to Mrs Griffiths. A Home from Home.*' '*Hope to come again next summer when the strawberries are in season.*' Mae'r cyfeiriadau lu hyn at groeso Mrs Griffiths yn pwysleisio pwysigrwydd gwraig y tŷ i lwyddiant menter dwristaidd. Roedd cadw 17 uned o lety mewn blwyddyn yn golygu swm sylweddol o arian ychwanegol i deulu cyffredin a'r merched oedd yn ysgwyddo'r baich, a hwy fyddai'n rhedeg y busnes cadw llety neu wely a brecwast pan fyddai hwnnw ar ei fwyaf llewyrchus maes o law.

Wedi'r Ail Ryfel byd roedd y diwydiant twristiaeth yn ei anterth er bod arwyddion amlwg o ddirywiad cyn y 1960au. Yn sicr effeithiodd y diwydiant ar bob rhan o arfordir Cymru gan gyfrannu at, ac adlewyrchu, newidiadau cymdeithasol, economaidd a diwylliannol. Un o'r datblygiadau amlycaf yn hanes y diwydiant twristiaeth oedd gwersylloedd gwyliau. Gwersylloedd pebyll oedd y rhai cynnar – daethant yn boblogaidd cyn yr Ail Ryfel Byd ac roeddynt yn ffynnu am gyfnod hir wedi hynny. Un o'r gwŷr amlycaf yn hanes y gwersylloedd hyn oedd Billy Butlin ac ymddengys i'w brofiadau ef wrth aros mewn tŷ llety ar ei wyliau yn Ynys y Barri yn 1920 ddylanwadu'n uniongyrchol ar y syniad o'u datblygu:

> ...I was astounded at the way the guests were treated. We had to leave the premises after breakfast and were not encouraged to return until lunch-time. After lunch we were again made not welcome until dinner in the evening.[123]

Yn amlwg nid oedd Mr Butlin wedi gwerthfawrogi'r pwysau oedd ar wraig a gadwai dŷ llety, ond roedd wedi gweld potensial ariannol y diwydiant twristiaeth yn gyffredinol, a'r gwersylloedd gwyliau yn benodol. Daethant yn un o nodweddion amlwg y diwydiant gwyliau yn eu cyfnod gan effeithio'n uniongyrchol ar sawl rhan o Gymru, ac ar fywydau merched. Un o wersylloedd y gogledd oedd Gwersyll Gwyliau Prestatyn a agorwyd yn 1939 ger Traeth y Ffridd a bu'n wersyll llwyddiannus tan y 1970au, ac eithrio am gyfnod yn yr Ail Ryfel Byd pan ddefnyddiwyd ef fel gwersyll hyfforddi gan y lluoedd arfog.[124]

Bu'r gwersyll yn sicr yn cynnig cyfleoedd a phrofiadau i ferched. Roedd y mathau o waith a oedd ar gael iddynt yn amrywiol gan gynnwys gweithio yn y ceginau, fel Bluecoat, yn y bar, yn y siopau, yn gweini ac o safbwynt adloniant. Cofia Rose Brooke, Babell, Treffynnon:

> I worked in Tower Beach Holiday camp in 1952/3 taking pony rides on the beach. Corbett Lloyd Ellis owned the ponies. As a rider myself it was a lot of fun. I think I earned about 30 shillings a week working from 8 'til late everyday! My boss was a lady from Gronant and I think her name was Ena Lewis.[125]

Yn amlwg, gwasanaethu ymwelwyr o'r tu allan i Gymru fyddai Gwersyll Gwyliau Prestatyn, ond roeddynt yn cyflogi pobl o bell hefyd, fel y cofiai Lilian Murphy o Lannau Mersi:

> I was a waitress at Prestatyn Holiday Camp 1949 and 1950. Most waitresses and chalet maids were from Liverpool (the men, waiters and bar staff, were Merchant Navy men between ships). 1950 my second year the type of staff changed dramatically and students were employed – it was never as good.[126]

Ond os oes gwirionedd yn yr argraff fod y canolfannau gwyliau yn estron ac yn cael dylanwad ar foesau, er enghraifft, yna gwerth nodi, hyd yn oed ar ddechrau'r 1960au, fod rhai staff yn anfodlon â Gwersyll Gwyliau Prestatyn oherwydd bod dynion a merched o staff wedi eu gwahanu. Er eu pwysigrwydd i'r economi leol tueddai'r gwersylloedd i fod yn dymhorol ac ar wahân i'r gymuned leol i raddau.

Ond beth am gymunedau bychain yr arfordir yn yr un cyfnod? Wedi'r Ail Ryfel Byd datblygodd y diwydiant ymwelwyr yn gyflogwr tymhorol pwysig ym mhentref Moelfre. Tua'r un adeg gwelwyd dirywiad mawr yn niwydiant pysgota'r fro a llai a llai o ddynion y pentref yn troi at y môr am eu bywoliaeth. Er caledi'r blynyddoedd cynnar wedi'r rhyfel, gyda'r dogni'n parhau, fe welwyd prysurdeb mawr yn y pentref yn ystod yr hafau oherwydd nifer yr ymwelwyr. Wedi 1945 tyfodd y dosbarth gweithiol yn fwyfwy economaidd bwerus ac un arwydd amlwg o hynny oedd poblogrwydd y car modur erbyn y 1950au.[127]

Pwy oedd yr ymwelwyr a ddeuai i Foelfre? I raddau roedd y patrwm a fodolai cyn y rhyfel yn parhau a'r dosbarth canol o ogledd orllewin Lloegr yn dal i ymweld, ond roedd y dosbarth gweithiol hwythau yn llawer mwy amlwg ar ôl y rhyfel. Unwaith eto, yn gyffredinol, yr un teuluoedd fyddai'n dychwelyd dro ar ôl tro, ac yn amlach na pheidio ar yr un dyddiad hefyd. Nid oedd yn anghyffredin i'r pentref fod yn llawn o bobl o Crewe am un wythnos o'r flwyddyn!

Roedd ymddangosiad yr ymwelwyr yn rhan bwysig o gylch blwyddyn nifer o wragedd y pentref. Er y byddai'r ymwelwyr cyntaf yn dod tua'r Pasg, ym mis Mai y byddent yn cyrraedd yn eu niferoedd, a'r prysurdeb yn parhau wedyn tan ddiwedd Awst neu ddechrau Medi. Ymddengys nad oedd fawr neb yn dod yn y gaeaf nag ar benwythnosau. Deuai'r mwyafrif o'r ymwelwyr ar y trên i Fangor gan ddal y bws a deithiai bob hanner awr yn yr haf i Foelfre, ac er bod y ffordd i Lanallgo wedi gwella erbyn hynny, fe gymerai awr i gyrraedd Moelfre! Erbyn y 1950au nid oedd angen hysbysebu Moelfre oherwydd y twf yn nifer yr ymwelwyr a gorfodwyd ambell wraig i basio ymwelwyr i eraill yn y pentref pan fyddai ei thŷ'n llawn. Roedd pawb yn cadw ymwelwyr pe byddai ganddynt le, ac i nifer o wragedd gweddw neu ferched di-briod roedd yr hwb ariannol yn bwysig iawn. Wrth gwrs, roedd dynion y rhan fwyaf o'r cartrefi ar y môr a chan na fyddai'r llongwyr yn cael llawer o wyliau, roedd digonedd o le ar gael. Byddai rhai, fel Kitty Griffiths, merch ddi-briod oedd yn byw ar ei phen ei hun, yn cadw dau deulu ar unwaith. Ailgynlluniwyd amryw o dai yn bwrpasol ar gyfer cadw ymwelwyr a gosodwyd lle yn y cefn i'r teulu gael byw ynddo yn ystod misoedd yr haf. Gan fod dogni'n dal mewn grym am nifer o flynyddoedd ar ôl y rhyfel byddai'r ymwelwyr yn dod â'u bwyd efo nhw, ond parhau oedd y disgwyl i'r wraig leol goginio'r bwyd iddynt. Hunanarlwyaeth o fath oedd y drefn felly a rhannu'r tŷ hefo'r teulu, heblaw am yn y Swnt, ger Ynys Moelfre, lle'r oedd un neu ddau o chalets. Ond nid pobl y pentref yn unig fyddai'n cadw ymwelwyr – roedd ffermwyr hefyd yn eu croesawu ac ar fferm y Bryn roedd ganddynt ddigon o le: roedd y tŷ yn fawr ac ystafelloedd gwag y morynion a'r gweision ar gael hefyd.

Adlewyrchai profiadau Moelfre yn y cyfnod hwn y newidiadau chwyldroadol a oedd yn cael effaith ar gymaint o gymunedau bychain Cymraeg eu hiaith ar hyd yr arfordir. Un newid yng nghymeriad y pentref yn sgil twf y diwydiant ymwelwyr oedd datblygiad nifer o siopau a busnesau lleol wedi'r rhyfel, gyda merched yn berchnogion neu'n rhan o'r gweithlu. Agorodd rhai siopau cyn y rhyfel, nifer o'r rheiny yn rhai a fanteisiai ar y tymor ymwelwyr, megis Arlanfor ac Ann's Pantry. Ond datblygodd rhai eu busnesau ar ôl y rhyfel, megis busnes Deanfield (a arferai gadw ymwelwyr cyn y rhyfel ond a agorodd gaffi yn ddiweddarach) a Mr a Mrs Jones, Becws Hyfrydle (bu iddyn nhw agor siop ar y traeth hefyd).[128] Roedd siop groser Glandon hefyd ar lan y môr yn gwerthu hufen iâ ond defnyddid rhan o'r adeilad ar gyfer lletya ymwelwyr. Ailenwyd hen siop Mrs Francis, y Penrhyn Castle, yn 'Peddlar's Pack', yn gwerthu manion – botymau, gwniaduron, rîls a sigaréts – a Saesnes oedd y perchennog bellach. Ond efallai mai'r arwydd mwyaf arwyddocaol o ddatblygiad twristiaeth ym Moelfre oedd agor y siop sglodion gyntaf! Cwt sinc a chartref Capten Francis oedd y siop yn wreiddiol a chan fod ganddo ddau doiled fe godai geiniog yr un ar yr ymwelwyr i'w ddefnyddio gan sicrhau incwm da yn yr haf! Wedi iddo farw chwalwyd y toiledau ac addaswyd y cwt sinc yn siop sglodion, sef y Riverside Café a gosodwyd dau neu dri o fyrddau yno. Perchennog y siop oedd gweddw Capten Francis ac roedd ganddi ddwy sosban fawr i wneud y sglodion cyn cael *range* bach i'r siop, a oedd yn ei galluogi i wneud sglodion iawn, a chynnig 'gwerth chwech' ohonynt i'w chwsmeriaid.

Yn ystod y cyfnod hwn felly, gwelwyd bod twristiaeth, ymhlith ffactorau eraill, yn dechrau effeithio ar fywyd traddodiadol y gymuned – ac un o'r newidiadau mwyaf sylweddol oedd y trai fu ar grefydd.[129] Yn draddodiadol, roedd busnesau'r pentref ar gau ar y Sul, ond manteisiai un Saesnes a drigai yn un o dai'r Swnt, Miss Harrap, ar y drefn i werthu siocled i'r plant ar y Sul yn ei thŷ. Fe ddeuai papurau'r Sul i'r pentref erbyn tua 2 o'r gloch y prynhawn a rhywun o Benllech yn eu gwerthu, a chofia William Rowlands fynd hanner ffordd i Lanallgo i'w gyfarfod. Arwydd arall o'r newid oedd poblogrwydd y dafarn fel canolfan i'r ymwelwyr. Cafodd y dafarn ei gweddnewid a hysbysodd y papur lleol mai'r Kinmel Arms (nid Tan Fron oedd yr enw mwyach) oedd '*Anglesey's newest, most modern, luxuriantly comfortable pub,*' ac roedd y plant a'r pramiau y tu allan yn adlewyrchu ymddygiad a oedd yn wahanol iawn i fywyd traddodiadol y pentref.

Gwelwyd penllanw'r diwydiant ymwelwyr ym Moelfre ar ddiwedd y 1960au ac yn hanner cyntaf y 1970au. Roedd pob haf yn brysur ac i rai tyfodd y diwydiant yn fusnes llawn amser. Roedd llu o dai preifat yn cynnig gwely a brecwast ac ambell gartref a gysgai wyth o bobl mewn tair ystafell wely hefyd yn cynnig lle ar ben y grisiau ac ar lawr y parlwr oherwydd y galw a'r prinder llety! Ond dan yr wyneb roedd dyfodol y diwydiant yn ansicr.

O brofiad personol o weithio yn nhafarn y pentref yn y 1970au, gwelais y prysurdeb mawr ac yna'r dirywiad yn nifer yr ymwelwyr. Teg yw dweud fod y Kinmel Arms yn orlawn bob nos, ac eithrio'r Sul pan oedd y dafarn ar gau, a chymaint â dwsin o bobl yn gweithio y tu ôl i'r bar – y mwyafrif llethol ohonynt yn ferched! Ond os oedd yr hyn a welwyd yn y dafarn hon yn adlewyrchu'r diwydiant yn gyffredinol yna roedd y dirywiad yn ystod y degawd yn llawn mor amlwg. Erbyn y 1970au daeth gwyliau tramor yn fwy cyffredin a chyda'r sicrwydd o dywydd poeth dramor, deuai llai o bobl i Foelfre. Diwedd y gân yw'r geiniog ac yn sicr roedd gwyliau ym Môn, mae'n ymddangos, yn parhau'n gystadleuol o ran pris. Ond rhwng 1979-82 bu dirwasgiad amlwg yn yr economi a effeithiodd yn uniongyrchol ar y diwydiant twristiaeth.[130] Sylwodd Bill Jowett, perchennog y Kinmel Arms ar hyn. Cofiaf iddo ddweud fel y byddai'r un bobl yn dod yn flynyddol bron ond eu bod yn gwario llawer llai ac yn bodloni ar un ddiod yr un i'r teulu lle cynt y byddent yn yfed drwy'r nos! Ei ateb ef i'r broblem oedd troi'r bar bach ac un stordy yn ystafell fwyta ac ymfalchïai yn y ffaith mai'r bwyd oedd yn dod â'r elw iddo erbyn y 1980au.

Yn y 1980au daeth trai ar y diwydiant ymwelwyr yng Nghymru a gweddill yr Ynysoedd Prydeinig oherwydd cystadleuaeth gan wyliau tramor a'r ffaith fod pobl yn gallu teithio'n haws. Agorwyd cyrchfannau gwyliau newydd lle disgwylid cyfleusterau ac adloniant o safon uwch i'r cwsmer mwy soffistigedig. Ymatebodd y diwydiant ymwelwyr mewn sawl ardal i hyn drwy ddatblygiadau megis cynnal gwyliau antur, cynadleddau, ysgolion iaith a denu ymwelwyr o dramor.

Ond ni welwyd datblygiadau o'r math yma ym Moelfre a dirywio fu hanes y diwydiant yn y pentref a'r fro. Er na ddaeth y diwydiant ymwelwyr i ben ym Moelfre ac er bod llai o bobl yn aros mewn tai gwely a brecwast fe gynyddodd nifer y tai haf. Aeth ambell un ati i sefydlu atyniadau newydd yn y fro, megis tafarn y Getws Dderw, gyda'r Cyngor Sir yn codi'r Wylfan fel canolfan i ymwelwyr. Un o ddatblygiadau'r cyfnod ar lefel genedlaethol oedd bod ail wyliau a phenwythnosau yn apelio fwyfwy.[131] Roedd hynny'n wir ym Moelfre hefyd ond ymddengys fodd bynnag fod yr allwedd i ddyfodol twristiaeth y fro ymhell y tu draw i Foelfre.

Ym Moelfre, fel mewn sawl canolfan wyliau arall ar hyd arfordir Cymru, roedd merched yn parhau'n allweddol i sawl agwedd ar y diwydiant – o gadw llety, rhedeg tai bwyta a gweithio mewn amrywiol atyniadau twristaidd. Ond roedd ochr negyddol i'r datblygiadau hyn, fel y noda Gwyn A. Williams wrth drafod economi gogledd Cymru rhwng 1968 ac 1982:

> 'its core is tourism, focused on the coastal resorts, which employs many women at abysmally low wage rates...'[132]

Clo

Roedd trigo o fewn cymunedau amrywiol yr arfordir yn cynnig cyfleoedd economaidd i ferched a oedd yn aml yn brofiad cyffredin i'w chwiorydd mewn cymunedau diwydiannol a chefn gwlad fel ei gilydd. Er hynny, roedd gwaith a oedd yn uniongyrchol ynghlwm â'r byd morwrol hefyd yn golygu fod cyfleoedd ar gael i ferched nad oedd yn bosibl mewn cymunedau eraill. Yn sicr, yn aml nid oedd dewis i ferched ond manteisio ar unrhyw gyfleoedd a ddeuai i'w rhan wrth geisio dal deupen llinyn ynghyd. O'r herwydd roeddynt i'w gweld mewn amrediad o sefyllfaoedd gwaith, gan gynnwys agweddau anghyfreithlon, oedd yn golygu fod eu cyfraniad i'r economi arfordirol yn eang ac yn allweddol.

Nodiadau

1 Diolch i Dr. Elin Jones am dynnu fy sylw at y ffaith fod i grefydd le amlwg yn y cyswllt hwn gan fod natur batriarchaidd Cristnogaeth yn elfen allweddol ym meddylfryd y gorffennol, ac yn ffurfio agwedd cymdeithas grefyddol tuag at fenywod a'u gwaith. Yn y cyd-destun hwn mae lle i astudiaeth bellach yng Nghymru ar y berthynas rhwng y twf yn hawliau menywod a'r dirywiad yn nylanwad crefydd ar y gymdeithas, yn arbennig wrth i'r ugeinfed ganrif fynd rhagddi. Am drosolwg o'r cyfyngiadau cyfreithiol, ariannol a diwylliannol ar ferched ym myd busnes, gweler Helen Doe, *Enterprising Women and Shipping in the Nineteenth Century* (The Boydell Press, Woodbridge, 2009), 13-32.

2 Am gyflwyniad i, a throsolwg o, wahanol agweddau ar ferched ym myd gwaith gweler yn arbennig: Deborah Simonton, *A History of European Women's Work: 1700 to the Present* (Oxon, Routledge, 1998); Gerry Holloway, *Women and Work in Britain since 1840* (Oxon, Routledge, 2005); N. F. R. Crafts, Ian Gazeley, Andrew Newell (gol.), *Work and Pay in Twentieth-Century Britain* (Rhydychen, Oxford University Press, 2007), Pennod 7 'Women and work since 1970'; Elizabeth Roberts, *Women's Work, 1840-1940* (Caergrawnt, Cambridge University Press, 1995).

3 Am astudiaeth ar ferched a'r diwydiant pysgota yng Nghymru gweler 'Dylanwad Merched y Cymunedau Pysgota' yn R. Evans (gol.) *Pysgotwyr Cymru a'r Môr* (Llanrwst, Gwasg Carreg Gwalch, 2011), 261-291.

4 J. Geraint Jenkins, *The Inshore Fishermen of Wales* (Caerdydd, Gwasg Prifysgol Cymru, 1991), 66.

5 Colin Matheson, *Wales and the Sea Fisheries* (Caerdydd, Amgueddfa Genedlaethol Cymru, 1929), 55.

6 Jenkins, *Inshore Fishermen*, 83.

7 Jenkins, *Inshore Fishermen*, 83.

8 Jenkins, *Inshore Fishermen*, 78.

9 Lewis Lloyd, Pwllheli: *The Port and Mart of Llŷn* (Caernarfon, Gwasg Pantycelyn, 1991), 52.

10 D.G. Lloyd Hughes, *Pwllheli: An Old Welsh Town and its History* (Llandysul, Gwasg Gomer, 1991), 182.

11 Mike Smylie, *The Herring Fishers of Wales* (Llanrwst, Gwasg Carreg Gwalch, 1998), 97.

12 J Geraint Jenkins, *Crefftwyr Gwlad* (Llandysul, Gomer, 1971), 72-74.

13 David Thomas, *Hen Longau Sir Gaernarfon* (ail. arg. Llanrwst, Gwasg Carreg Gwalch, 2007), 123-24. Argraffiad Cyntaf (Caernarfon, Cymdeithas Hanes Sir Gaernarfon,1952), 61-62.

14 Hefin Wyn, *Pentigily: Dilyn Llwybr Arfordir Sir Benfro* (Talybont, Y Lolfa, 2008), 305-307.

15 Lewis Lloyd, *Wherever Freights May Offer: The Maritime Community of Abermaw/Barmouth 1565 to 1920* (Caernarfon, Gwasg Pantycelyn, 1993), 122.

16 L.J. Williams a Dot Jones, 'Women at Work in Nineteenth Century Wales', *Llafur* 3 (1982), 28. Ategwyd eu casgliadau gan Sydna Ann Williams yn ei hastudiaeth o gyflogaeth merched ym Môn yn yr un ganrif pan roedd 92% o waith merched yn y pedwar categori hwn: gweler Sydna Ann Williams,

'Women's Employment in Nineteenth-Century Anglesey', *Llafur* 6, 2 (1993), 32-49.

17 Deirdre Beddoe, 'Munitionettes, Maids and Mams' yn Angela V. John, (gol.), *Our Mother's Land: Chapters in Welsh Women's History 1830-1939* (Caerdydd, Gwasg Prifysgol Cymru, 1991), 195-196.

18 T.M. Hodges, 'The Peopling of the Hinterland and the Port of Cardiff (1801-1914)', 15 yn Walter E. Minchinton, *Industrial South Wales, 1750-1914: Essays in Welsh Economic History* (Llundain, Frank Cass, 1969).

19 Am gyflwyniad i'r maes hwn gweler: John Benson, Laura Ugolini (gol.), *A Nation of Shopkeepers: Five Centuries of British Retailing* (Llundain, IB Taurus, 2003).

20 Benson, Ugolini, *A Nation of Shopkeepers*, 2.

21 Holloway, *Women and Work in Britain*, 108-109.

22 D. Lloyd Hughes and Dorothy M. Williams, *Holyhead: The Story of a Port* (Dinbych, Gwasg Gee, 1967), 144-145.

23 Neil M.C. Sinclair, *The Tiger Bay Story* (Trefforest, Neil M.C. Sinclair, 1993), 55-56, 82.

24 William Troughton, *Aberystwyth Voices* (Stroud, Tempus, 2000), 100.

25 Cyfweliad efo Margaret Williams, 12/02/1992 (casgliad yr awdur).

26 Aled Eames, *Heb Long wrth y Cei: Hen Borthladdoedd Diflanedig Cymru* (Llanrwst, Gwasg Carreg Gwalch, 1989), 12.

27 Lloyd, *Wherever Freights May Offer*, 47-48.

28 *Monmouthshire Merlin* (23 Mai, 1840).

29 Ann James Garbett, *Llestri Pren a Llechi* (Caernarfon, Tŷ ar y Graig, 1978), 56.

30 Bryan D. Hope, *A Curious Place: The Industrial History of Amlwch* (1550-1950) (Wrecsam, Bridge Books, 1994), 69.

31 Lloyd, *Pwllheli: The Port and Mart of Llŷn* (Caernarfon, Gwasg Pantycelyn, 1991), 93.

32 D.W. Harris, *Maritime History of Rhyl and Rhuddlan* (Prestatyn, Books, Prints and Pictures, 1991), 78.

33 Glen K. Johnson, *St. Dogmaels Uncovered: Heritage of a Parish* (Aberteifi, preifat, 2007), 75.

34 Johnson, *St. Dogmaels*, 21.

35 Johnson, *St. Dogmaels*.

36 Am drafodaeth ar ddefnyddioldeb cyfeirlyfrau fel ffynhonnell hanesyddol gweler Sari Maenpaa, 'Instruments of Commerce: trade directories as a source for business history,' fel rhan o'r Liverpool Mercantile Project: www.liv.ac.uk/.../Instruments%20of%20Commerce.htm (gwelwyd 21/12/2009).

37 Sheryllynne Haggerty, "Women, Work, and the Consumer Revolution: Liverpool in the Late Eighteenth Century", yn Benson, Ugolini, *A Nation of Shopkeepers*, 106-126.

38 Lloyd, *Pwllheli*, 95.

39 D. G. Lloyd Hughes, *Pwllheli: An old Welsh Town and its History* (Llandysul, Gomer, 1991), 146-147.

40 Joanna Greenlaw, *The Swansea Copper Barques & Cape Horners* (Llandybïe, Gwasg Dinefwr, 1999), 70-71.

41 Myrvin Elis-Williams, *Bangor, Port of Beaumaris: The Nineteenth Century*

Shipbuilders and Shipowners of Bangor (Caernarfon, Gwasanaeth Archifau Gwynedd, 1988), 140-141.

42 Lewis Lloyd, *The Port of Caernarfon, 1793-1900* (Caernarfon, Gwasg Pantycelyn, 1989), 143.

43 Lloyd, *Pwllheli*, 83.

44 Lloyd Hughes, *Pwllheli*, 230-231.

45 Lloyd Hughes, *Pwllheli*, 216.

46 *Y Clorianydd* – 30 Ebrill, 1930.

47 Am grynodeb o hanes Cranogwen gweler www.llangrannog.org.uk/cranogwen1.htm (gwelwyd 2/12/2009). Am astudiaeth fanylach ar ei bywyd a'i gwaith gweler Gerallt Jones, *Cranogwen: Portread Newydd* (Llandysul, Gwasg Gomer, 1981) a D. G. Jones, *Cofiant Cranogwen* (Caernarfon, 1932).

48 Thomas, *Hen Longau Sir Gaernarfon*, 265-266. Argraffiad Cyntaf, 162-163.

49 *Y Clorianydd*: 27/9/1894, 11/10/1894.

50 Lloyd, *Wherever Wherever Freights May Offer*, 57.

51 Hope, *A Curious Place*, 65.

52 Aled Eames, *Machlud Hwyliau'r Cymry* (Caerdydd, Gwasg Prifysgol Cymru, 1984), 22-23; Aled Eames, *Meistri'r Moroedd* (Dinbych, Gwasg Gee, 1978), 11-12.

53 Aled Eames, *Ships and Seamen of Anglesey* (ail arg. Llanrwst, Gwasg Carreg Gwalch, 2011), 342-357. Argrafffiad Cyntaf (Llangefni, Cymdeithas Hynafiaethwyr a Naturiaethwyr Môn, 1973), 324-342.

54 Adroddiad y Wasg, Canolfan yr RNLI: http://www.nli.org.uk/who_we_are/media_centre/pressrelease_detail?articleid=102365 (gwelwyd 14/1/2009).

55 http://www.genuki.org.uk:8080/big/Lighthouses/ (gwelwyd 14/1/2009).

56 Am gyflwyniad dadlennol i fywyd gwraig fel ceidwad goleudy, yng Ngogledd America, gweler: Kathy S. Mason, 'Angel of the Lighthouse: Elizabeth Whitney Williams', *The Northern Mariner/le marin du nord* XVIII Rhif 1, (Ionawr, 2008), 29-38.

57 Ian Jones, *Ynys Lawd: Goleudy enwog Môn* (Llangefni, Oriel Ynys Môn, 2009), 21-22.

58 Carol Powell, 'The women of Mumbles Head', http://beehive.thisissouth-wales.co.uk/default.asp?WCI=SiteHome&ID=13003&PageID=90507 (gwelwyd 6/7/2009).

59 Frank Large, *Faster than the Wind: The Liverpool to Holyhead Telegraph* (Frank Large, 1998).

60 Large, *Faster than the Wind*, 75-82.

61 Walter Davies, *General View Of The Agriculture And Domestic Economy Of South Wales* (Vol.2, 1815), 182 – dyfynnwyd yn Norman Lewis Thomas, *Of Swansea West: The Mumbles – Past and Present* (Llandysul, Gomer, 1978), 121.

62 W. H. Jones, *History of the Port of Swansea* (Llandybïe, Gwasg Dinefwr, 1995), 37, 41.

63 David Thomas, *Hen Longau a Llongwyr Cymru* (Caerdydd, Gwasg Prifysgol Cymru, 1949), 50.

64 Ronald Rees, *King Copper: South Wales and the Copper Trade 1584-1895* (Caerdydd, Gwasg Prifysgol Cymru, 2000), 42.

65 Idwal Lloyd, 'Porthladdoedd Bychain' yn Eirwyn George (gol.), *Abergwaun*

a'r Fro (Llandybïe, Christopher Davies, 1986), 127.

66 J. Geraint Jenkins, *Maritime Heritage: The Ships and Seamen of Southern Ceredigion* (Llandysul, Gomer, 1982), 42, 45.

67 John Dixon & Geoff Pickard, *J. Crichton & Co. Shipbuilders: Saltney and Connah's Quay* (Cleckheaton, The Amadeus Press, 2002), 101.

68 M. Simpson, 'Anglo-American Naval Relations 1917-1919' (Naval Records Society, 1991), 163 wedi ei ddyfynu yn http://www.pembrokedock.org/h_dockyard_2.htm (gwelwyd 7/6/2010).

69 David James, *Down the Slipway! Ships of Pembrokeshire's Secret Waterway* (Aberdaugleddau, Peter Williams Associates, 2006), 45.

70 Mari A. Williams, 'Caerdydd, Sir Forgannwg' yn Gwenfair Parry a Mari A. Williams *Miliwn o Gymry Cymraeg! Yr Iaith Gymraeg a Chyfrifiad 1891* (Caerdydd, Gwasg Prifysgol Cymru, 1999), 66.

71 Atgofion Bill Gibbs, http://www.btp.police.uk/History%20Society/Publications/History%20Society/Constituent%20Force/Docks%20and%20Port%20Forces/Drunks%20Bombs%20and%20Good%20Time%20Girls.htm (gwelwyd 29/9/2008).

72 Harris, *Rhyl and Rhuddlan*, 19.

73 Lloyd, *Wherever Freights May Offer*, 277-278.

74 Harris, *Rhyl and Rhuddlan*, 48.

75 Eames, *Meistri'r Moroedd*, 159.

76 Twm Elias, 'Smyglwyr Cymru' (Darlith Goffa Aled Eames, Partneriaeth Moelfre & Lligwy, 2009).

77 Thomas, *Hen Longau Sir Gaernarfon*, 143. Argraffiad Cyntaf, 75.

78 D. Rhys Phillips, 'History of the Vale of Neath', http://www.smuggling.co.uk/gazetteer_wales_10.html (gwelwyd 24/10/2009).

79 Dyfynwyd yn http://www.smuggling.co.uk/gazetteer_wales_10.html (gwelwyd 24/10/2009).

80 Wendy Hughes, *The Story of Gower* (Gwasg Carreg Gwalch, Llanrwst, 1992), 70. Ivor J. Bromham, 'The wreckers of Rhossili', *Heritage* 17

81 http://www.south-wales.police.uk/fe/master_w.asp?n1=8&n2=253&n3=1081 (gwelwyd 18/1/2009).

82 http://members.aol.com/CardiffPilot/CardiffOldpapers.htm (gwelwyd 22/01/2009; mae'r wefan wedi ei gau erbyn hyn).

83 Am amrywiol agweddau ar buteindra, gweler: Dr Paula Bartley, *Prostitution: Prevention and Reform in England, 1860-1914* (Women's & Gender History), (Llundain, Routledge, 1999); Maria Luddy, *Prostituion and Irish Society, 1800-1940* (Caergrawnt, Cambridge Univeristy Press, 2007); Nils Ringdal (cyfieithwyd gan Richard Daly), *LOVE FOR SALE: A Global History of Prostitution* (Llundain, Atlantic Books, 2004); Judith R. Walkowitz, *Prostitution and Victorian Society: Women, Class, and the State* (Caergrawnt, Cambridge University Press, 1980); 'Prostitution in Maritime London' yng ngwefan Port Cities: http://www.portcities.org.uk/london/server/show/ConNarrative.111/Prostitution-in-maritime-London.html (gwelwyd 12/12/2009).

84 R.S. Craig, *The Industrial and Maritme History of Llanelli and Burry Port 1750-2000* (Cyngor Sir Caerfyrddin, 2002), 526-530.

85 Craig, *Llanelli and Burry Port*, 536.

86 Lloyd, *Caernarfon*, 162-163.
87 Mike Griffiths, *The History of the River Dee* (Llanrwst, Gwasg Carreg Gwalch, 2000), 93.
88 Lloyd, *Caernarfon*, 145.
89 Diolch i Bryan Hope am y wybodaeth hon.
90 'Prostitution and Prejudice' ar wefan Workers' Liberty: http://www.workersliberty.org/node/7625 (gwelwyd 18/12/2009).
91 http://www.south-wales.police.uk/fe/master_w.asp?n1= 8&n2=253&n3=1081 (gwelwyd 18/1/2009).
92 Lloyd, *Caernarfon*, 159.
93 Lloyd, *Caernarfon*, 161-162.
94 *Carnarvon and Denbigh Herald*, 22 Mai, 1852 yn Lloyd, *Caernarfon*, 59.
95 *Monmouthshire Merlin* 5 Mai, 1854. Dyfynwyd yn http://www.newportpast.com/nfs/y00t29/y1800.htm (gwelwyd 14/6/2009).
96 Atgofion Bill Gibbs, http://www.btp.police.uk/History%20Society/ Publications/History%20Society/Constituent%20Force/Docks%20and% 20Port%20Forces/Drunks%20Bombs%20and%20Good%20Time%20Girl s.htm (gwelwyd 29/9/2008).
97 http://www.independent.co.uk/news/uk/crime/convicted-after-15-years-the-prostitutes-killer-who-watched-three-men-go-to-jail-for-his-crime-585853.html (gwelwyd 28/11/2009).
98 Sinclair, *Tiger Bay*, 100-103.
99 Peter Borsay, 'The Seaside Watering-places of Wales: the Development of the Cambrian Holiday Resort', http://www.english-heritage.org.uk/upload/pdf/ The_Development_of_the_Cambrian_Holiday_Resort.pdf 7-8 (gwelwyd 14/10/2009). J.K. Walton, *The English Seaside Resort: a Social History 1750-1914* (Caerlŷr, Leicester University Press, 1983), J.K. Walton, *The British Seaside: Holidays and Resorts in the Twentieth Century* (Manceinion, Manchester University Press, 2000), N. Yates, *The Welsh Seaside Resorts: Growth, Decline and Survival* (Prifysgol Llanbedr Pont Steffan, Trivium Publications, 2006).
100 John Davies, *Hanes Cymru* (Llundain, Penguin, 1990), 393-395.
101 Borsay, 'Seaside Watering Places', 4.
102 *Cambrian*, 7 Awst, 1824; dyfynwyd yn D. Boorman, *The Brighton of Wales: Swansea as a Fashionable Resort, c.1780-1830* (Abertawe, Swansea Little Theatre Company Ltd, 1986), 6.
103 Boorman, *The Brighton of Wales*, 18-20.
104 Lloyd, *Freights Freights May Offer*, 39-45.
105 Dyfynwyd gan D.W. Harris, *Rhyl and Rhuddlan*, 17.
106 *Illustrated London News*, 22 Hydref, 1859. Dyfynwyd yn Lloyd Hughes a Williams, *Holyhead*, 99-100.
107 *Chester, Cheshire and North Wales Advertiser*, 17 Gorffennaf, 1829 yn D.W. Harris, *Rhyl and Rhuddlan*, 16-17.
108 Harris, *Rhyl and Rhuddlan*, 19.
109 Lloyd Hughes a Williams, *Holyhead*, 104.
110 E. Alwyn Benjamin, 'Aberystwyth Borough: A Demographic Study of the

1841 Census', *Ceredigion* IX (2), 1981, 135-149.

[111] Nigel J. Morgan, 'Devon Seaside Tourism since 1900' yn M. Duffy, S. Fisher, B. Greenhill, D.J. Starkey, J. Youings (gol.) *The New Maritime History of Devon Vol. II*, (Llundain, Conway Maritime Press, 1994).

[112] Borsay, *Seaside Watering Places*, 2-3.

[113] Nigel J. Morgan, 'Welsh Seaside Resort Regeneration Strategies: Changing Times, Changing Needs at the End of the Twentieth Century' yn David J. Starkey ac Alan G. Jamieson (gol.), *Exploiting the Sea: Aspects of Britain's Maritime Economy since 1870* (Exeter, University of Exeter Press, 1998), 195.

[114] W.E. Williams, *Llyncu'r Angor* (Dinbych, Gwasg Gee, 1977), 22.

[115] W.G. Rear, *Anglesey Branch Lines*, (Stockport, Foxline Publishing, 1994), 74.

[116] Ysgrif gan Kitty Griffiths ar gyfer yr awdur, 22/11/1983.

[117] Kitty Griffiths, 22/11/1983.

[118] J. Travis, 'The Rise of the Devon Seaside Resorts, 1750-1900' yn M. Duffy, *Maritime History of Devon*.

[119] Davies, *Hanes Cymru*, 539.

[120] Troughton, *Aberystwyth Voices*, 46.

[121] Diolch i Dr. Elin Jones am y wybodaeth hon.

[122] Papurau Teuluol Gwilym Griffiths, Moelfre.

[123] Colin Ward, Dennis Hardy, *Goodnight Campers!: The History of the British Holiday Camp* (Llundain, Taylor & Francis, 1986), 60.

[124] BBC North East Wales: Coast' http://www.bbc.co.uk/wales/northeast/sites/coast/pages/5.shtml (gwelwyd 02/12/2009).

[125] Rose Brooke (Wed Oct 22 10:18:14 2008), BBC North East Wales: Denbighshire History.

[126] Lilian Murphy (Mon Dec 29 10:33:31 2008), BBC North East Wales: Denbighshire History.

[127] Morgan, 'Devon Seaside Tourism since 1900'.

[128] Cyfweliad efo Linda Thomas 14/3/2002 (casgliad yr awdur).

[129] Davies, *Hanes Cymru*, 618.

[130] Morgan, 'Devon Seaside Tourism since 1900'.

[131] Morgan, 'Devon Seaside Tourism since 1900'.

[132] Gwyn A. Williams, 'Women Workers in Wales, 1968-1982', *Llafur* XI, 4 (Rhagfyr, 1983), 534.

Pennod 3

Merched a'r Busnes Llongau

Byd busnes yw byd llongau masnach ac felly y bu dros y canrifoedd.[1] Rhwng porthladdoedd pell ac agos, a amrywiai o draethau agored hynafol i borthladdoedd modern mawrion pwrpasol, cludwyd pobl, anifeiliaid a nwyddau o bob math. Dibynnai llwyddiant masnach forwrol ar ystod eang o longau a'u gallu i gludo cargo amrywiol, gyda rhai wedi eu hadeiladu'n bwrpasol ar gyfer masnach benodol. Bu datblygiadau technolegol ym myd llongau, a'r rheiny'n prysur gynyddu wrth i'r bedwaredd ganrif ar bymtheg a'r ugeinfed ganrif fynd rhagddynt, gan olygu gwelliant yng ngwneuthuriad, diogelwch ac effeithiolrwydd llongau o bob maint. Golygai'r datblygiadau hyn fod cludo nwyddau dros y moroedd yn dod yn llawer mwy cost-effeithiol yn wyneb cystadleuaeth o du dulliau eraill o drafnidiaeth, megis rheilffyrdd ac awyrennau. Effeithiwyd ar fyd y llongau gan sawl ffactor arall hefyd, gan gynnwys dulliau cyfathrebu ac ymyrraeth drwy ddeddfwriaeth, gan achosi newidiadau sylweddol. Drwyddi draw, yn y ganrif a hanner ddiwethaf, newidiwyd bron iawn bob agwedd o fyd llongau, gyda newidiadau yn y dull o berchnogaeth yn un o'r nodweddion amlycaf.

Roedd cyfyngiadau cyfreithiol, ariannol a diwylliannol yn amharu ar gyfleoedd i ferched am ran sylweddol o'r cyfnod dan sylw, ond dengys ymchwil diweddar fod lle i gredu y bu mwy o gyfleoedd i ferched lwyddo yn y busnes llongau o'i gymharu â sawl maes busnes arall a hynny am amryw resymau.[2] Yn y lle cyntaf, roedd natur y busnes llongau yn ei gyfanrwydd yn wahanol iawn i sawl busnes arall, yn bennaf oherwydd bod y rhai oedd yn ymwneud â'r busnes yn delio efo '*assets that were physically removed from those who had an interest in them.*'[3] Yn ychwanegol, gellir dadlau fod cymeriad a nodweddion y cymunedau morwrol yn hybu merched annibynnol eu hagwedd oedd yn fwy parod, ac o bosibl â mwy o gyfleoedd, i fentro oherwydd absenoldeb y gŵr. Hefyd, gyda'r gŵr oddi cartref am gyfnodau maith, a'i fywyd yn aml mewn perygl, daeth nifer o wragedd i gapteiniaid, naill ai o reidrwydd neu o ddewis, i ddeall sawl agwedd ar y busnes llongau. Un o ganlyniadau amlwg hyn oll oedd bod merched yn weithredol mewn sawl agwedd ar y busnes llongau a ystyrid yn draddodiadol yn feysydd ar gyfer dynion yn unig.[4]

Yn y bennod hon gwelir fod y casgliadau cyffredinol uchod hefyd yn wir o safbwynt profiadau merched a'r busnes llongau yng Nghymru. Canolbwynt y bennod hon yw oes y llongau hwyliau, sef hyd at flynyddoedd cynnar yr ugeinfed ganrif, er y rhoddir peth sylw i'r llongau stêm a'u disodlodd. Er bod y busnes llongau yn draddodiadol yn ymddangos yn fyd gwrywaidd, ac er i'r dystiolaeth gychwynnol ategu hynny, wrth grafu'r wyneb gwelwn nad yw'r darlun mor syml. Yn wir, gellir dadlau fod merched nid yn unig wedi manteisio ar y busnes llongau fel buddsoddwyr, ond eu bod hefyd wedi chwarae rhan allweddol yn ei lwyddiant dros y canrifoedd.

Buddsoddi mewn llongau

Bwriad prynu cyfran o long oedd gwneud elw ac roedd hynny'r un mor berthnasol i wraig weddw gyda llond llaw o gyfranddaliadau mewn un llong fach a hwyliai'r glannau ag i fasnachwr cyfoethog a fuddsoddai mewn fflyd o longau mawrion a hwyliai ymhellach. Dibynnai llwyddiant ariannol llong ar sawl ffactor – yn amrywio o ffyniant yr economi leol, ranbarthol neu ryngwladol i allu unigol capten neu asiant neu reolwr berchennog y llong. Un bygythiad amlwg i'r busnes llongau, a oedd yn rhan annatod o'r byd morwrol, oedd colli llongau ac ni ddiflannodd y perygl hwnnw yn llwyr, er cymaint y datblygiadau fu o safbwynt diogelwch ar y moroedd.

Nid mater bach oedd buddsoddi mewn llong. Roedd cost adeiladu llong o'r newydd neu brynu llong ail law ymhell y tu hwnt i gyrraedd mwyafrif y boblogaeth ar lefel y buddsoddwr unigol. Ond dros y canrifoedd datblygwyd trefn o godi'r cyfalaf angenrheidiol ac o rannu'r risg yr un pryd, a brofodd yn hynod effeithiol, sef y bartneriaeth 64 rhan. Nid trefn unffurf oedd hon a gallai buddsoddiad mewn llong fod yn bartneriaeth wyth rhan neu 16 rhan, er enghraifft. Ond yn derfynol fe gadarnhawyd y drefn o rannu cyfranddaliadau mewn llongau masnach yn 64 rhan drwy Ddeddf Seneddol yn 1824. Yr un oedd yr egwyddor beth bynnag y bartneriaeth, sef bod unigolion yn gallu buddsoddi mewn llongau unigol drwy brynu cyfranddaliadau ynddynt. Ond hyd yn oed pan werthid cyfranddaliadau ar ffurf 64 rhan o long nid oedd hawl gan fwy na 32 o bobl i fuddsoddi mewn un llong ar yr un pryd. Byddai nifer o gyfranddalwyr yn berchen ar 'owns' o'r llong, sef uned o bedwar o gyfranddaliadau, ond gallai'r buddsoddwr brynu faint a fynnai o gyfranddaliadau ac nid oedd rhaid cyfyngu buddsoddiad i un llong yn unig. O safbwynt cyfreithiol, roedd buddsoddwyr mewn llong yn denantiaid cydradd a mantais hyn oedd bod ganddynt yr hawl i werthu neu forgeisio eu rhan hwy o'r llong heb drafod â'r buddsoddwyr eraill. Yr anfantais oedd bod pob un o'r cyfranddalwyr unigol hefyd yn gyfrifol am ddyledion a cholledion y llong.

Roedd y drefn hon yn hynod ddefnyddiol i gymunedau bychain yr arfordir gan fod y cyfranddaliadau yn ddigon bychan i unigolion cyffredin, gan gynnwys merched, allu eu prynu. Dyma, yn ôl Basil Greenhill, oedd perchnogaeth wledig, a gellid ei ddiffinio fel *'shipowning as a part-time occupation, or as an investment made locally by people whose main sources of income come from other occupations.'* I Greenhill, roedd y math yma o berchnogaeth yn digwydd mewn ardaloedd amaethyddol lle gwelid mwynfeydd, chwareli neu waith cynhyrchu yn digwydd ar raddfa weddol fach. Roedd y llongau dan sylw wedi eu hadeiladu o goed, y coed hwnnw ar gael yn lleol gan amlaf; roedd y cymunedau yn hunangynhaliol ac fel arfer wedi eu hynysu'n economaidd ac nid oedd angen llawer o gyfalaf i fuddsoddi yn y llongau.[5] Yn allweddol, roedd yn rhaid bod yn ffyddiog iawn o lwyddiant y fenter. Gwelwyd cryfder y drefn hon ar hyd arfordir Cymru gyda miloedd o bobl yn buddsoddi mewn amrywiol longau bychain a hwyliai'r glannau.

Faint fyddai ei angen i fuddsoddi? Yn ei astudiaeth o ddiwydiant adeiladu llongau de orllewin Cymru mae Mark D. Matthews yn dangos fod cost adeiladu llong yn y fro honno tua £6-8 y dunnell yn 1750 gan godi i £10 y dunnell erbyn diwedd y ganrif.[6] Mae ymchwil Dr Lewis Lloyd i hanes y slŵp *Unity* a gwaith Owain T. P. Roberts i hanes y slŵp *Darling* yn ategu hyn. Adeiladwyd yr *Unity*, 78 tunnell, yn 1785 a'i gwerth oedd £706 neu £9 1s y dunnell (sef ychydig dros £11 y gyfran).[7] Amcangyfrifodd Owain T. P. Williams fod y *Darling*, 40 tunnell (a adeiladwyd rhyw bedair blynedd cyn yr *Unity* yn 1781) wedi costio tua £362 sef £9 1s y dunnell (£5 13s y gyfran).[8] Yn ei astudiaeth o longau Pwllheli gwelodd Dr Lewis Lloyd fod slwpiau, sgwneriaid a smaciau yn nwylo nifer o gyfranddalwyr fel y gallai unigolyn fuddsoddi, dyweder, £10 am un cyfranddaliad.[9] Byddai buddsoddiad o £10 ar ddechrau'r bedwaredd ganrif ar bymtheg yn fwy nag y byddai gwas fferm yn ei ennill mewn blwyddyn ond eto'n ddigon rhesymol i fod o fewn cyrraedd ystod eang o'r boblogaeth leol. Gan mai buddsoddi gyda'r bwriad o wneud elw yr oedd y bobl hyn i gyd, ac o gofio'r peryglon a wynebai llongau bychan wrth hwylio'r glannau, yna gŵr neu wraig annoeth fyddai'n dewis buddsoddi mewn un llong yn unig. Rhaid cofio, fodd bynnag, y byddai'n rhaid i bawb ddechrau yn rhywle ac mae'n debygol i sawl un gychwyn drwy fuddsoddi mewn un llong yn unig.

Ond yn sgil bwrlwm y chwyldro diwydiannol, pan oedd rôl y busnes llongau yn allweddol, daeth math newydd o fuddsoddwr fwyfwy i'r amlwg, sef y rhai a welsant eu hunain fel perchnogion llongau yn unig. Roedd y perchnogion llongau proffesiynol hyn fwyaf amlwg yn y trefi porthladd mawrion, fel arfer yn berchen ar long gyfan eu hunain (neu fflyd o longau) neu'n gyd berchnogion â nifer fach o fuddsoddwyr eraill oedd yn aml o'r un ardal ddaearyddol. Ond er i fwrlwm y trefi porthladd weld datblygiad dosbarth o berchnogion llongau ffyniannus, fel yn achos Caerdydd, er enghraifft, gyda sawl ffortiwn unigol yn cael ei wneud, yr hen drefn o bartneriaeth 64 rhan a ddefnyddid o hyd, a'r brif fantais oedd iddi roi cyfleoedd i'r unigolyn cyffredin, gan gynnwys merched o amrywiol gefndiroedd, allu buddsoddi cyn lleied ag un gyfran mewn un llong.

Addaswyd y drefn hon yn ddiweddarach i ymateb i ofynion y byd llongau yn oes y llongau stêm haearn mawrion yn negawdau olaf y bedwaredd ganrif ar bymtheg. Arweiniodd yr angen am fuddsoddiad sylweddol yn y llongau modern at sefydlu cwmnïau llongau cydgyfalaf cyfyngedig, cam a hwyluswyd gan y newidiadau i gyfraith cwmnïau yn y 1850au a'r 1860au. Un newid allweddol oedd cyflwyno'r egwyddor o atebolrwydd cyfyngedig a olygai fod y buddsoddwr unigol yn gyfrifol am yr hyn yr oedd ef neu hi wedi ei fuddsoddi yn y lle cyntaf, a dyna'r oll. Newid arall oedd nad oedd yr unigolyn yn buddsoddi mewn un llong unigol ond yn y cwmni oedd yn berchen ar y llong. Yn arwyddocaol, golygai hefyd fod llawer mwy o gyfranddaliadau ar gael o fewn cyrraedd i lawer mwy o bobl, merched yn eu plith, gyda nifer ohonynt, am y tro cyntaf, yn dod o'r tu allan i gymunedau morwrol a'r grwpiau buddsoddi traddodiadol. O ganlyniad gallai nifer buddsoddwyr mewn cwmni amrywio o sawl dwsin i rai cannoedd.

Gwelwyd enghraifft o hynny yn ystod y 1870au yn Sir

Gaernarfon pan sefydlwyd dyrnaid o gwmnïau cydgyfalaf cyfyngedig, yn berchen ar fflydoedd oedd yn cynnwys llongau hwyliau haearn a fasnachai ar led.[10] Sefydlwyd y North Wales Shipping Co. Ltd yn Nefyn a'r Arvon Shipping Co. Ltd. yng Nghaernarfon; sefydlwyd tri arall ym mhentrefi chwarelyddol y fro – y Gwynedd Shipping Co. Ltd. yng Nghlwt-y-bont, yr Eryri Shipping Co. Ltd. yn Llanberis a'r Bethesda Shipping Co. Ltd. ym mhentref Bethesda. Roedd cost buddsoddi yn amrywio o £10 y gyfran yn y Bethesda Shipping Co. Ltd. i £30 y gyfran yn achos y North Wales Shipping Co. Ltd a'r Eryri Shipping Co. Ltd. Roedd merched yn buddsoddi ynddynt, a bu i dair gwraig weddw/ merch ddi-briod brynu 18 cyfran rhyngddynt yn y North Wales Shipping Co. Ltd a saith brynu 29 cyfran yn y Bethesda Shipping Co. Ltd. Er i'r cwmnïau hyn lwyddo i redeg fflyd o longau hwyliau haearn newydd yn lled llwyddiannus am tua degawd, ni lwyddwyd i gyflawni eu gobeithion ariannol oherwydd dirwasgiad yn y diwydiant llechi a'r busnes llongau – ond roedd eu methiant tymor hir yn anochel beth bynnag oherwydd llwyddiant, a gwelliannau yn, y llongau stêm. Yr hyn sydd yn sicr yw i fuddsoddi yn y cwmnïau modern a'r dull newydd o fuddsoddi roi cyfleoedd i nifer nad oeddynt yn draddodiadol o'r cymunedau morwrol, a bod merched yn eu plith.[11]

Ond hyd yn oed gyda datblygiad y cwmnïau llongau cydgyfalaf cyfyngedig, risg oedd buddsoddi mewn llong o hyd ac roedd y ffin rhwng llwyddiant a methiant yn gallu bod yn denau iawn, fel y profodd sawl dynes o fuddsoddwr. Yn 1915, er enghraifft, prynodd R. Thomas and Company y llong ddur *St Mirren* am £11,125 ac un o'r buddsoddwyr ynddi oedd Mrs Ann Davies o Nefyn. Mewn cyfnod o ryfel roedd y peryglon i longau yn amlwg, ond roedd gobaith o elw sylweddol hefyd. Ym Mehefin 1917 derbyniodd y cyfranddalwyr lythyr gan y cwmni yn nodi fod y llong wedi dadlwytho llwyth o rawn yn Béal Feirste (Belffast) a'i bod wedi gadael Glasgow am Santos yn Ne America, a derbyniodd y cyfranddalwyr siec yn cynrychioli difidend o 10% ar eu cyfranddaliadau. Yn anffodus suddwyd y *St Mirren* gan long danfor Almaeneg a derbyniodd Mrs Davies lythyr yn nodi hynny ac yn ei hysbysu: '*It is not our intention to replace the ship, but to voluntarily wind up the Company and distribute the assets to the shareholders.*' Ni wyddys ai dyna ddiwedd gyrfa Mrs Davies fel buddsoddwraig ond fe ddengys yn sicr y peryglon ynghlwm mewn buddsoddi.[12] Ond roedd dwy ochr i'r geiniog a gwelwyd hynny yn achos Miss Margery Roberts o Bwllheli. Roedd hi'n chwaer i'r Capten Robert Roberts, Isfryn, Penyberth, ac ar 20 Awst 1884 cymerodd ddeg cyfran yn y *Menai* o'r Menai Ship Company. Yn 1885 hwyliodd y *Menai* i San Francisco, Shanghai, Rangoon a Melbourne gan wneud elw o £2,109.4.8. Derbyniodd Miss Roberts siec am £13 am ei chyfran yn y llong er, yn ystod y blynyddoedd canlynol, fe amrywiodd yr elw. Mae'n amlwg o'r ddwy enghraifft uchod mai risg oedd buddsoddi mewn llongau ac yn hyn o beth roedd merched yn yr un cwch â'r buddsoddwyr o ddynion o safbwynt tynged y buddsoddi hwnnw. Dylid nodi hefyd, er manteision amlwg y dull newydd o berchnogaeth, ni ddisodlwyd y bartneriaeth 64 rhan yn syth a byddai'r hen drefn o fuddsoddi a'r drefn newydd yn cydfyw am gyfnod.[13]

Yn y byd newydd hwn ni allai'r hen ganolfannau adeiladu llongau Cymreig gystadlu. Er bod rhai cwmnïau yn gweithredu fel 'cwmni un llong' nad oedd ganddynt o reidrwydd ddiddordeb mewn creu fflyd fawr, roedd cwmnïau eraill yn awyddus i ehangu'n sylweddol ac am ddominyddu'r busnes llongau (a hwy a orfu yn y pen draw). Fe geisient hwy ddenu mwy o fuddsoddwyr o ardal ehangach yn ddaearyddol ac o sawl dosbarth, gan gynnwys rhai oedd yn buddsoddi mewn meysydd eraill tu hwnt i'r busnes llongau. Roedd y drefn yn amrywio o gwmni i gwmni, ond un o sgileffeithiau'r datblygiad hwn oedd i'r hen gyswllt rhwng buddsoddwyr o drigolion y glannau a llongau lleol, neu longau yr oedd gan eu teuluoedd gysylltiad uniongyrchol â hwy, raddol ddiflannu. Nid oedd hynny'n golygu nad oedd merched yn buddsoddi ond daeth y busnes llongau yn fwyfwy yn rhan o bortffolio buddsoddwyr 'proffesiynol' gyda llai o gyswllt rhwng y cwmni a buddsoddwyr cyffredin.

Pwy oedd y buddsoddwyr?

Dros ran fawr o'r cyfnod dan sylw adeiladwyd llongau mewn amrywiol ganolfannau ar hyd arfordir Cymru, boed hynny'n adeiladu ambell long ar draeth anghysbell neu adeiladu llaweroedd mewn tref borthladd. O gofio dibyniaeth cymunedau'r glannau ar weithgareddau morwrol roedd yn naturiol i drigolion y cymunedau hynny fuddsoddi mewn llongau, a deuai'r buddsoddwyr o borthladdoedd neu ganolfannau adeiladu llongau sylweddol yn ogystal ag o gymunedau bychain cefn gwlad. Yn amlwg roedd y rhai a oedd yn uniongyrchol ynghlwm â byd llongau mewn safle manteisiol i fuddsoddi, gan gynnwys merched neu wragedd i gapteiniaid llongau, er enghraifft. Ond nid oedd yn rhaid i fuddsoddwyr ddod o'r byd morwrol a gallasai sawl un a oedd yn ddibynnol ar longau i ryw raddau; perchnogion siopau unigol, masnachwyr sylweddol neu amaethwyr, er enghraifft; hefyd weld cyfle i fuddsoddi, a merched yn eu plith eto.

Aelodau o'r dosbarth canol lleol, newydd, oedd nifer fawr o'r cyfranddalwyr yn llongau Cymru ddiwedd y ddeunawfed ganrif a'r bedwaredd ganrif ar bymtheg. Oherwydd y cysylltiad amlwg rhwng byd y llongau a byd masnach, cyn canol y bedwaredd ganrif ar bymtheg (gyda rhai eithriadau) roedd mwyafrif llethol y rhai a fuddsoddai mewn llongau yn fasnachwyr oedd am gludo eu nwyddau eu hunain, gydag ychwanegiadau i'r cargo gan eraill pe byddai lle yn unig. Byddai adeiladwyr y llongau yn aml yn buddsoddi ynddynt hefyd (fel unigolion neu deulu neu gwmni sylweddol maes o law), gan gadw hyd at chwarter y cyfranddaliadau mewn rhai achosion. Roedd yn gyffredin i eraill a oedd â chysylltiadau gyda byd gwaith morwrol fod yn berchen ar gyfranddaliadau, megis gofaint angorion a gwneuthurwyr hwyliau a rhaffau. Roedd gan y rhydd-ddeiliaid llai a'r ffermwyr-denantiaid cefnog ddiddordeb mawr yn y busnes llongau hefyd. Roedd eu tynged ariannol hwy yn nwylo'r landlordiaid ac, o'r herwydd, fe wnâi fwy o synnwyr iddynt fuddsoddi mewn llongau nag yn y tir. Nid oedd byd llongau yn estron iddynt – wedi'r cyfan, fe allforiwyd a mewnforiwyd cynnyrch amaethyddol gan longau bychain y glannau. Fe geir ambell gyfeiriad at labrwyr a gweision yn mentro i fuddsoddi ond prin iawn yw nifer y pendefigion a'r bonedd, a hynny o bosib oherwydd mai '*mere trade*' oedd y fasnach longau iddynt hwy.[14] Wrth gwrs, mae'n bosibl nad oeddynt yn buddsoddi mewn llongau oherwydd bod y rhan fwyaf o'r dosbarth canol brodorol o Anghydffurfwyr yn amlwg yn y maes hwn ar ddechrau'r bedwaredd ganrif ar bymtheg. Efallai nad oeddynt yn gweld unrhyw reswm dros fuddsoddi mewn unrhyw beth heblaw'r tir oedd, wedi'r cyfan, yn sylfaen traddodiadol i'w cyfoeth. Beth bynnag am ddiffyg diddordeb y pendefigion a'r bonedd mewn buddsoddi mewn llongau, nid mater hawdd yw darganfod beth yn union oedd galwedigaeth pob cyfranddaliwr unigol. Roedd 'ffermwr' yn gallu cyfeirio at dyddynwr tlawd neu amaethwr cefnog. Mae'r cofrestrau hefyd yn cyfeirio at y buddsoddwr o 'forwr' – ond capten ac nid llongwr cyffredin oedd ystyr hynny gan amlaf. Gallai 'masnachwr' olygu mewnforiwr ac allforiwr neu berchennog siop. Yn yr un modd nid oedd 'gwraig weddw' neu 'ferch ddi-briod' yn datgelu llawer am union sefyllfa ariannol y wraig dan sylw.

Dibynnai llwyddiant y busnes llongau ar amrywiol ffactorau megis datblygiadau ym myd llongau ei hun, a ffyniant yr economi leol ac ehangach. Erbyn ail hanner y bedwaredd ganrif ar bymtheg golygai dyfodiad llongau stêm, a llongau hwyliau mawrion, haearn, fod cyfleoedd i bobl fuddsoddi tu hwnt i'r llongau lleol yr oedd y mwyafrif llethol wedi arfer â hwy. Fel y cyfeiriwyd uchod, un enghraifft o'r math newydd o fuddsoddi oedd yn y cymunedau chwarelyddol. Gyda'r 1870au yn gyfnod o lewyrch yn y diwydiant llechi canfu rhai o deuluoedd y chwareli fod ganddynt rywfaint o arian dros ben i'w fuddsoddi ar gyfer y dyfodol, gyda'r diwydiant llongau yn un opsiwn. Ymddengys ei fod yn gyfnod da i fuddsoddi ac nid yw'n syndod i dri chwmni gael eu sefydlu ym mhentrefi chwarelyddol y fro, sef y Gwynedd Shipping Co. Ltd, yr Eryri Shipping Co. Ltd a'r Bethesda Shipping Co. Ltd gydag wyth barc haearn yn cael eu hadeiladu ar gyfer y ddau gwmni cyntaf rhwng 1876 ac 1884. Yr wyth barc hyn oedd 'llongau y chwarelwyr' ac roedd chwarelwyr, ac eraill a oedd ynghlwm â'r diwydiant llechi, yn amlwg iawn ymhlith y buddsoddwyr. Ond er y cyfeiriad at 'longau y chwarelwyr' mae David Jenkins wedi dangos nad chwarelwyr yn unig oedd yn buddsoddi ac nad hwy ychwaith oedd y prif fuddsoddwyr, yn arbennig ar y cychwyn.[15] Yn hytrach, gwŷr busnes a'r dosbarth canol proffesiynol oedd prif gefnogwyr ariannol y cwmnïau hynny gyda'u dealltwriaeth o'r system fancio leol i sicrhau morgeisi yn allweddol. Er hynny roedd amrediad o fuddsoddwyr yn llongau'r tri chwmni uchod, ynghyd â'r buddsoddwyr yn y North Wales Shipping Co. Ltd a'r Arvon Shipping Co. Ltd, yn adlewyrchu'r gymuned leol a'r trawstoriad o fuddsoddwyr traddodiadol a'r to newydd, a oedd yn cynnwys merched.[16] Ond roedd y ffaith nad oedd mwyafrif y buddsoddwyr yn 'llongau y chwarelwyr' yn rhan o gymunedau'r glannau, gyda'r llongau yn cael eu prynu dan y drefn cwmnïau cydgyfalaf

cyfyngedig, ac i bob un o longau'r cwmnïau hyn gael eu
hadeiladu yn Sunderland (canolfan adeiladu llongau bwysig
yng ngogledd ddwyrain Lloegr) yn argoel o newidiadau mawr
ym mhatrymau traddodiadol perchnogaeth llongau Cymru.
Adlewyrchwyd y symudiad hwn yn achos un o gwmnïau
llongau cynhenid mwyaf llwyddiannus Cymru, sef Jenkins
Brothers o Gaerdydd. Roedd gwreiddiau'r cwmni yn Aber-
porth ac yn 1882 daeth John Jenkins yn gapten a
pherchennog ar y *James*, wedi iddo brynu 64 cyfranddaliad
ynddi. Fel oedd yr arfer mewn sawl teulu, rhoddodd 16
cyfran yr un i'w ferched Jane ac Anne. Ymddeolodd Capten
Jenkins o'r môr ar ddechrau'r 1890au ac yn 1893
trosglwyddodd fwyafrif ei gyfranddaliadau i Anne a bu hi'n
rhedeg y llong hyd 1929. Yn y cyfamser dechreuodd James
Jenkins, mab y Capten John Jenkins, gysylltiad y teulu â byd
llongau tramp stêm Caerdydd drwy gyfrwng yr S.S.
Gathorne. Yn arwyddocaol, ni lwyddodd i gael digon o
fuddsoddwyr o Aber-porth – er bod ugain o'r 27
cyfranddaliwr o'r pentref a'r gweddill o'r cefn gwlad cyfagos
– ac erbyn 1898 roedd y cwmni un llong hwn wedi dod i
ben. Rhoddwyd yr asedau mewn cwmni newydd, sef y
Celtic Shipping Co. Ltd gyda James Jenkins yn rheolwr
berchennog ar y cyd â W. J. Williams, gŵr o Fethesda yn
wreiddiol. Rhyngddynt roedd ganddynt brofiad morwrol a
masnachol ac erbyn 1898 roeddynt yn berchen ar ddwy long.

Yn wahanol i hanes John Jenkins a'r *James*, roedd cyfalaf
y cwmni newydd yn £11,700 wedi ei rannu'n 1,170
cyfranddaliad o £10 yr un. O fewn dim roedd y
cyfranddaliadau wedi eu prynu – cant ohonynt gan aelodau
o deulu James Jenkins, ac roedd ugain yn nwylo teulu ei
ddyweddi, sef Miss Catherine Jones o Lanfairpwll, Môn.
Daeth 98% o'r cyfalaf o Gymru, ac ymhlith y cyfranddalwyr
roedd mwynwyr a gweithwyr eraill pyllau glo'r de a thrigolion
cymunedau chwareli'r gogledd. Ond o fewn dim daeth

buddsoddwyr o Loegr yn fwy amlwg ym musnes llongau Caerdydd gan gynnwys llongau Jenkins. Chwarter canrif yn ddiweddarach, yn 1923, sefydlwyd cwmni Cardigan Shipping Co. Ltd a phrynodd y cyfarwyddwyr gyfranddaliadau fel a ganlyn: James Jenkins 16,679, W. W. Chamberlain 3,406 a Hugh Jenkins 2,479. Ymysg gweddill y buddsoddwyr roedd perchnogion llongau fel John Morel a John Cory ac roedd gan weddw W. J. Williams hefyd gyfranddaliadau. Rhwng Mehefin a Hydref 1923 gwerthwyd 83,000 o gyfranddaliadau gyda bron i ddwy ran o dair o'r buddsoddwyr o Loegr. Roedd y cyfranddalwyr o dde-ddwyrain Cymru yn cynnwys dosbarthiadau proffesiynol ond nid oedd glowyr yn eu plith. Llawn mor arwyddocaol yw mai dim ond un o longau Jenkins Brothers a adeiladwyd yng Nghymru.

Ond er y newid mewn patrymau buddsoddi o safbwynt cefndir y buddsoddwyr a'u dosbarthiad daearyddol, ac o safbwynt mannau adeiladu'r llongau, roedd rhai llinynnau'n parhau drwy'r cyfnod gan gynnwys buddsoddiad o du capteiniaid ac o gyfeiriad merched, a'r parodrwydd i fuddsoddi mewn llongau oedd ynghlwm â masnach benodol.

Llongau a'u masnach

Roedd y mathau o longau y buddsoddai pobl ynddynt yn amrywio o unigolyn i unigolyn ac o ardal i ardal yn dibynnu ar amrywiol ffactorau, er enghraifft y mathau o longau oedd i'w cael yn y cyfnod hwnnw, yr hyn a oedd yn fforddiadwy i'r buddsoddwyr a'r fasnach yr oedd y llong ynghlwm â hi. Yn gyffredinol gellir dweud bod buddsoddwyr oes y llongau hwyliau, o blith trigolion y glannau, cefn gwlad neu o'r ardaloedd diwydiannol, yn buddsoddi mewn llongau ac / neu fasnach yr oeddynt yn gyfarwydd â hwy.

Yn draddodiadol dibynnai cymunedau morwrol y glannau ar longau hwyliau bychain a hwyliai i bob man ar hyd yr arfordir. Byddai nifer o'r llongau hyn yn aml yn rhad iawn, ac felly roedd cost buddsoddi ynddynt o fewn cyrraedd y boblogaeth leol a hynny yn rhai o ardaloedd tlotaf y wlad. Er enghraifft, bu i drigolion plwyf gwledig bychan Llanallgo, gyda phoblogaeth o lai na phum cant o bobl ar gyfartaledd yn ystod y bedwaredd ganrif ar bymtheg, fuddsoddi mewn o leiaf 68 o longau yn ystod y cyfnod 1786-1914.[17] Er bod llongau Llanallgo yn cynnwys, ymhlith eraill, fflatiau, smaciau a badlongau roedd dau fath yn dominyddu, sef slwpiau cyn 1850 a sgwneri wedi hynny. Daeth y sgwneri i ddisodli'r slwpiau fel prif longau'r glannau wrth i'r bedwaredd ganrif ar bymtheg fynd rhagddi. Y slwpiau oedd llongau mwyaf cyffredin arfordir Cymru yn hanner cyntaf y ganrif. Er bod y gair 'slŵp' yn gallu disgrifio amrediad o longau, o safbwynt Cymru fe'i defnyddir i ddisgrifio llongau bychain llai na 50 tunnell a hwyliai'r glannau ac a adeiladwyd mewn niferoedd mawrion yn y ddeunawfed ganrif a hanner cyntaf y bedwaredd ganrif ar bymtheg.[18] Slwpiau yn unig a adeiladwyd yn Aberporth yng Ngheredigion rhwng 1820 ac 1840.[19] Roedd eu cyflymder, y ffaith eu bod yn hawdd i'w trafod a'u bod yn rhad i'w rhedeg a'u cynnal a'u cadw yn golygu fod y slŵp, ac yna'r sgwner, yn berffaith ar gyfer masnach y glannau ac yn fuddsoddiad amlwg i drigolion lleol hefyd.

Datblygodd nifer o borthladdoedd Cymru yn ganolfannau adeiladu llongau o bwys, gan olygu cyfleoedd buddsoddi sylweddol yn ogystal, a hynny yn sgil datblygu diwydiannau yn lleol. Er enghraifft, cychwynnodd y diwydiant adeiladu llongau yn Amlwch wedi datblygu'r porthladd oherwydd allforio copr. Yng Nghas-gwent, ar y llaw arall, roedd hanes hir o adeiladu llongau yn seiliedig ar fasnach amrywiol ond y sylfaen oedd y fasnach goed, ac nid yw'n syndod mai prif gwmni'r porthladd am flynyddoedd lawer ar ddiwedd y ddeunawfed ganrif a dechrau'r bedwaredd ganrif ar bymtheg oedd partneriaeth Bowsher, Hodges a Watkins. Roedd ganddynt fuddsoddiad mewn 33 o longau ac, ochr yn ochr â'u busnes fel mewnforwyr coed, roeddynt yn adeiladwyr ac yn berchnogion llongau.[20] Yn sgil datblygu'r diwydiant llechi yn y gogledd orllewin, gwelwyd adeiladu tua deg a thrigain o longau ym Mangor, ac adeiladwyd llongau i gludo llechi yn Nefyn a Phorth Dinllaen. Adeiladwyd dros 300 o longau ym Mhorthmadog: 'roedd y llongau olaf a adeiladwyd ym Mhorthmadog rhwng 1891 ac 1913, y *Western Ocean Yachts*, yn uchafbwynt adeiladu llongau hwyliau masnach o'u maint.'[21] Roedd y bwrlwm hwn yng ngogledd orllewin Cymru yn ystod ail hanner y bedwaredd ganrif ar bymtheg yn digwydd er i fasnach y glannau wynebu cystadleuaeth gynyddol o du datblygiad y rheilffyrdd i bob rhan o'r wlad ac er bod adeiladu, a pherchnogaeth, llongau stêm mawrion mewn porthladdoedd sylweddol y tu allan i Gymru yn disodli adeiladu llongau hwyliau o goed.

Ond nid llongau hwyliau o goed neu haearn oedd y dyfodol, ond yn hytrach y llongau stêm. Er i rai llongau stêm gael eu hadeiladu yng Nghymru ni ddatblygodd yr un porthladd Cymreig i gystadlu â rhai o borthladdoedd adeiladu llongau mawrion rhannau eraill o'r Ynysoedd Prydeinig, megis Béal Feirste (Belffast), Glasgow a Sunderland ymhlith eraill. Ond roedd nifer o gwmnïau o Gymru yn berchen ar longau stêm o amrywiol faint ac un o brif ganolfannau perchnogion llongau stêm troad yr ugeinfed ganrif oedd Caerdydd, prif borthladd allforio glo'r byd. Er i fusnes llongau Caerdydd ffynnu oherwydd mewnfudwyr mentrus a blaengar bu nifer o Gymry brodorol yn allweddol yn y busnes, er bod y busnes wedi newid cymaint ers y cyfnod pan fyddai perchnogion yn perthyn i gymunedau bychain ac â chyfranddaliadau mewn un llong. Fel y cyfeiriwyd eisoes, adlewyrchwyd y newid enfawr hwn yn hanes un o deuluoedd brodorol o berchnogion llongau pwysicaf a mwyaf blaengar eu hoes, y teulu Jenkins o Aber-porth.[22] Wrth i ddyfodiad y rheilffyrdd fygwth masnach draddodiadol y glannau erbyn diwedd y bedwaredd ganrif ar bymtheg, a chyda galw cynyddol am longau i gludo glo o borthladdoedd y de (gallai un llong tramp stêm gludo llawer mwy na fflyd o longau hwyliau bychain), roedd yma gyfleodd i fuddsoddwyr mentrus a hyderus. Nid yw'n syndod i bedwar cwmni trampio a sefydlwyd yng Nghaerdydd ar droad yr ugeinfed ganrif gael eu sefydlu gan gapteiniaid o Aber-porth, mewn cydweithrediad â gwŷr busnes o'r de mewn sawl achos. Bu gan James Jenkins a'i gefnder David Jenkins fuddsoddiad mewn cyfanswm o 21 o longau stêm yn y fasnach trampio rhwng 1897 ac 1927, gyda'u pencadlys yng Nghaerdydd (un ymhlith nifer o gwmnïau llongau oedd â'u cartref yn y ddinas). Roedd presenoldeb cwmni Jenkins Brothers yn amlygu parhad y cyswllt rhwng masnach benodol ac ardal benodol – felly roedd llawer o'r rhai a fuddsoddai yn llongau cludo glo Caerdydd yn dod o gymunedau glofaol y de tra deuai llawer o gapteiniaid a chriwiau'r llongau o Aber-porth.

Ond roedd newidiadau mawr ar droed yn y busnes llongau a gwelwyd hynny yn achos cwmnïau llongau Caerdydd wedi'r Rhyfel Byd Cyntaf. Bryd hynny, ffynnodd y diwydiant llongau y tu hwnt i bob disgwyl – yn bennaf oherwydd prinder llongau a'r galw am lo yn syth wedi'r rhyfel. Gyda thaliadau cludo yn uchel bu rhuthr i fuddsoddi mewn llongau a hynny yn arbennig o du hap-fuddsoddwyr pur, nad oeddynt o gefndir morwrol o unrhyw fath ac nad oeddynt yn deall y busnes llongau ychwaith mewn sawl achos. Roedd y math yma o fuddsoddwyr yn prynu fflydoedd am brisiau goruchel, a bu iddynt ddioddef oherwydd y cwymp a ddigwyddodd yn llawn mor gyflym sef y dirwasgiad a ddilynodd y rhyfel. Er i'r busnes llongau barhau'n rhan bwysig o economi'r ddinas, mewn amrywiol ffyrdd, am weddill y ganrif roedd newidiadau economaidd mawrion a'r datblygiadau ym mherchnogaeth llongau, yn fyd eang, yn golygu fod y cwmnïau llongau bychain Cymreig gyda'u buddsoddwyr o blith ystod eang o gymdeithas forwrol, cefn gwlad a diwydiannol Cymru, yn perthyn i'r gorffennol pell.

Buddsoddwyr o ferched

Yn ôl Deddf Seneddol 1786, roedd yn ofynnol i berchennog pob llong dros 15 tunnell ei chofrestru a rhoi manylion amdani. Mae'r cofrestrau hyn yn cynnig gwybodaeth amrywiol i ni am y llongau gan gynnwys ble a phryd yr adeiladwyd hwy. Nodir hefyd enwau perchenogion, neu'r buddsoddwyr yn, y llongau, eu cyfeiriad a'u galwedigaeth, ond nid yw'r cofrestrau cynnar yn datgelu nifer cyfranddaliadau pob buddsoddwr.

Roedd dau fath o berchnogion: y perchennog danysgrifiwr (*subscribing owner*) a oedd fel arfer yn arwyddo'r gofrestr a'r datganiad swyddogol ond nad oedd o reidrwydd yn dal y nifer fwyaf o gyfranddaliadau. Y grŵp arall oedd y perchnogion cyffredin (*non-subscribing owners*).[23] Er bod rhai unigolion yn berchen ar long gyfan eu hunain, fel y nodwyd eisoes y duedd oedd i nifer o unigolion fuddsoddi yn yr un llong gyda nifer, yn berchnogion-danysgrifwyr ac yn berchnogion cyffredin, â chyfranddaliadau mewn sawl llong. Roedd nifer y taliadau i'r buddsoddwyr yn dibynnu ar faint yr elw ac ar nifer y cyfranddaliadau personol. Yn naturiol, roedd pobl yn gwerthu eu cyfranddaliadau ac fe nodir hynny weithiau, ond rai blynyddoedd yn ddiweddarach. Byddai'n arferol hefyd i benodi un o'r cyfranddalwyr yn reolwr berchennog.

Gwelir cyfeiriadau, nid ansylweddol, at fuddsoddwyr o ferched yn y cofrestrau llongau, ac fel arfer dosberthir hwy yn dair rhan, sef gweddwon, merched di-briod (*spinsters*) ac yna'r merched hynny y ceir cyfeiriad at eu galwedigaeth. Er bod diffyg manylion yn ein rhwystro rhag adnabod cefndir nifer o'r merched o fuddsoddwyr, yn gyffredinol byddai'r mwyafrif ohonynt yn dod o'r un prif ddosbarthiadau â'r buddsoddwyr o ddynion.[24] Yn ei gyfrol *Ships and Seamen of Anglesey* cyflwynodd Aled Eames ddetholiad o 33 o longau o wahanol rannau o'r ynys dros y cyfnod rhwng 1786 a 1846, ac roedd cyfanswm o 15 o ferched yn gyfranddalwyr mewn deg o'r llongau. Roedd pedair ohonynt yn weddwon ac wyth yn ferched di-briod.[25] Ymddengys fod bron iawn pob un o'r wyth hynny yn chwiorydd neu'n ferched i fuddsoddwyr o ddynion oedd ynghlwm â'r tir neu'r byd masnach. Ond, rhaid wrth ofal wth drafod 'gweddwon' neu 'ferched di-briod'. Mae'n fwy na thebyg mai dod yn gyfranddalwyr drwy gyn-ŵr neu dad neu frawd wnaeth nifer o ferched o fuddsoddwyr, ond nid yw diffiniad ohonynt fel 'gwraig weddw' neu 'ferch ddi-briod' yn datgelu rhyw lawer am eu sefyllfa bersonol ar y pryd. Nid yw ychwaith yn cynnig mewnwelediad i'w hagweddau a'u gyrfa fel buddsoddwyr. Tra byddai rhai yn gwerthu eu cyfranddaliadau yn fuan ar ôl eu hetifeddu ac eraill yn fuddsoddwyr goddefol fe welwn yn y man i eraill gymryd diddordeb positif yn eu cyfranddaliadau gyda rhai yn fuddsoddwyr brwd. Roedd gweithgaredd economaidd ehangach rhai o'r cyfranddalwyr gweddw hyn hefyd yn awgrymu i'w buddsoddiad mewn llongau fod yn rhan o bortffolio mwy. Roedd sampl Eames hefyd yn cynnwys tair menyw y cofnodwyd eu galwedigaeth; roedd un yn groser, un yn wniadwraig ac un yn fitelwraig (cyflenwraig bwydydd, diodydd a chyflenwadau angenrheidiol cyffredinol). Fel yn achos y term 'gweddwon' neu 'ferched di-briod' nid yw cofnod syml o alwedigaeth ar y Cofrestrau Llongau yn datgelu manylion bywyd a gyrfa'r unigolyn dan sylw. Serch hynny, er mor gyfyng yw sampl Eames, awgrymir yn glir fod merched o gefndir masnachol ac amaethyddol yn buddsoddi mewn llongau ochr yn ochr â merched o'r byd morwrol, beth bynnag y rheswm gwreiddiol am eu buddsoddiad.

Cawn ddarlun manylach o gefndir merched o

fuddsoddwyr yn achos llongau Llanallgo.[26] Bu i drigolion pentref Moelfre a phlwyf Llanallgo fuddsoddi mewn 68 o longau rhwng 1783 ac 1900 yn ôl cofrestr llongau Biwmares. Roedd cyfanswm yr holl fuddsoddwyr yn y 68 llong yn 334 o unigolion o ardal ddaearyddol eang iawn. Roedd 38 o'r 334 o fuddsoddwyr hyn yn ferched. Gellir rhannu'r buddsoddwyr o ferched fel a ganlyn: merched di-briod – 6; gweddwon – 23; gwragedd – 8; aneglur – 1. Drwy groes gyfeirio amrywiol ffynonellau lleol mae'n bosibl i ni ddarganfod cefndiroedd rhai ohonynt. O'r chwe merch ddi-briod roedd un yn perthyn i fiteliwr ac un yn chwaer i ffermwr; roedd yr wyth gwraig briod yn wragedd i adeiladwr, bragwr, morwr a phum capten llong. Fe wyddwn o amrywiol ffynonellau, fodd bynnag, fod Edward Williams, y bragwr, hefyd yn ŵr bonheddig, yn ffermwr ac yn berchen ar o leiaf wyth o longau – sy'n cadarnhau na ddylem ddibynnu'n llwyr ar y Cofrestrau Llongau wrth drafod galwedigaethau buddsoddwyr. Yn achos 13 o'r tair gwraig weddw ar hugain fe wyddwn eu bod wedi bod yn briod fel a ganlyn: un gyda pherchennog siop, un â fferyllydd, un â gŵr bonheddig, pedair â ffermwyr, dwy â morwyr a thair â chapteiniaid. Yr awgrym clir yma yw bod merched o fuddsoddwyr yng nghefn gwlad yn dod o'r tri phrif faes oedd yn amlwg ymhlith buddsoddwyr o ddynion, sef y byd masnachol, amaethyddol a morwrol.

Ond beth oedd y sefyllfa mewn tref borthladd fasnachol oedd â thraddodiad o adeiladu, a buddsoddi mewn, llongau? Yn ei astudiaeth o longau Cas-gwent rhestra Grahame Farr 363 o longau a gofrestrwyd yno rhwng 1786 ac 1882 (pan gyfunwyd y porthladd o safbwynt cofrestru llongau â Chaerloyw yn Lloegr), er bod gan y porthladd gysylltiadau â dwsinau o longau eraill nad oeddynt wedi eu cofrestru yn y porthladd hwnnw. Wrth gwrs, nid oedd yr holl longau a gofrestrwyd yng Nghas-gwent wedi eu hadeiladu yno ac adeiladwyd nifer mewn canolfannau eraill ar hyd Afon Gwy, megis Caldicot a Mynwy.

Mae rhestr Farr yn nodi 37 o ferched o fuddsoddwyr yn llongau'r porthladd.[27] O'r rhain roedd 21 yn wragedd gweddwon, tair yn briod, pedair yn ferched di-briod a thair nad oeddynt mewn oed eto. Mae cefndir chwech yn aneglur (yr awgrym yw eu bod yn perthyn mewn rhyw ffordd i un neu fwy o'r buddsoddwyr o ddynion). Er bod cefndir cymdeithasol 13 o'r merched hyn yn aneglur, mae'n bosibl adnabod gyda chryn sicrwydd gefndir y gweddill ac ymddengys fod y patrwm yn adlewyrchu natur buddsoddwyr o ddynion yn llongau'r porthladd. Er enghraifft, roedd tair o'r merched o gefndir tiriog gydag un yn unig o gefndir y dosbarth crefftwyr (sef gweddw i gowper). Roedd naw o gefndir masnachol, a amrywiai o deulu groser i weddwon rhai o fasnachwyr, a pherchnogion llongau, amlycaf y dref, fel yn achos Amelia Kirby, gweddw'r masnachwr John Kirby. Roedd un ar ddeg o gefndir morwrol, er ei bod yn amlwg fod y ffin rhwng y byd morwrol a'r masnachol yn aml yn croesi, ac rwyf yn cynnwys yma rai a oedd ynghlwm â'r fasnach ar hyd yr afonydd, megis perchnogion cychod Hafren neu *trows*. Ond, o'r 37 o ferched, un yn unig a gofnodwyd gyda'i galwedigaeth ei hun – roedd Margaret Davis o Gas-gwent yn un o chwe buddsoddwr yn yr *Eliza*, 170 tunnell, yn 1829 ac roedd hi'n fasnachwraig win. Yn ddiddorol, roedd pedwar o'r pum buddsoddwr o ddynion yn y llong â'r cyfenw Davis, teulu oedd yn amlwg yn y byd masnachol ac yn niwydiant adeiladu llongau'r dref.

Roedd merched yn fuddsoddwyr mewn llongau felly, boed hynny mewn llongau a wasanaethai blwyfi gwledig yr arfordir neu'r llongau mwy a oedd yn allweddol i lwyddiant porthladdoedd masnachol Cymru a thu hwnt. Ond pa mor amlwg oedd merched ymhlith buddsoddwyr yr amrywiol longau hyn dros y canrifoedd?

Merched fel canran o'r buddsoddwyr

Yr hyn sy'n sicr yw bod merched ymhell o fod yn anghyffredin fel buddsoddwyr. O'r 68 o longau yn Llanallgo roedd merched yn gyfranddalwyr yn 23 ohonynt, sef ychydig dros draean. Yn achos Cas-gwent roedd merched yn fuddsoddwyr mewn 46 o longau allan o 363, sef ychydig dros 14%. Yn netholiad Aled Eames o 33 o longau ynys Môn rhwng 1786 ac 1846, y cyfeiriwyd ato uchod, roedd merched yn fuddsoddwyr mewn deg llong, sef 30% o'r sampl ac mewn sampl o longau Pwllheli roedd merched yn fuddsoddwyr yn 35% o'r llongau.[28] Bu merched hefyd yn fuddsoddwyr ym mhob un o longau cwmni Eryri yn 1889, megis y *Glandinorwig*, y *Glanperis*, y *Glanpadarn* a'r *Glanivor* – roedd y buddsoddi yn y tair gyntaf yn seiliedig ar y system 64 rhan, a 300 o gyfranddaliadau ar gael yn y *Glanivor* am £50 yr un.[29] Yr argraff a geir yw nad oedd merched o fuddsoddwyr yn ddieithr i'r busnes llongau. Ond pa mor amlwg oeddynt fel buddsoddwyr?

Yn netholiad Aled Eames o longau Môn dim ond 15 o'r 153 o gyfranddalwyr oedd yn ferched, sef ychydig dros 9 %. Gwelwyd bod trigolion plwyf gwledig arfordirol Llanallgo wedi bod yn buddsoddi mewn llongau, ac o'r 334 o fuddsoddwyr yn llongau'r plwyf hwnnw roedd 12% yn ferched. Sut oedd hynny'n cymharu â phorthladd masnachol pwysig fel Cas-gwent? O gofio prysurdeb y porthladd a'r ffaith fod llongau yn ganolog i fywyd y dref byddwn yn disgwyl i ferched fod yn amlwg iawn fel buddsoddwyr, yn llawer amlycach felly na phlwyf gwledig fel Llanallgo. Ond allan o gyfanswm o 1,125 o fuddsoddwyr yn y llongau a gofrestrwyd yno rhwng 1786 ac 1882, dim ond 49 oedd yn ferched, sef ychydig dros bedwar y cant. Yn ôl y tair enghraifft uchod felly, lleiafrif pendant oedd y merched o fuddsoddwyr, fel y byddwn yn ei ddisgwyl, ond roedd yr union niferoedd yn amrywio o ardal i ardal.

Os oedd merched yn y lleiafrif o ran buddsoddi, yna a oedd enghreifftiau o fwy nac un ddynes yn buddsoddi mewn llong yr un pryd neu hyd yn oed o longau gyda mwyafrif y buddsoddwyr yn ferched? Yn netholiad Eames o 33 o longau Môn, dim ond yn achos pedair ohonynt y bu i ddwy ddynes neu fwy fuddsoddi yn yr un llong yr un pryd, er i dair fuddsoddi yn un ohonynt. Ond yn achos y *Margaret Ann*, sgwner 116 tunnell a adeiladwyd yng Nghemaes, Môn, yn 1840 roedd Ann Price, Jane Parry a Jane Hughes yn dair o gyfanswm o 14 o fuddsoddwyr yn y llong honno ac felly'n lleiafrif amlwg. Tebyg oedd yr hanes o safbwynt llongau Llanallgo gyda dim ond chwech o'r 68 llong â mwy nag un fuddsoddwraig yn yr un llong ar yr un pryd. Yng Nghasgwent wedyn, wyth llong allan o gyfanswm o 363 o longau yn unig oedd â mwy nag un ddynes yn buddsoddi ar yr un pryd, er bod un llong yno hefyd gyda thair buddsoddwraig. Felly, hyd yn oed pan fyddai nifer o ferched yn buddsoddi yn yr un llong ar yr un pryd ymddengys eu bod yn parhau mewn lleiafrif sylweddol.

Roedd eithriadau, mae'n amlwg, fel y dadlenna achos yr *Elizabeth and Jane*. Adeiladwyd y slŵp 56 tunnell hon yng Nghaernarfon yn 1813 ac roedd naw o'i deg buddsoddwr o ardal Bae Moelfre a Thraeth Coch yn nwyrain Môn.[30] Er bod pob un o'r tri perchennog-danysgrifiwr yn ddynion roedd pedair o'r saith perchennog cyffredin yn ferched. Roedd Jane Williams yn wraig i'r bonheddwr Edward Williams, un o fuddsoddwyr amlycaf plwyf Llanallgo yn y cyfnod hwn, ac Elizabeth Williams o Draeth Coch, Jane Owen o Lanbedrgoch a Jane Matthews o Lerpwl, ill tair yn wragedd gweddw. Erbyn 1826 gwelwyd newidiadau pellach ymhlith y buddsoddwyr gydag union nifer y cyfranddaliadau yn nwylo pob buddsoddwr wedi ei nodi. Erbyn hyn roedd y perchnogion-danysgrifiwyr, eu cyfeiriad, eu galwedigaethau a'u cyfranddaliadau fel a ganlyn:

William Williams, Llanallgo, morwr – 6

Hugh Owen, Traeth Coch, iwmon – 4

Robert Roberts, Llaneugrad, gweinyddwr ystâd y diweddar John Roberts, Traeth Coch, morwr – 8

Y perchnogion cyffredin oedd:

Edward Williams, Glanrafon, Llanallgo, ffermwr – 8

Jane Williams, Glanrafon, Llanallgo, gwraig Edward Williams – 2

William Prichard, Traeth Coch, morwr – 8

Elizabeth Williams, Traeth Coch, gweddw – 16

Jane Owen, Rallt, Llanbedrgoch, gweddw – 4

Ann Jones, Pentraeth, gweddw a gweinyddwr ystâd y diweddar William Jones, ffermwr – 4

Jane Matthews, Lerpwl, gweddw – 4

Yr hyn sydd yn unigryw am yr *Elizabeth and Jane* yn 1826, o'i chymharu â gweddill llongau Llanallgo, yw bod hanner ei chyfranddalwyr yn ferched, rhywbeth a oedd yn bell o fod yn gyffredin. Llawn bwysiced yw'r awgrym, er i fwyafrif y merched dderbyn eu cyfranddaliadau fel gweddwon, eu bod yn fuddsoddwyr gweithredol gan iddynt gadw eu gafael ar eu buddsoddiad. Yr unig eithriad oedd Ann Jones a drosglwyddodd ei phedair cyfran hi i'w mab, John Jones. Mae'n anodd dadansoddi'r cysylltiad rhwng y merched, a gweddill y buddsoddwyr, â'i gilydd ac eithrio'r elfen ddaearyddol amlwg. Mae'n debygol fod sawl cyswllt teuluol yn eu plith, er nad oes tystiolaeth bendant yn y cofrestrau. Er bod Jane Matthews o Lerpwl, er enghraifft, roedd o leiaf pedwar buddsoddwr o ddynion â'r cyfenw Matthews yn ardal Llanallgo a Penrhosllugwy yn negawdau cynnar y ganrif ac un ferch o'r enw Matthews o Lerpwl (mae ei henw cyntaf yn aneglur) yn fuddsoddwr yn y *Rachel* rhwng 1809 ac 1811. Hefyd fe wyddom fod Israel Matthews o Roscolyn ar Ynys Cybi yn hwylio ar longau, ac yn fuddsoddwr efo, Owen Williams oedd yn berchennog llongau mwyaf amlwg plwyf Llanallgo yn y cyfnod hwn gan gynnwys yr *Elizabeth and Jane*.[31]

Er yr achos unigol uchod, awgryma'r dystiolaeth yn gryf mai byd dynion oedd byd perchnogaeth llongau bron yn gyfan gwbl am ran fawr o'r bedwaredd ganrif ar bymtheg, boed hynny mewn porthladdoedd masnachol neu gymunedau gwledig yr arfordir. Ond a oedd hynny'n parhau'n wir erbyn diwedd y ganrif?

Roedd mordaith gyntaf y stemar *Aberdeen* i Awstralia yn 1881 yn drobwynt yn hanes y llong gan ei bod yn cadarnhau effeithiolrwydd economaidd y llongau stêm, a hynny ar draul y llongau hwyliau. Roedd hefyd yn arwydd o ddechrau'r diwedd i unigolion cyffredin cefn gwlad a'r cymunedau morwrol bychain o safbwynt gallu prynu a rhedeg eu llongau eu hunain, er y byddai'n ddeugain mlynedd eto cyn i hynny ddigwydd yn derfynol. Ond er bod goruchafiaeth llongau stêm ar y gorwel, roedd diddordeb anhygoel mewn llongau hwyliau mawr erbyn y saith degau a dechrau'r wyth degau ac roeddynt yn gyfle gwych i bobl fuddsoddi. Yn sicr bu cynnydd yn nifer trigolion y glannau a chefn gwlad a fuddsoddai mewn llongau yn hwyrach yn y ganrif.

A oedd rhan merched yn y buddsoddi hwnnw wedi cynyddu'n sylweddol erbyn blynyddoedd olaf y bedwaredd ganrif ar bymtheg felly? Pan adeiladwyd llong newydd i Gwmni William Thomas, y *Kate Thomas*, yn 1885, roedd 79 o gyfranddalwyr a chyfanswm o 165 o gyfranddaliadau. Dim ond 13 ohonynt (16%) oedd yn ferched, wyth ohonynt yn briod. Dwy alwedigaeth yn unig a nodwyd ar gyfer y merched, sef tŷ tafarn yr Union Inn, Trefriw a Swyddfa'r Post yn Llanrug. Gwelir felly fod rhai merched yn parhau i fanteisio ar y cyfle i fuddsoddi drwy gydol y ganrif ond yn sicr nid oeddynt yn tra arglwyddiaethu.

Beth am ardal y chwareli a'i hymgais hi i fuddsoddi ym myd y llongau? Fe welwyd eisoes fod merched ymhlith ystod eang o fuddsoddwyr a roddodd eu ffydd yn y cwmnïau cydgyfalaf cyfyngedig yn Sir Gaernarfon yn y 1870au a'r

1880au. Ond pa mor amlwg oedd merched ymhlith y buddsoddwyr? Cawn fraslun drwy edrych yn benodol ar wragedd gweddw a merched di-briod fel canran o fuddsoddwyr yn y cwmnïau hynny.

Ffigur 3
Gwragedd gweddwon a merched di-briod fel canran o fuddsoddwyr yng nghwmnïau'r *North Wales Shipping Co. Ltd,* *Arvon Shipping Co. Ltd, Gwynedd Shipping Co. Ltd,* *Eryri Shipping Co. Ltd* a'r *Bethesda Shipping Co. Ltd*

Cwmni (a nifer a chost y cyfranddaliadau)	Gwragedd gweddwon a merched di-briod fel canran o'r buddsoddwyr	Canran yr holl gyfranddaliadau oedd yn nwylo gwragedd gweddwon a merched di-briod
North Wales Shipping Co. Ltd (10,000 o gyfranddaliadau @ £30)	3%	1%
Arvon Shipping Co. Ltd (5,000 o gyfranddaliadau @ £20)	4%	3%
Gwynedd Shipping Co. Ltd (5,000 o gyfranddaliadau @ £20)	3%	2%
Eryri Shipping Co. Ltd (300 o gyfranddaliadau @ £30)	6%	13%
Bethesda Shipping Co. Ltd (1,000 o gyfranddaliadau @ £10)	11%	11%

Ffynonellau: Aled Eames, *Ventures in Sail*, 198; David Jenkins, 'Llongau y Chwarelwyr – Investments by Caernarfonshire Slate Quarrymen in Local Shipping Companies in the Late Nineteenth Century', *Cylchgrawn Hanes Cymru*, Cyfrol 22, Rhif 1 (Mehefin 2004), 84.

Yn yr uchod gwelir rhai patrymau diddorol. Roedd y ganran uchaf o ferched o fuddsoddwyr, sef 11%, i'w cael yn y cwmni a oedd yn gofyn y pris lleiaf am eu cyfranddaliadau a fyddai, gellir dadlau, yn fwy tebygol o fod o fewn eu cyrraedd. Ond, i'r pegwn eithaf, er mai ond 6% o ferched a fuddsoddodd yn un o'r ddau gwmni drutaf, sef Cwmni Eryri, roeddynt yn berchen ar 13% o'r cyfranddaliadau, sef 2% yn fwy nag yn achos cwmni Bethesda. Efallai fod hyn yn adlewyrchu'r ddau begwn o fuddsoddwyr o blith merched, sef y rhai a oedd yn awyddus i wella eu byd gan weld cyfle yn y byd llongau ar y naill law, a rhai merched mwy cefnog oedd yn gallu buddsoddi mwy fel y dymunent ar y llall.

Mae hyn yn codi cwestiwn parthed pa ganran o gyfranddaliadau mewn llongau oedd yn nwylo merched, yn arbennig yn y cymunedau morwrol traddodiadol hynny lle'r oedd buddsoddi mewn llongau hwyliau o goed yn rhan bwysig o'u hanes. Yn ei hastudiaeth fanwl o bum porthladd yn Lloegr a Chernyw, sef Exeter, Fowey, Lynn, Whitby a Whitehaven, mae Helen Doe wedi dangos fod merched yn amlwg iawn fel buddsoddwyr.[32] Er enghraifft, yn Whitby yng ngogledd ddwyrain Lloegr, yn 1865 roedd 371 o longau wedi eu cofrestru yn y porthladd gyda merched yn berchen ar 12% o'r cyfranddaliadau. Yn Exeter, yn y de orllewin, yn yr un flwyddyn roedd 109 o longau ar y gofrestr gyda merched yn berchen ar 28% o'r cyfranddaliadau. Er mai sampl cyfyng a gynigir yma o rai o borthladdoedd Cymru o'i gymharu ag ymchwil Doe, yr hyn sydd yn amlwg yw bod merched Cymru yn fuddsoddwyr cyson mewn llongau.

Yn yr achosion a ganlyn cyfyngir y sampl i'r llongau hynny lle nodwyd nifer y cyfranddaliadau yn nwylo pob buddsoddwr. Yn achos plwyf Llanallgo roedd merched yn 13% o fuddsoddwyr y llongau hynny, yn berchen ar 11% o'r cyfranddaliadau. Ond yn netholiad Aled Eames o longau Môn roedd yr 14% o ferched o fuddsoddwyr yn berchen ar 7% o'r cyfranddaliadau yn unig. Cadarnhawyd y duedd hon yn netholiad Lewis Lloyd o 36 o longau Pwllheli, gydag ond 3.5% o'r cyfranddaliadau yn nwylo merched er eu bod bron yn 9% o'r buddsoddwyr yn y llongau hynny. Tebyg oedd yr achos yng Nghas-gwent hefyd gyda merched yn 7% o'r buddsoddwyr ac yn berchen ar 3% o'r cyfranddaliadau.

Ydy'r ffaith fod ym mhlwyf Llanallgo'r ganran uchaf o ran merched o fuddsoddwyr, a chanran uchaf y cyfranddaliadau yn eu meddiant yn dangos mai tlodi cefn gwlad oedd yn cynnig y cyfle iddynt fuddsoddi? Yn sicr roedd economi byrlymog trefi porthladd fel Pwllheli a Chas-gwent yn golygu fod gan y dosbarth masnachol – dynion bron yn ddieithriad – y cyfalaf angenrheidiol rhyngddynt i fuddsoddi. O'r herwydd, fe dybir, nid oedd yn rhaid ymestyn y rhwyd i gynnig cyfranddaliadau i ferched i'r un graddau ag yn achos y cymunedau anghysbell tlodaidd. Diddorol yn yr achos hwn yw i fuddsoddwyr o Amlwch, porthladd led ffyniannus ar y pryd, a Chaergybi, oedd yn prysur ddatblygu, fod yn ganolog i ddetholiad Eames o longau Môn. Ond o'r 46 o fuddsoddwyr o'r ddau borthladd, dwy yn unig oedd yn ferched, sef Jane Jones, gwraig weddw o Amlwch ac un o saith buddsoddwr yn y slŵp 64 tunnell *Marquis of Anglesey* yn 1826 a Margaret Williams, groser o Gaergybi ac un o dri buddsoddwr yn yr *Earl of Uxbridge*, brig 120 tunnell yn 1787.[33]

Yr hyn sy'n sicr yw i ferched fod yn rhan annatod o'r cydweithio a'r cyd-fuddsoddi oedd yn allweddol i lwyddiant y busnes llongau yng Nghymru, ble bynnag y porthladd. Ond, roedd yr hyn a unai buddsoddwyr yn aml yn gymhleth iawn gan ddibynnu ar amrywiol ffactorau. Yn y cyswllt hwn hefyd, roedd merched ymhell o fod ar y cyrion.

Y berthynas rhwng buddsoddwyr

Yn ei astudiaethau ef o amrywiol borthladdoedd gogledd orllewin Cymru, Caernarfon a Phwllheli yn benodol, awgryma Lewis Lloyd fod mwyafrif y buddsoddwyr wedi eu cysylltu drwy waed, briodas, crefydd neu oherwydd eu bod yn gymdogion.

Roedd y cysylltiad teuluol ar sail gwaed neu briodas yn fwy amlwg yn achos merched ar y cofrestrau llongau oherwydd, fel y gwelwyd eisoes, roedd mwyafrif y merched o fuddsoddwyr wedi eu cofnodi fel gwragedd, gweddwon neu ferched di-briod a oedd, yn aml iawn, yn chwaer neu'n ferch i fuddsoddwr o ddyn. Er enghraifft, yn achos y *Winifred*, brig 189 tunnell gros a adeiladwyd ym Mhorthmadog yn 1866, ei pherchnogion ar y pryd oedd John Owen, Tŷ Fry, Porthmadog, oedd â 56 cyfran, gyda'r gweddill yn nwylo teulu Tŷ Fry, Sir Feirionnydd, gyda Richard Owen, ffermwr, â phedair cyfran, William Owen, hefyd yn ffermwr, oedd â dwy gyfran a Margaret Owen, merch ddi-briod, hithau yn berchen ar ddwy gyfran.[34]

Yn yr un modd roedd i Gas-gwent amrywiol deuluoedd o fuddsoddwyr gyda merched yn eu plith. Un o deuluoedd masnachol amlycaf y dref borthladd honno oedd y teulu Buckle ac roedd y cyntaf o'r teulu, John Buckle, a fu farw yn 1794, yn berchen ar gyfranddaliadau mewn o leiaf saith o longau. Adeiladodd ei fab, George, ar lwyddiant ei dad gan fuddsoddi mewn 27 llong ac roedd hefyd yn unig berchennog tair llong arall. Gwraig George Buckle oedd Sarah Mutlow oedd yn chwaer i Thomas Mutlow, masnachwr gwin a pherchennog llongau. Pan fu farw George Buckle yn 1824 roedd ei fab, John, yn berchen ar dair llong ei hun ac yn fuddsoddwr ar y cyd mewn deg arall, gan ddal rhai fel ymddiriedolwr dros Ann Wakeman yn unol ag ewyllys ei dad. Pan fu farw John Buckle yr ieuengaf yn 1845, ei weddw, Temperance Maria, oedd ei ysgutores a bu iddi hi ail briodi â John Clifford o Cheltenham oedd hefyd yn fuddsoddwr mewn llongau.[35]

Weithiau roedd y cyswllt teuluol rhwng buddsoddwyr ychydig yn llai amlwg. Fel oedd yn wir yn achos nifer o longau a ddaeth i ddwylo buddsoddwyr o ogledd Cymru, adeiladwyd y sgwner *Thomas Mason*, 62 tunnell, yn un o borthladdoedd gogledd orllewin Lloegr, sef Runcorn, yn

1838. Erbyn 1893 ei pherchnogion oedd adeiladwr llongau o'r porthladd hwnnw, Samuel Mason, oedd â 16 o gyfranddaliadau a thri buddsoddwr o Fangor: John Owen Davies, ffermwr; Catherine Ann Davies, merch ddi-briod oedd yn chwaer i John Owen Davies mae'n fwy na thebyg; a Mary Eliza Owen. Nid yw'n amlwg a oedd hi'n perthyn i'r Daviesiaid – ond gwelwn mai ei chysylltiad hi â'r llong oedd ei gŵr, a oedd yn gapten arni, sef James William Owen. Yn ffodus, gwerthodd y tri eu cyfranddaliadau'r flwyddyn honno – oherwydd bu i'r *Thomas Mason: 'become a total wreck on West Hoyle Bank near Hoylake on the 14th October 1894.'*[36]

Deuai llong i ran merch weithiau drwy'r modd mwyaf annisgwyl. Roedd y sgwner *Snaefell* (79 tunnell net) a adeiladwyd yn Barnstaple yn 1876 yn nwylo Robert Marks o Glangors, Llanbedrog, yn 1904; ond bu farw'r flwyddyn honno heb adael ewyllys. Rhoddwyd llythyrau gweinyddu i Lizzie Evans o Lanbedrog, gwraig y Capten Evan Evans oedd yn gapten ar y *Snaefell* ar y pryd. Hi felly ddaeth yn berchennog ar y sgwner gyfan gan ddal pob un o'r 64 cyfran.[37]

Er i'r enghreifftiau uchod awgrymu mai cael eu denu fel buddsoddwyr yn sgil buddsoddwyr o ddynion oedd profiad merched o fuddsoddwyr, byddai hynny'n ddarlun gor-syml. Gallai'r cyswllt rhwng buddsoddwyr o ran gwaed a phriodas fod yn gymhleth iawn gan guddio rhan bwysig merched yn y darlun ehangach. Pan gofrestrwyd y barc *M. A. Evans* yn Aberystwyth yn 1864, er enghraifft, roedd 13 o fuddsoddwyr o ddynion, pob un o dri phlwyf yng ngogledd Ceredigion. O ran galwedigaethau roeddynt yn cynnwys wyth ffermwr yn ogystal â dilledydd, groser, cyfrwywr, bonheddwr, melinydd, crydd ac un capten llong, oedd yn gapten ar yr *M. A. Evans* ei hun. Nododd astudiaeth wedi ei chanoli ar y Capten Jenkin Davies fod gweddill y buddsoddwyr yn perthyn iddo naill ai drwy waed neu briodas, gan gynnwys tri ewythr, dau gefnder, ei dad-yng-nghyfraith a brawd hwnnw. Ond mae'r goeden deulu a ganlyn, Ffigur 4, sy'n dangos y berthynas deuluol rhwng perchnogion y llong yn 1864, hefyd yn amlygu fod merched yn gyswllt pwysig rhwng yr amrywiol ganghennau ac, o'r herwydd, yn hanfodol i'r broses o sicrhau buddsoddiad yn y llong.[38]

Ffigur 4
Y Berthynas Deuluol rhwng Perchnogion y Barc *M A Evans* pan gofrestrwyd hi yn gyntaf yn 1864

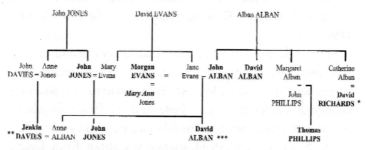

*   David RICHARDS gyda 12 cyfran yw'r Rheolwr Berchennog
**   Jenkin DAVIES gyda 6 cyfran yw'r Meistr
*** Prynodd y David ALBAN hwn 2 gyfran yn 1871

Ffynhonnell: John Rowlands, 'Family Connections and Ship Ownership', Cylchgrawn Cymdeithas Hanes Teuluoedd Ceredigion, Cyfrol 3, Rhif 7 (Chwefror, 2004), 162, a thraethawd ymchwil MPhil: 'Investment in Shipping: North Cardiganshire in the Nineteenth Century', John Rowlands.

Er i sefydlu'r drefn o fuddsoddi drwy gyfrwng cwmnïau llongau cydgyfalaf cyfyngedig olygu newid enfawr yn y dull o berchnogaeth llongau ni fu i ddylanwad teulu, na merched, ddirywio. Yn 1898 roedd cyfalaf y Celtic Shipping Co. Ltd o Gaerdydd, cwmni James Jenkins a W. J. Williams, yn £11,700 wedi ei rannu'n 1,170 cyfranddaliad oedd ar werth am £10 yr un ac fe'u prynwyd o fewn dim. Roedd y cyswllt teuluol yn parhau'n bwysig yn yr achos hwn gan i gant o'r cyfranddaliadau gael eu prynu gan aelodau o deulu

James Jenkins yng Nghaerdydd ac Aber-porth, ac roedd ugain yn nwylo teulu ei ddyweddi, sef Miss Catherine Jones o Lanfairpwll. Ond bu'n rhaid taflu'r rhwyd yn ehangach er mwyn sicrhau gwerthiant y cyfranddaliadau i gyd ac, yn ôl David Jenkins, mae'n sicr mai dylanwad W.J. Williams a Miss Catherine Jones (oedd o Lanllechid yn wreiddiol) oedd yn gyfrifol am y nifer a fuddsoddodd o gymunedau chwarelyddol y gogledd.[39]

Yr hyn sydd yn anodd ei bennu wrth gwrs yw i ba raddau yr oedd merched yn gyfrifol am dynnu buddsoddwyr o ddynion at ei gilydd, yn arbennig os nad oes cyfeiriad penodol at wraig o fuddsoddwr ar gofrestr. Mae'n ddigon posibl bod nifer o ferched yn chwiorydd yng nghyfraith i fuddsoddwr a enwir, er enghraifft, ac mai hwy oedd wedi crybwyll y buddsoddiad yn wreiddiol. Mae'n debygol iawn y byddai gwraig wedi bod yn allweddol wrth drafod buddsoddiad posibl efo'i gŵr ac mai ei gair hi a arweiniodd at y buddsoddiad hwnnw. Nid yw'n amhosibl nac yn annhebygol i ddwy wraig fod wedi trafod buddsoddi mewn llongau a bod y drafodaeth honno, yn ei thro, wedi dod â dau fuddsoddwr o ddynion at ei gilydd. Yn anffodus, mae diffyg tystiolaeth am drafodaethau o'r fath yn golygu bod elfen gref o ddyfalu yn hanfodol yma. Ond ni ddylai absenoldeb enw benywaidd ar restr o fuddsoddwyr olygu nad oedd merched yn rhan o'r trafodaethau ac yn allweddol yn y trafodaethau hynny, yn arbennig pan fyddai cyswllt drwy waed neu briodas.

Y Cyswllt Daearyddol

Cyn cyfnod y cwmnïau mawrion modern, un peth oedd yn sicr yn tynnu buddsoddwyr at ei gilydd oedd daearyddiaeth: yn syml, byddem yn disgwyl i fwyafrif buddsoddwyr, gan gynnwys y merched, ddod o'r un porthladd a'i gyffiniau. Yn ôl Lewis Lloyd yn ei astudiaeth o berchnogion llongau Pwllheli, roedd buddsoddi mewn llongau yn adlewyrchu'r cydweithio cyffredinol rhwng plwyfi'r ardal. Ei gasgliad ef oedd bod perchnogaeth llongau yn y Gymru wledig yn: '*kind of co-operative, small scale and almost communal capitalism.*'[40]

Adlewyrchir hyn i raddau helaeth iawn yn nosbarthiad daearyddol y buddsoddwyr yn llongau Llanallgo. Nid yw'n syndod bod 17% o'r holl fuddsoddwyr yn dod o'r plwyf, nac ychwaith fod 55% yn dod o weddill Môn, sef cyfanswm o 72% o'r ynys. Mae hyn yn gwrthddweud dadl Aled Eames fod buddsoddi mewn llongau Môn yn nwylo pobl o'r tu allan i'r ynys ar y cyfan (er mai cyfeirio at y cyfnod cyn yr 1830au yn benodol yr oedd o).[41] Er bod 15% yn dod o weddill Cymru, pwysleisir natur ranbarthol y buddsoddwyr drwy'r ffaith mai dim ond un o'r 51 o fuddsoddwyr o Gymru oedd o'r de i Ben Llŷn, sef Aberddawan ym Morgannwg, tra deuai 36 ohonynt o Sir Gaernarfon. O gofio'r cysylltiadau amlwg rhwng gogledd Cymru a gogledd orllewin Lloegr nid yw'n syndod ychwaith i'r mwyafrif llethol o'r 9% o fuddsoddwyr o Loegr ddod o'r ardal honno, gyda 19 o'r 29 unigolyn yn dod o Lerpwl yn benodol.

Beth am y merched? Roedd 18% o'r holl ferched o fuddsoddwyr yn dod o blwyf Llanallgo, 48% o weddill Môn, 26% o weddill Cymru ac 8% o Loegr. Gwelir felly fod 66% o'r merched o fuddsoddwyr yn dod o Fôn, sy'n cymharu'n ffafriol â'r 72% o'r holl fuddsoddwyr oedd yn dod o'r ynys. Yn ôl y disgwyl efallai, roedd 34% o'r holl fuddsoddwyr o ferched yn dod o blwyf Llanallgo a'i phlwyfi cymdogol. Ymddengys felly fod y cydweithio rhwng trigolion plwyfi lleol a chymunedau rhanbarthol eraill yn achos llongau Llanallgo yn wir am ferched yn union fel yn achos y dynion. Ond roedd y darlun yn fwy cymhleth mewn gwirionedd.

O'r 183 o fuddsoddwyr o weddill Môn, sef y tu allan i blwyf Llanallgo, roedd deunaw ohonynt yn ferched – ond er bod pocedi o fuddsoddwyr ar draws yr ynys roedd nifer y merched yn amrywio'n fawr iawn o ardal i ardal. Un o'r ardaloedd a oedd â chasgliad o fuddsoddwyr yn llongau Llanallgo oedd de ddwyrain yr ynys, sef yr ardal o Borthaethwy i Benmon a'r cyffiniau, gyda 18 o fuddsoddwyr a 5 ohonynt yn ferched. Roedd dwyrain yr ynys, sy'n ymestyn o Lanfairynghornwy hyd at Lanfair yn Neubwll, gan gynnwys Ynys Cybi, â chyfanswm o 33 o fuddsoddwyr ond dim ond un ohonynt oedd yn ddynes. Y tu allan i blwyf Llanallgo, tref Amlwch oedd â'r nifer uchaf o fuddsoddwyr gyda chyfanswm o 31 o fuddsoddwyr, ond heb yr un wraig yn eu plith! Yn amlwg felly roedd buddsoddi mewn llongau yn clymu amryw bentrefi a threfi'r glannau wrth ei gilydd, yn debyg iawn i dde ddwyrain Sweden lle profodd pentref Pukavik gysylltiadau cryfion â phentrefi llongau cymdogol de-ddwyrain Scania.[42] Ar y llaw arall, nid oedd yr un buddsoddwr o ddynion na merched i'w cael yn llongau Llanallgo o dde orllewin Môn. Mae angen ymchwil trylwyr i fuddsoddwyr cymunedau bychain eraill Môn, yn debyg i'r un a gafwyd o blwyf Llanallgo, cyn y gallwn gael darlun cyflawn o batrymau buddsoddi merched a'u dosbarthiad daearyddol.

Sut oedd buddsoddwyr yn llongau Pwllheli yn cymharu â chyfranddalwyr llongau Llanallgo? Rhaid cofio fod y ddwy gymuned yn wahanol iawn i'w gilydd; roedd Pwllheli'n ganolfan drefol eithaf sylweddol ei maint, yn dref farchnad a oedd yn gwasanaethu ardal eang ac roedd hefyd yn borthladd adeiladu llongau o bwys. Mae detholiad o longau Pwllheli yn astudiaeth Lewis Lloyd yn rhoi sampl o 37 o longau sy'n cynnig cyfle i ni ddadansoddi dosbarthiad daearyddol rhai o fuddsoddwyr llongau'r porthladd hwn. Yn netholiad Lloyd roedd 20% o'r holl fuddsoddwyr yn dod o'r dref ei hun gyda 36% arall yn dod o Ben Llŷn. Gyda 18% o Sir Feirionnydd hefyd, gellir dadlau fod cyfanswm o 74% yn fuddsoddwyr o'r un rhanbarth yn adlewyrchu'r math o batrwm a gafwyd o safbwynt llongau Llanallgo. O'r un rhanbarth roedd canran y merched o fuddsoddwyr yn 67%, sydd eto yn cydredeg yn fras â sefyllfa llongau'r plwyf bach anghysbell ym Môn (er y dylid cadw mewn cof bod lleoliad 14% o ferched o fuddsoddwyr y sampl ym Mhwllheli yn anhysbys ac mae'n bosibl bod nifer o'r rhain o'r un fro).

O weddill buddsoddwyr llongau Pwllheli roedd saith y cant yn dod o weddill Cymru ac, fel yn achos Llanallgo, roedd pob un heblaw un o'r gogledd (yr eithriad oedd Aberdaugleddau y tro hwn). Roedd 16% o'r buddsoddwyr o'r tu allan i Gymru (15% o Loegr ac 1% o'r Iwerddon) oedd yn uwch o'i gymharu â llongau Llanallgo. Deuai'r buddsoddwyr o ddynion o ardal ehangach nag yn achos Llanallgo hefyd – Bryste, Cheshire, Hampshire, Caer, Manceinion, Middlesex a Chernyw – ond roedd dominyddiaeth o ardal Lerpwl, gyda chyfanswm o 25 o fuddsoddwyr, yn adlewyrchu sefyllfa Llanallgo. Roedd wyth o'r buddsoddwyr yn llongau Pwllheli o Lundain sydd, mae'n debyg, yn cadarnhau fod gan borthladd Pwllheli gysylltiadau masnachol a morwrol amrywiol â'r byd morwrol ehangach. Yn achos y merched o fuddsoddwyr roedd 19% ohonynt yn dod o Loegr: tair buddsoddwraig o Lerpwl ac un o Lundain, gan adlewyrchu'r patrwm ymhlith y dynion o fuddsoddwyr eto.

Fel y disgwyl, deuai mwyafrif y buddsoddwyr o gymunedau morwrol y glannau. Roedd 85% o holl fuddsoddwyr Môn yn llongau Llanallgo yn dod o blwyfi'r arfordir, ac felly hefyd 88% o'r buddsoddwyr o ferched. Yn achos llongau Pwllheli roedd 98% o holl fuddsoddwyr y rhanbarth yn dod o blwyfi'r arfordir ac roedd yr un peth yn wir am bob un o'r buddsoddwyr o ferched. Pam roedd cymaint o ferched o fuddsoddwyr o gymunedau'r glannau? Yn amlwg roeddynt yn byw mewn cymunedau ac / neu wedi eu magu mewn cartref lle'r oedd y môr, llongau a buddsoddi yn rhan o fywyd bob dydd. Gellir dadlau hefyd fod profiadau merched yn y cartref morwrol, gyda'r dynion oddi cartref am gyfnodau sylweddol, yn eu gwneud yn wragedd annibynnol oedd wedi hen arfer â thrin a thrafod materion ariannol y cartref, a thu hwnt i'r cartref hefyd. Yn sicr nid rhywbeth estron oedd y môr a'i bethau i'r merched hyn – onid naturiol fyddai iddynt hefyd fod yn allweddol o safbwynt buddsoddi mewn llongau?

Merched mentrus

Er bod amrywiol resymau dros i ferched ddod yn gyfranddalwyr mewn llongau yn y lle cyntaf, yr hyn sydd yn sicr yw bod nifer ohonynt nid yn unig yn barod i fuddsoddi ond eu bod hefyd yn chwarae rhan amlwg yn y busnes llongau.[43]

Ond os am lwyddo yn y maes, yn fuddsoddwraig newydd neu'n brofiadol, rhaid oedd wrth wybodaeth a dealltwriaeth fanwl am gyfleodd i fuddsoddi. Roedd y rhain ar gael i rai trigolion y cymunedau morwrol ac roedd merched mewn sefyllfa cystal â dynion i gael mynediad at y wybodaeth honno. Roedd y drefn draddodiadol o fuddsoddi yn cael ei hybu drwy'r dull mwyaf syml ac amlwg, sef trafod wyneb yn wyneb â buddsoddwr arall neu rywun a oedd yn adnabod neu'n perthyn i fuddsoddwr. Felly roedd ffynonellau amrywiol megis teulu, cymdogion, capeli, cydnabod a chyfeillion oll yn allweddol i greu cysylltiadau. Roedd gwybodaeth am longau yn aml i'w gael mewn tafarndai – sydd yn rhannol esbonio pam y bu i nifer o dafarnwragedd fuddsoddi. Yn yr un modd roedd bywyd sawl cymuned yn cylchdroi o amgylch y capeli ac mae'n debygol fod hwn yn gyswllt arall, fel y gwelwyd yng ngyrfaoedd y Parchedig Rees Jones, oedd yn un o adeiladwyr a pherchnogion llongau'r cyfnod 1860-1878 yn y gogledd orllewin, a Samuel Roberts, perchennog llongau,

gŵr busnes a gweinidog gyda'r Methodistiaid Calfinaidd.[44]
Roedd dulliau eraill o hysbysu ar gael hefyd, yn arbennig
mewn trefi porthladd, wrth i adeiladu llongau mawrion
arwain at yr angen am fwy o fuddsoddwyr o gylch llawer
ehangach. Nid oedd angen hysbysebu'n eang efo'r drefn 64
rhan ac adlewyrchai hyn un fantais amlwg i'r dull hwn o
fuddsoddi, sef mai dim ond y rhai a fuddsoddai mewn llong
unigol a oedd yn gwybod am lwyddiant neu fethiant y llong.
Ond golygai datblygiad y cwmnïau cyfyngedig fod angen
mwy o gyfalaf ac felly roedd rhai cwmnïau yn barod i
hysbysebu'n eang. Yn awr rhaid oedd dibynnu ar asiant neu
unigolyn tebyg. Dull arall o gael gwybodaeth oedd drwy
gyhoeddiadau. Roedd newyddion am symudiadau llongau o
amgylch y byd, a llu o fanylion eraill am y busnes llongau, i'w
cael mewn amryw bapurau pwrpasol, *Lloyd's List* yr amlycaf
a'r hynaf ohonynt. Byddai morwyr a oedd gartref a
gwragedd i forwyr yn darllen y papurau hynny'n bennaf er
mwyn gwybod lle oedd gwŷr neu aelodau eraill o'r teulu ar
unrhyw adeg.[45] Roedd papurau newydd lleol hefyd yn
adrodd ar fyd llongau yn rheolaidd. Drwy ddarllen y
papurau hyn gallai merched a oedd mewn sefyllfa i
fuddsoddi ddod i ddeall llawer am fyd y busnes llongau.

Roedd y cyswllt crefyddol yn parhau'n bwysig. Bu cwmni
Evan Thomas Radcliffe, un o gwmnïau llongau cydgyfalaf
cyfyngedig amlycaf Caerdydd o 1880 ymlaen, yn dibynnu ar
y Parchedig J. Cynddylan Jones, gweinidog gyda'r
Methodistiaid Calfinaidd, i annog buddsoddi o du ei
gynulleidfaoedd oherwydd bod cystadlu brwd am
fuddsoddwyr o du'r byd llongau newydd.[46] Un o ganlyniadau
amlycaf y cystadlu rhwng y cwmnïau 64 cyfranddaliad a'r
cwmnïau cyfyngedig, a rhwng yr amrywiol gwmnïau
cyfyngedig eu hunain, oedd i nifer ohonynt ddechrau
hysbysebu faint o elw yr oedd eu buddsoddwyr yn ei gael, a
marchnata'n galed yn y gweisg lleol. Ond beth bynnag am y

dull o hysbysebu llwyddiant llong neu gwmni, yr hyn oedd yn allweddol oedd y buddsoddwyr.

Mae'r Cofrestrau Llongau'n dangos fod merched yn buddsoddi mewn pob math o longau o'r cychwyn cyntaf. Wedi penderfynu ar fuddsoddi, gallai merched fod yn berchen ar gymaint o gyfranddaliadau ag y dymunent ac nid oedd yn rhaid iddynt gyfyngu eu buddsoddiad i un llong. Roeddynt hefyd yn gallu bod yn berchennog-danysgrifiwr neu'n berchennog cyffredin ac yn amlwg roedd cyfle iddynt chwarae rhan weithredol iawn fel buddsoddwr, neu beidio wrth gwrs, fel pob buddsoddwr o ddyn.

Gwelwn i rai merched fod yn gyfranddalwyr parod a brwd wrth ddilyn buddsoddiadau yn y sgwneri *Lord Willoughby* a'r *Penelope* yng nghanol y bedwaredd ganrif ar bymtheg. Adeiladwyd y *Lord Willoughby* (71 tunnell) yng Nghonwy gan Richard Thomas a'i lansio ym Mehefin 1841.[47] Ei pherchnogion yn 1859 oedd:

Griffith Davies	siopwr	Bangor	(cydberchnogion
Evan Jones	ffermwr	Dinbych	16 cyfran)
Richard Williams	perchennog tŷ tafarn	Conwy	12 cyfran
Robert David	dilledydd	Conwy	20 cyfran
Peter Webster	fferyllydd	Conwy	16 cyfran

Bu farw Peter Webster yn 1857 a throsglwyddwyd ei gyfranddaliadau ef i'w weddw Catherine Webster, ynghyd â Richard Williams a Robert David fel cydberchnogion. Yn ôl bil gwerthiant yn 1862 gwerthwyd pedair o'r cyfranddaliadau hynny i'r Capten David Lewis, Moelfre. Nid mater o werthu er mwyn gwerthu oedd hwn, fodd bynnag. Roedd David Lewis yn amlwg wedi gweld potensial yn y llong oherwydd bu i Robert David a Richard Williams werthu pedair cyfran yr un o'u buddsoddiad eu hunain iddo hefyd.

Nid oes sicrwydd beth ddigwyddodd i weddill

buddsoddiad Catherine Webster yn y *Lord Willoughby* ond nid dyma ddiwedd ar fuddsoddi gan ferched yn y llong hon – gwerthodd Griffith Davies 16 cyfran i Margaret Townley, merch ddi-briod o Lanrwst. Mae'n amlwg iddi ddangos pen busnes oherwydd trosglwyddodd bedair ohonynt i David Lewis lai nag wythnos yn ddiweddarach. Felly perchnogion y llong, a nifer eu cyfranddaliadau, ar ddiwedd Chwefror 1864 oedd:

Robert Davies		24
David Lewis		16
Margaret Townley		12
Richard Williams	(cyd-	
Robert David	berchnogion)	12

Ond nid dyma ddiwedd hanes Catherine Webster o Gonwy a David Lewis o Foelfre. Roedd y *Penelope*, 87 tunnell, yn un arall o longau Conwy ac yn ôl bil gwerthiant yn Awst 1866 prynodd David Lewis wyth o gyfranddaliadau'r un gan John Cropper, contractiwr o Benbedw a thri o drigolion Conwy, Henry Jones, bonheddwr; William Owen, bragwr; Catherine Webster, gweddw, a Robert Davies, teiliwr a dilledydd.[48]

Golygai hyn fod David Lewis a Robert Davies yn gydberchnogion ar y *Penelope* ond pan fu farw Robert Davies yn 1876 daeth ei weddw, Elizabeth Davies, yn berchen ar ei gyfranddaliadau ef. Yn amlwg roedd Elizabeth Davies yn wraig fusnes hyderus oherwydd yn 1883 daeth yn unig berchennog y llong drwy brynu holl gyfranddaliadau David Lewis. Yn anffodus, gan adlewyrchu pa mor anwadal oedd buddsoddi mewn llong, ac yn sicr buddsoddi mewn un llong yn unig (os mai dyna a wnaeth Elizabeth Davies), collwyd y *Penelope* yn 1884.

Nid oedd buddsoddi wedi ei gyfyngu i ferched y trefi masnachol a threfi porthladd sylweddol yn unig. Roedd Traeth Coch, ar arfordir dwyreiniol Môn, yn borthladd prysur yn ystod y ddeunawfed ganrif a'r bedwaredd ganrif ar bymtheg. Roedd pysgota penwaig yn ddiwydiant pwysig yno ynghyd ag allforio cynnyrch amaethyddol a mewnforio nwyddau amrywiol i fasnachwyr lleol, ac roedd galw am dywod Traeth Coch fel gwrtaith. Yn y cyfnod hwn hefyd roedd y chwareli lleol yn brysur yn allforio, i ganolfannau diwydiannol gogledd orllewin Lloegr yn arbennig. Er mai ond ychydig o adeiladau oedd ar y traeth ei hun, un o'r adeiladau a adlewyrchai'r cyswllt rhwng amaeth a gweithgaredd morwrol oedd Tyddyn Glan y Môr. Fferm ydoedd yn wreiddiol ond cyn 1700 ychwanegwyd tŷ masnachwr a warws. Roedd sawl mantais i Dyddyn Glan y Môr, megis selerau a chyfleusterau storio sych a llwybr a redai'n syth at y cei. Ar ddiwedd y ddeunawfed ganrif Elizabeth Owen oedd yn byw yn Nhyddyn Glan y Môr. Priododd forwr o'r enw John Williams ond collwyd ef ar un o'i fordeithiau. Yn nhraddodiad teulu Tyddyn Glan y Môr bu Elizabeth Owen yn fasnachwraig lwyddiannus a gadwai storws i gadw'r amrywiol nwyddau a gyrhaeddai Traeth Coch.[49]

Roedd yr angen am gyfleusterau storio yn amlwg yn achos y slŵp *Molly*. Yn 1788 roedd John Hughes yn gapten ac yn un o berchenogion y *Molly*, 24 tunnell, ac roedd 75% o'r cargo a gludwyd ganddi rhwng 1790 ac 1800 yn nwyddau i'w trosglwyddo i'r Hen Siop ym Mhentraeth. Roedd John Hughes hefyd yn rhentu tai ym mhlwyf Llanbedrgoch a storysau a elwid yn *Quay* ar Draeth Coch gyda Thomas Jones ac Elizabeth Owen. Mae'n fwy na thebyg mai'r Elizabeth Owen hon, o gofio ei henw priod, yw Elizabeth Williams, y weddw a pherchennog y siop a oedd hefyd yn fuddsoddwraig amlwg yn lleol.

Yn ogystal â buddsoddi yn yr *Elizabeth and Jane*, y cyfeiriwyd ati eisoes, bu i Elizabeth Williams hefyd fuddsoddi mewn dwy long arall y gwyddom amdanynt. Llong leol iddi oedd y snow *Lady Robert Williams*, 167 tunnell, a adeiladwyd yn Nhraeth Coch yn 1821.[50] Hi oedd yr unig fuddsoddwr o fenyw y tro hwn ac roedd ardal ddaearyddol y buddsoddwyr yn llawer ehangach. Mae'n ddigon posibl mai'r llong gyntaf iddi fuddsoddi ynddi oedd y slŵp *Lydia*, 39 tunnell, a adeiladwyd yng Nghaernarfon yn 1803.[51] Unwaith eto hi oedd yr unig ddynes allan o wyth buddsoddwr a oedd yn cynnwys rhai dynion lleol a dau fuddsoddwr amlwg y cyfnod o blwyf Llanallgo. Erbyn 1824 roedd Elizabeth Williams yn un o dri berchennog-danysgrifiwr y *Lydia*:[52]

> Edward Williams, Llanallgo, ffermwr 8 rhan
> Owen Williams, Llanallgo, morwr 8 rhan
> Elizabeth Williams, Llanbedrgoch, gweddw 8 rhan

Cafwyd nifer o newidiadau a olygai fod merched eraill hefyd yn fuddsoddwyr ynddi erbyn 1830 ond roedd enw Elizabeth Williams erbyn hynny wedi diflannu.[53]

Rhaid oedd i wraig o fuddsoddwr gael pen busnes da. Gwelwn hynny wrth droi'n sylw at hanes Amelia Kirby o Gas-gwent. Dau o fuddsoddwyr amlwg y porthladd ym mlynyddoedd cynnar y bedwaredd ganrif ar bymtheg oedd Anthony Benson, cyn gapten llong, a'i bartner John Kirby, masnachwr. Mewnforio coed oedd John Kirby, o Norwy i gychwyn ac yna o Ogledd America. Dechreuodd gyrfa Amelia Kirby yn y busnes llongau, mae'n ymddangos, fel gwraig weddw pan ddaeth hi'n fuddsoddwraig yn y *Perseverance*, gyda 16 cyfranddaliad, yn dilyn marwolaeth John Kirby yn 1828. Bu hi'n gyd fuddsoddwraig ag Oliver Chapman (32 cyfran), masnachwr, a Thomas Chapman (16 cyfran) o Gas-gwent hyd at 1834; ac fe wyddwn mai hi oedd yn rheoli'r *Perseverance* pan gollwyd hi oddi ar arfordir yr Iseldiroedd wrth hwylio i St. Petersburg y flwyddyn honno. Roedd Amelia Kirby wedi buddsoddi mewn llongau eraill hefyd gan gynnwys 32 cyfran yn yr *Union* rhwng 1828 ac 1834, unwaith eto yn dilyn marwolaeth ei gŵr, ar y cyd â Richard Watkins, masnachwr o Gas-gwent. Ond yn dilyn ei farwolaeth ef yn 1836 gwerthodd hi ei rhan i berchennog llong o Rotherhithe yn Llundain. Etifeddodd Amelia hefyd 16 cyfran yn yr *Experiment* yn 1828 gan ddod yn gyd-fuddsoddwr â phedwar dyn, gydag Oliver Chapman yn brif fuddsoddwr. Gwerthodd y ddau ohonynt eu rhannau yn y llong yn 1834 ond roedd gan y ddau ohonynt 32 cyfran yr un yn yr *Henrietta* hyd at 1836, pan gollwyd y llong a'i chriw ar daith rhwng Iwerddon a Bryste. Roedd y bartneriaeth rhyngddi hi ac Oliver Chapman yn amlwg yn gryf a bu'r ddau ohonynt yn gydberchnogion ar yr *Eliza* yn 1828-29. Derbyniodd hefyd gyfranddaliadau yn y *Chepstow*, ac roedd hi'n un o ddeg buddsoddwr a werthodd y llong yn 1834 gydag wyth cyfran. Ond yr un flwyddyn fe fuddsoddodd hi bedair cyfran mewn llong arall o'r enw *Chepstow* a adeiladwyd yn y porthladd yn 1834 a daliodd ei gafael ar ei chyfran tan 1838. Mae'n amlwg fod y busnes llongau yn ei gwaed – prynodd dair cyfran yn y rhodlong stêm haearn *Wye* yn 1843.[54] Ymddengys fod gyrfa Amelia Kirby, a oedd wedi cychwyn gyda marwolaeth ei gŵr, yn un lwyddiannus gan ddangos fod merched yn amlwg yn gallu mentro'n hyderus yn y maes morwrol.

Bu i gyfraniad merched i lwyddiant y busnes llongau amlygu ei hun mewn amrywiol ffurfiau, fel y dengys hanes Anne Eliza Jones a chwmni Richard W. Jones and Company, Casnewydd.[55] Masnachwr mewn glo, haearn crai a choed ar gyfer y pyllau glo oedd Richard W. Jones yn wreiddiol ond yn dilyn llwyddiant y busnes penderfynodd ef a'i bartner, ei frawd Thomas, droi gorwelion y cwmni i gyfeiriad y busnes llongau. Eu llong gyntaf oedd y *Camargo*, llong stêm 940 tunnell gros a adeiladwyd yn Sunderland yn 1880 gan godi'r cyfalaf ar ffurf 64 cyfranddaliad. Nid oedd yr un o'r buddsoddwyr gwreiddiol yn ferched ond pan aethpwyd ati i brynu eu hail long yn 1882, y *Salerno* 1,354 tunnell gros, eto o Sunderland, roedd un wraig ymhlith y buddsoddwyr. Roedd Anne Eliza Jones yn wraig weddw, yn wreiddiol o Fryste ond yn byw yng Nghasnewydd ar y pryd a hi oedd mam Richard a Thomas Jones. Roedd eu tad wedi marw yn 1881 ac erbyn hyn roedd Anne Eliza Jones yn byw drws nesaf i Thomas. Awgryma Heaton fod yr agosatrwydd teuluol yn allweddol i lwyddiant y busnes a noda yn ogystal: '*Her support for her sons was boundless...*' Gwelwyd hynny yn 1890 pan fu farw Richard Jones a gorfu i'w frawd gymryd yr awenau yn gyfan gwbl. Un broblem a'i hwynebai yn syth oedd bod gweddw Richard, Helen, eisiau'r cyfalaf yr oedd ei diweddar ŵr wedi ei fuddsoddi. Golygai hynny fod yn rhaid i Thomas Jones ailstrwythuro arian y cwmni ac yn hyn o beth roedd cefnogaeth ariannol ei fam yn allweddol gan iddo orfod morgeisio 40 cyfran o'r *Bergamo* – llwyddodd i wneud hynny gyda'i chefnogaeth hi. Bu dynes arall yn allweddol yn yr ail strwythuro hefyd wrth i gyfaill i'r teulu, Miss Jayne, hithau gymryd 20 cyfran o'r *Alassio*. Er nad oedd Anne Eliza Jones yn barod i fod yn forgeisiwr yn llongau'r cwmni wrth i'r ddegawd fynd rhagddi fe barhaodd i gefnogi'r cwmni drwy brynu cyfranddaliadau. Bu farw yn 1901 a hynny wedi ugain mlynedd o gefnogi ei meibion, a bu'n asgwrn cefn ariannol i'r cwmni yn arbennig wedi marwolaeth Richard yn 1890.

Pa mor gyffredin oedd y merched mentrus hyn yn y byd morwrol? Un dull elfennol o fesur hynny yw i ni gymharu nifer y merched a fuddsoddodd mewn mwy nag un llong gyda'u cyfoedion o ddynion mewn amrywiol borthladdoedd Cymreig. Ar un lefel ymddengys fod merched yn llai mentrus. Ym Mhwllheli, nid oedd yr un o'r 21 o ferched yn fuddsoddwyr mewn mwy nag un llong ond mae'n debygol mai natur y sampl sydd yn gyfrifol am hynny. Er hynny, roedd o leiaf 12 o ddynion oedd yn buddsoddi mewn amrywiol longau; gyda bron pob un ohonynt naill ai ynghlwm yn uniongyrchol â'r busnes llongau, yn adeiladwyr llongau lleol, er enghraifft, neu'n fasnachwyr o amrywiol ganolfannau gan gynnwys rhai o borthladd Lerpwl. Roedd y sefyllfa ychydig yn well mewn ardaloedd eraill. Yn netholiad Aled Eames o berchnogion llongau Môn, does dim un o'r 15 merch wedi ei chofnodi fel buddsoddwraig mewn mwy nag un llong, ond roedd 22 o ddynion – allan o gyfanswm o 138 – wedi buddsoddi felly. Yn achos llongau Llanallgo, tair dynes yn unig allan o 38 oedd yn berchen ar gyfranddaliadau mewn mwy nag un llong o'i gymharu â 46 o ddynion allan o 295. Roedd y tair dynes hyn yn cynrychioli 7% o gyfanswm y merched o fuddsoddwyr ac roedd y 46 dyn yn 15% o'r buddsoddwyr gwrywaidd. Ar un olwg felly nid oedd merched mor barod – neu nad oedd yr un cyfleoedd ar gael iddynt – i fentro eu buddsoddiad mewn sawl llong, yn wahanol i'r dynion.

Cawn hanes cymuned o fuddsoddwyr mentrus o fenywod o gyfeiriad annisgwyl, a hynny ym mhorthladd Cas-gwent. Yno roedd merched yn 14% o'r holl fuddsoddwyr, sef 37 o unigolion, ond roedd 11 ohonynt yn berchen ar fwy nag un llong, sef yn agos at 30% ohonynt. Amelia Kirby oedd yr amlycaf o'u plith gyda'i buddsoddiadau eang, ac roedd Susannah Chapman, hetwraig a gweddw Oliver Chapman, y bonheddwr a masnachwr o Gas-gwent, yn fuddsoddwraig mewn pedair llong. Roedd gan Mary Bowsher, merch ddi-briod oedd, mae'n debyg, yn perthyn i un o deuluoedd masnachol pwysig eraill Cas-gwent, fuddsoddiad mewn tair llong ac felly hefyd Margaret Davis (gweddw a masnachwraig win), hithau hefyd o Gas-gwent. Yna ceir casgliad o ferched oedd â chyfranddaliadau mewn dwy long. Deuai rhai ohonynt o Gas-gwent megis Ann Newman (gweddw masnachwr), Elizabeth Sayes (merch ddi-briod), Frances Kynvin (gweddw) a Mary Benson (gweddw masnachwr). Roedd y gweddill yn dod o ardaloedd cefn gwlad a adlewyrchai bwysigrwydd Cas-gwent i ardal enfawr a'r cyfleoedd yr oedd bwrlwm yr economi leol yn ei roi i'r rhai oedd am fuddsoddi mewn llongau a chychod yr afonydd. Y tair dan sylw oedd Ann Pritchard, gweddw morwr o Dyndyrn; Mary Williams, oedd hefyd yn weddw morwr o Landogo a Susanna Biss, gweddw masnachwr ŷd o Henffordd. Gwelir mai gweddwon oedd pob un ond dwy o'r uchod a'r mwyafrif ohonynt o'r dosbarth masnachol. Fel y crybwyllwyd eisoes ymddengys nad oedd yr un cyfleoedd i ferched o'r porthladdoedd masnachol fuddsoddi mewn llongau ag a oedd ar gael i ferched o gefn gwlad – ond mae hanes y gwragedd o fuddsoddwyr o Gas-gwent hefyd yn awgrymu i ferched lwyr fanteisio ar y cyfle i fod yn fuddsoddwyr mentrus pan ddeuai'r cyfle i'w rhan.

Dengys yr enghreifftiau uchod fod merched yn buddsoddi mewn llongau, ac yn elwa ar y buddsoddiadau hynny, mewn amrywiol ffyrdd gan gymryd diddordeb brwd yn eu buddsoddiadau. Roedd carfan arall, fodd bynnag, a oedd yn chwarae rhan fwy uniongyrchol fyth wrth geisio sicrhau llwyddiant i'w menter.

Rheolwyr Berchnogion
Nid oedd y rhai a fuddsoddai mewn llongau o reidrwydd yn deall amrywiol agweddau'r busnes llongau mewn manylder. Roedd realiti bywyd bob dydd y mwyafrif ohonynt, fel masnachwyr neu amaethwyr, er enghraifft, yn golygu nad oeddynt ychwaith yn gallu rhoi eu holl sylw na'u hamser i'w buddsoddiad. Er mwyn llwyddiant y fenter felly, fel arfer penodwyd un o'r buddsoddwyr yn rheolwr berchennog. Roedd rheolwr berchennog da yn allweddol i lwyddiant llong. Un o ddyletswyddau pwysig y swydd oedd cyfathrebu gyda gweddill y buddsoddwyr a chadw golwg ar bob agwedd o'r buddsoddiad. Ond nid oedd y swydd wedi ei chyfyngu i waith papur a chadw golwg dros faterion ariannol y llong yn unig. Roedd y rheolwr berchennog yn gorfod gwneud penderfyniadau allweddol, ar frys weithiau, felly roedd

angen dealltwriaeth a gwybodaeth fanwl i allu gwneud y swydd yn iawn. O gofio bod rhai merched yn fuddsoddwyr brwd a mentrus, a nifer ohonynt o gefndir neu gymunedau morwrol, yna ni ddylai fod yn syndod i ni fod merched yn gweithredu fel rheolwyr berchnogion. Er ei bod yn bosibl i rai o'r merched fod yn rheolwyr berchnogion mewn enw yn unig, yn sicr roedd nifer ohonynt yn amlwg fel rheolwyr berchnogion wrth gynorthwyo gŵr o gapten neu gapten berchennog er enghraifft, ac eraill yn gweithredu'n llawn fel rheolwr berchennog drostynt eu hunain. Pwysleisia Doe fod y sgiliau yr oedd ar reolwyr berchnogion eu hangen yn eang ac yn gymhleth, ac nad cadw llyfrau'n unig oedd eu dyletswydd. Rhaid oedd meddu ar gysylltiadau, yn gymunedol a theuluol, a'r gallu i gydweithio gydag ystod eang o bobl. Ar lefel ymarferol, rhaid oedd gallu cyfrifo a meddu ar sgiliau rheoli da ac, yn allweddol, bod â dealltwriaeth o'r gyfraith ac yswiriant morwrol.[56]

Pa mor amlwg oedd merched fel rheolwyr berchnogion llongau porthladdoedd Cymru? Cawn syniad bras o'u niferoedd diolch eto i Aled Eames, y tro hwn yn ei gyfrol *Ventures in Sail*, sy'n rhestru llongau hwyliau oedd dan reolaeth perchnogion o Gymry yn siroedd Môn, Caernarfon a Meirionnydd, ynghyd â rhai o Gei Conna a Lerpwl yn 1881. Allan o 673 o longau 14 yn unig, sef 2%, oedd â merched o reolwyr berchnogion.[57] Roeddynt yn dod o amrywiol leoliadau ar hyd y gogledd gydag ond un yn unig nad oedd o borthladd neu blwyf morwrol (gweler Ffigur 5 drosodd).

Mae'r trosolwg hwn yn dangos mai 2% o ferched yn unig oedd yn rheolwyr berchnogion yn 1881, ond cawn ddarlun ychydig yn wahanol os edrychwn ar y sefyllfa ym Mhwllheli yn 1879. Roedd honno'n flwyddyn arwyddocaol yn hanes y porthladd hwnnw wrth i dros ganrif o adeiladu llongau hwyliau ddod i ben. Fel y nodwyd eisoes, erbyn hyn roedd

Ffigur 5

Merched o Reolwyr Berchnogion 1881

(detholiad o longau hwyliau oedd dan reolaeth perchnogion o Gymry yn siroedd Môn, Caernarfon, Meirionnydd, ynghyd â rhai o Gei Conna a Lerpwl)

Enw'r Llong	Rig	Man Adeiladau	Pryd	Tunelledd Cofrestredig	Rheolwraig Berchennog	Cyfeiriad
Cambrian	Sgwner	Bangor	1860	56	Mrs. Ellen Edwards	Tanymaes, Caernarfon
Clarence	Sgwner	Sankey, Sir Gaerhirfryn	1829	51	Mary Thomas	Brynhyfryd, Caernarfon
Commerce	Flat	Runcorn	1812	46	Mrs. Phoebe Lewis	Llanrwst
Ellen	Sgwner	Runcorn	1841	62	Mary Owens	Frondeg, Llandegfan
Fairlie and Jane	Sgwner	Ayr	1853	52	Mrs. Catherine Roberts	Bangor
G. H. Beavan	Sgwner	Appledore	1869	87	Jane Reney	Cei Conna
Galloway Lass	Barcentin	Gorlestown	1862	104	Mrs. Wm. Roberts	Y Felinheli
Hannibal	Brig	Hayle	1868	199	Mrs. Mary Roberts	Fairlow, Nefyn
J.W.V.	Sgwner	Feock, Cernyw	1871	68	Mrs. Elizabeth Bellis	Cei Conna
Jane and Ann	Sgwner	Pwllheli	1832	51	Mrs. May Williams	Penyparch, Nefyn
Rebecca	Barcentin	Prince Edward Island	1859	99	Mrs. Ann Jones	29 New St., Porthmadog
Sarah Lloyd	Slwp	Llandudno	1863	34	Mrs. S. Lloyd	Mostyn St., Llandudno
Scotia	Sgwner	Portland, New Brunswick	1837	55	Sarah Parry	58 Pool Side, Caernarfon
Unicorn	Sgwner	Caernarfon	1848	91	Mrs. Catherine Roberts	Albert Place, Bangor

Ffynhonnell: Aled Eames, *Ventures in Sail*, 'Atodiad B: Sailing Vessels Managed by Gwynedd Owners in Mercantile Navy List, 1881'.

trigolion y gogledd orllewin yn rhoi eu ffydd fwyfwy yn y llongau hwyliau mawr ac yn raddol gefnu ar fuddsoddi yn llongau bychain y glannau. Roedd 59 o longau hwyliau yn perthyn i Bwllheli yn 1879 ac roedd chwech o'r llongau hynny yn nwylo rheolwyr berchnogion o ferched, sef ychydig dros 10%. Ond nid oedd yr un o'r merched yn rheolwr berchennog ar fwy nag un llong o'i gymharu â'r deg dyn oedd â chyfrifoldeb dros ddwy long neu fwy, fel yn achos Hugh Hughes a'i Gwmni o Bwllheli oedd yn berchen ar yr *Ariel*, y *Jane* a'r *Twelve Apostles*.[58] Efallai mai'r rheswm am hyn oedd nad oedd merched eisiau mwy o gyfrifoldeb, neu eu bod yn gweithredu ar un llong deuluol yn unig, o bosibl wedi ei hetifeddu.

Gweler isod fanylion y chwe merch a oedd yn rheolwyr berchnogion yn llongau Pwllheli, a'r llongau, yn 1879:

> Mrs Jane Davies, Nefyn, *Polly Preston*
> Mrs Jane Griffith, Nefyn, *Cossack*
> Mrs Ellen Parry, Nefyn, *Profit and Loss*
> Mrs Mary Parry, Nefyn, *Jane and Ellen*
> Mrs Ann Roberts, Nefyn, *Nevin*
> Mrs M. Roberts, Nefyn, *Hannibal*

Sylwn yn syth fod pob un o'r chwe dynes yn dod o un o borthladdoedd bychain hynafol Cymru. Er bod y dynion o reolwyr berchnogion yn dod o amryw borthladdoedd Pen Llŷn roedd 13 ohonynt hwythau'n dod o Nefyn, porthladd yr oedd iddo hanes morwrol a ymestynnai ymhell i'r Oesoedd Canol. Gan mai ciplun yn unig a geir yma yna nid yw'n bosibl ystyried pam mai o Nefyn y deuai pob un o'r merched hyn, beth oedd y sefyllfa dymor hir yn y porthladd hwnnw parthed y cydbwysedd rhwng merched a dynion o reolwyr berchnogion dros amser, nac ychwaith pa mor gynrychioliadol oedd Nefyn o'i gymharu â phorthladdoedd o amrywiol faint ar hyd arfordir Cymru. Yr hyn sydd yn sicr yw bod merched yn gweithredu fel rheolwyr berchnogion a rhai ohonynt yn flaengar iawn.

Cawn gip ar fywyd bob dydd merched yn y busnes llongau yn achos Mary Jones o Lanfihangel-y-traethau yn ystod degawdau olaf y bedwaredd ganrif ar bymtheg. Roedd hi'n briod â'r Capten Griffith Jones, y Ferry Arms, Llanfihangel-y-traethau, oedd yn berchennog ar y *Theda*, sgwner 149 tunnell a adeiladwyd ym Mhwllheli yn 1876. Bu'r Capten farw heb wneud ewyllys yn 1882 ac etifeddodd ei weddw, Mary Jones, ddau forgais yr oedd ei gŵr wedi eu sicrhau ar y *Theda*. O ganlyniad derbyniodd un morgais am £600 a llog ar 16 cyfran, a morgais arall am £700 a llog ar 48 cyfran. Fe ail briododd Mrs Jones gan ddod yn Mrs Mary Lloyd (1846-1917). Yn ogystal â bod yn rheolwr berchennog ar y *Theda* roedd hi hefyd yn cadw gwesty'r Belle Vue yn Harlech. Ymddengys ei bod yn rheolwr berchennog trylwyr iawn gyda phen busnes amlwg ac fe arferai gyfarfod â'r *Theda* pan gyrhaeddai Porthmadog er mwyn trafod pob manylyn am ei mordaith gyda'r capten, gan dalu sylw i unrhyw reswm pam y byddai'r llong yn hwyr. Awgryma Lewis Lloyd na fyddai hynny'n wir yn achos y Capten Thomas Ellis o Harlech gan y byddai ef yn gallu rhoi adroddiad i Mrs Lloyd yn y Belle Vue! Yn Nhachwedd 1893 cafodd y *Theda* ei dal ar y lan ger Fleetwood a gorchmynnodd Mrs Lloyd iddi gael ei gwerthu. Y flwyddyn ganlynol daeth hi'n unig reolwr berchennog ar sgwner tri mast newydd sbon, sef y *Mary Lloyd* o Borthmadog.[59] Roedd Mrs Lloyd yn enghraifft o wraig a oedd yn amlwg yn meddu ar sgiliau busnes hanfodol a phrofodd hynny o fantais iddi hi pan drodd at fod yn rheolwr berchennog ei llongau ei hun.

Ymddengys fod Mrs Gwen Owens o Borthmadog o gefndir gwahanol iawn ac nad oedd ganddi'r un profiad o fusnes pan ddaeth hi'n berchennog ar y *Carl and Louise* yn ddirybudd yn 1878. Brigantin 169 tunnell a'r llong fasnachol olaf i'w hadeiladu ym Mhwllheli, yn 1878, oedd y *Carl and Louise*. Y prif fuddsoddwr ynddi oedd y Capten John Roberts a morgeisiodd ef ei 44 cyfran gyda'r North and

South Wales Bank er mwyn sicrhau ei gyfrif cyfredol. Bu farw heb wneud ewyllys yn 1878 a gweinyddwraig ei ystâd oedd Mrs Gwen Owens, gwraig labrwr o'r enw Owen Owens o Borthmadog yn 1879. Cafodd y morgais ei ddarfod (*discharged*) yn 1879 a cham cyntaf Gwen Owens oedd morgeisio ei 44 cyfran i William Jones, Porthmadog, syrfëwr, am £1,120 a llog o 5% y flwyddyn. Cafodd y morgais hwnnw ei ddarfod yn ei dro ar Dachwedd 14, 1881 a'r un diwrnod fe werthodd hi 24 cyfran i Ellis Jones o Gaernarfon a morgeisiodd hi'r 20 cyfran oedd yn weddill am £285 a llog o 5% y flwyddyn i Thomas Hughes o Bwllheli a William a Griffith Pritchard o Borthmadog, brocwyr llongau. Yn Ionawr 1883 penodwyd William Pritchard yn rheolwr ar y llong gan Gwen Owens. Roedd y drefn yma o forgeisio yn rhan bwysig o'r busnes llongau, a byd busnes yn ehangach wrth gwrs, ac ymddengys fod Gwen Owens cystal ag unrhyw ddyn yn y mater hwn.[60] Er nad oedd hi'n amlwg o gefndir morwrol nac yn flaengar wrth ymdrin â busnes y llong o ddydd i ddydd, mae'n ymddangos, rhaid cofio ei bod hi'n byw mewn cymuned lle'r oedd perchnogaeth llongau yn greiddiol i fywydau nifer o'i thrigolion.

Roedd hynny'n wir yn achos Aber-porth hefyd a dengys gyrfa Anne Jenkins fod aelodau benywaidd o deulu o berchnogion llongau yn meddu ar y cefndir a'r gallu i lwyddo yn y maes eu hunain. Fel y nodwyd eisoes roedd tad Anne Jenkins, John Jenkins, wedi dod yn gapten a pherchennog ar y *James* yn 1882, gan roi 16 cyfran i Anne a'r un nifer i Jane, ei ferch arall. Ymddeolodd Capten Jenkins o'r môr ar ddechrau'r 1890au ac yn 1893 trosglwyddodd fwyafrif ei gyfranddaliadau yn y llong i Anne. Un o'i chamau cyntaf hi oedd ei hailadeiladu gyda rig badlong gyda'r nod o barhau i hwylio'r glannau. Yn anffodus, roedd yr oes wedi newid – yn bennaf oherwydd cystadleuaeth o du'r rheilffyrdd – ac felly prin iawn oedd ei hymweliadau â phorthladdoedd Ceredigion. Yn hytrach bu'r

James yn brysur yn trampio gan gludo glo o dde Cymru i Borthmadog a Chaernarfon a dychwelyd gyda llechi. Ond nid oedd Anne Jenkins yn un am eistedd gartref ac ymddengys iddi hi hwylio ar y llong yn aml fel rheolwr busnes a'r gred yw ei bod yn hyddysg mewn mordwyaeth er nad oedd ganddi unrhyw gymwysterau ffurfiol. Nid oedd busnes i'r llong yn gwbl lewyrchus fodd bynnag a bu'n gorwedd i fyny (hynny yw, nid oedd yn gweithio) rhwng Hydref 1908 a Mehefin 1910. Ond llwyddodd Anne Jenkins i redeg y *James* tan 1929.[61] Er y dirywiad ym masnach y glannau, ac er y problemau dyrys a wynebai llongau fel y *James* yn sgil cystadleuaeth o sawl cyfeiriad, mae'r ffaith i Anne Jenkins lwyddo i'w rhedeg cyhyd, waeth pa mor llwyddiannus fu hi o safbwynt ariannol, yn dysteb i'w gallu a'i chymeriad hi.

Wrth roi sylw i reolwyr berchnogion o fenywod, er mor deilwng y sylw hwnnw, mae'n hawdd anghofio fod cenedlaethau o ferched wedi cyfrannu i lwyddiant sawl menter forwrol a bod y cyfraniad hwnnw bron yn y dirgel. Nid oeddynt hwy gan amlaf wedi eu cofnodi yn fuddsoddwyr nac yn rheolwyr berchnogion, ond roedd eu cyfraniad i lwyddiant y busnes llongau lawn bwysiced, a hynny'n deillio'n bennaf o'u rôl fel gwraig a mam y teulu o gapten berchennog.

Llaw Dde'r Gŵr

Roedd gwragedd yn allweddol i lwyddiant capteiniaid a theuluoedd morwrol a oedd yn berchen ar longau. Fe gynigai cymunedau morwrol gyfleoedd i ddynion a merched cyffredin godi mewn statws – cyfle nad oedd ar gael mewn nifer o feysydd eraill megis amaethyddiaeth. Gallai bachgen fynd i'r môr yn ddeuddeng mlwydd oed a chodi i fod yn gapten llong cyn cyrraedd ei ugeiniau, a thrwy fentro ac elfen o lwc ymhlith sawl ffactor arall, gallai ddod yn berchen ar ei long ei hun, neu hyd yn oed fod yn fuddsoddwr mewn fflyd, gan dorri i mewn i'r dosbarth cyfalafol bychan a dod yn gyflogwr.[62] Nid pawb yn y cymunedau morwrol fyddai'n ceisio, nac yn llwyddo i, ennill y math yma o ddyrchafiad, incwm a statws cymdeithasol ond roedd yn sicr yn sbardun i lawer. Heb unrhyw amheuaeth roedd cyfraniad gwragedd i lwyddiant y fenter yn allweddol, hyd yn oed os nad oedd hi'n buddsoddi ei hun nac yn chwarae rhan amlwg yn rhedeg y busnes o ddydd i ddydd.

Mewn cymunedau lle gwelwyd buddsoddi mewn llongau fel agwedd amlwg o'r economi leol byddai merched yn llwyr ymwybodol o'r manteision, a'r disgwyliadau, wrth briodi morwr uchelgeisiol; neu drwy briodi i mewn i deulu o gapteiniaid / perchnogion llongau. Fel hyn y llwyddodd ugeiniau o ferched ifainc y glannau i sicrhau dyfodol lled gysurus iddynt eu hunain. Yn yr un modd byddai'r morwr uchelgeisiol a briodai ferch i deulu o berchnogion llongau hefyd yr un mor ymwybodol o'r cyfleoedd a fyddai'n codi'n sgil yr uniad. Mae'n amlwg hefyd fod aelodau rhai teuluoedd wedi priodi â'i gilydd gyda synnwyr busnes yn ystyriaeth bwysig. Ond, fel y noda Finley yn ei astudiaeth o un teulu morwrol o berchnogion llongau yn New Brunswick yng Nghanada: *'This did not necessarily mean material wealth, rather it might mean bringing much needed occupational skills into the family circle.'*[63] Byddai sawl mantais i'r capten ifanc o fuddsoddwr wrth briodi merch ifanc i deulu o forwyr: y ffaith ei bod hi'n dod o gefndir morwrol ac o'r herwydd yn gwybod beth oedd ystyriaethau ac anghenion cartref morwrol. Roedd hi hefyd yn sylweddoli'r disgwyliadau a'r gwaith caled fyddai ei angen ganddi hi os oedd menter ei gŵr i lwyddo.

Yr hyn sydd yn ei gwneud hi'n anodd wrth geisio mesur cyfraniad y wraig i lwyddiant capten neu gapten berchennog yw nad oes llawer o dystiolaeth i ddangos sut yr oedd gwraig yn cyfrannu at fywyd economaidd y teulu morwrol yn y cartref. A yw'r ffaith fod nifer o ferched o fuddsoddwyr yn weddwon, er enghraifft, yn cuddio'u cyfraniad nid ansylweddol i lwyddiant y busnes cyn hynny?[64] Ar y llaw arall, gan fod i ferched le canolog yn y cartref morwrol gellir awgrymu sawl agwedd bwysig i'w cyfraniad. Roedd nifer o ffactorau a alluogodd gapten a pherchennog llong i lwyddo. Roedd angen iechyd a nerth corfforol, parodrwydd i weithio'n galed, tipyn o lwc, synnwyr busnes da a chydweithrediad da o ran criw a buddsoddwyr. Roedd gwraig dda y tu cefn i'r capten / perchennog yn llawn mor allweddol – byddai hithau hefyd angen iechyd a nerth corfforol, bod yn barod i weithio'n galed a meddu ar ben busnes da o ran economi'r cartref, oedd yn agwedd bwysig ar lwyddiant busnes oedd yn fusnes teuluol i bob pwrpas. Yn ychwanegol at hynny, gan fod elfen o statws yn perthyn i gapten a pherchnogion llongau, roedd lle amlwg i wraig y capten gyfrannu yn gymdeithasol ac yn ddiwylliannol hefyd, yn arbennig o gofio absenoldeb y gŵr am gyfnodau maith.

Yn amlwg mae'r berthynas rhwng mam a thad a'u dylanwad ar y plant, a'r berthynas rhwng aelodau'r teulu i gyd, yn allweddol i fywyd teuluol ar sawl lefel. Rhaid cofio hefyd bod y fam yn ganolog i fywyd beunyddiol y teulu, a bod iddi ei gwaith a'i dyletswyddau o fewn y cartref, a oedd yn aml yn ychwanegol i'w chyfraniad pe byddai hi hefyd yn fuddsoddwraig neu'n rheolwr berchennog, er enghraifft. Mewn cartref morwrol roedd absenoldeb y gŵr yn sicr yn effeithio ar y rhyngweithio o fewn teulu. Mewn sefyllfa o'r fath roedd dylanwad y fam yn allweddol, ac nid oedd hynny wedi ei gyfyngu i'r plant – roedd ei dylanwad ar ei gŵr llawn bwysiced gan mai hi oedd sylfaen y cartref o ddydd i ddydd. Mae'n anodd iawn asesu'r dylanwad hwn wrth gwrs, ond yn amlwg byddai agweddau megis uchelgais y fam, sgwrs y cartref pan fyddai'r tad i ffwrdd ac agwedd y fam tuag at y bywyd morwrol yn siŵr o ddylanwadu ar y gŵr ac ar y plant. Yn achos un teulu yn St. Martins yn New Brunswick: *'it was the energy, determination and confidence of Rachel Vaughan which*

supported her hubsand David's first attempts at shipbuilding,' a hi
hefyd ddylanwadodd ar ei meibion i barhau â busnes y teulu.[65]
Roedd merched yn amlwg yn gallu dylanwadu'n bositif ar y
cartref pe byddent yn cymryd diddordeb mewn materion
morwrol. Ar y llaw arall, gellir gorbwysleisio dylanwad y fam
hefyd oherwydd ceir enghreifftiau di-rif mewn sawl cartref o
amgylch glannau Cymru o fam yn ceisio perswadio mab i
beidio â dilyn llwybr morwrol, ond yn ofer!

Wrth gyfeirio at fuddsoddi mewn llongau yn benodol un o'r
ffactorau a oedd yn bwysig i lwyddiant mentro oedd
ymddiriedaeth a chyfrinachedd. Roedd yn rhaid wrth elfen o
hyn rhwng buddsoddwyr neu fuddsoddwyr posibl ond
weithiau rhaid oedd trafod y tu hwnt i'r grŵp cyfrin hwn. Yn
hyn o beth roedd gan wraig i fuddsoddwr rôl bwysig. Cawn gip
ar yr agwedd hon yn achos y *Jane*, slŵp 50 tunnell, yn 1797.
Yn ôl y gofrestr roedd hi yn nwylo Owen Williams, Llanallgo
a William Jones, Bangor. Ond roedd perchennog arall nas
enwyd ar y Gofrestr, sef Robert Thomas; gŵr a ddaeth, maes
o law, yn un o'r perchnogion llongau amlwg yn hanes cynnar
Bangor fel canolfan forwrol o bwys. Awgryma Myrvin Elis-
Williams ddau reswm posib pam nad oedd ei enw ef ar y
Gofrestr.[66] Yn y lle cyntaf roedd cyfnod o amser rhwng prynu
rhan o long a'i gofnodi ar y Gofrestr ac, yn ail, mae'n bosibl
ei fod yn awyddus i gadw ei berchnogaeth yn gyfrinachol am y
rheswm syml ei fod yn lanfawr ym Mhorth Penrhyn ac nad
oedd am i neb ei gyhuddo o roi ffafriaeth i'r *Jane*. Yr hyn sydd
o ddiddordeb i ni yma yw ei sylwadau ar ei fuddsoddiad a'r
elw posibl yn ei lythyr i'w wraig Susanna (Mawrth 1797):

> Dear Love, … Last Friday I have paid £40 for a Quarter of
> a vessel which perhaps will be [aneglur] in a short time.
> She is called the *Jane* of Beaumaris 50 tons burthen. We
> may have £100 profit on her but think to get more. She
> may earn what she cost in a short time. Please keep it to
> yourself I have not sed one word to any one in this world

about the Vessel but to the other owners You are the first
that I mensioned about the matter. She is verry safe as
presant. We mean to get her to be Irish Trader.[67]

Adeiladwyd y *Jane* yn 1787. Os cymerwn fod y gost o'i
hadeiladu yn debyg i gost yr *Unity* a'r *Darling* y cyfeiriwyd
atynt eisoes yna costiodd £9 y dunnell, sef cyfanswm o £450
(ychydig dros £7 y gyfran). Os oedd Robert Thomas wedi
talu £40 am chwarter y llong golygai hynny bod ei gwerth
tua £160 (sef £3 2s y dunnell neu £2 10s y gyfran). Awgryma
Mark D. Matthews mai'r llongau hynny a oedd yn costio'r
lleiaf oedd y rhai a oedd *'considerably depreciated by use.'*[68]
Os felly ai teg fyddai awgrymu fod buddsoddwyr fel Robert
Thomas yn chwilio am 'fargeinion' yn y gobaith o wneud
elw sylweddol a sydyn? Roedd hap a damwain yn rhan
annatod o'r busnes wrth gwrs – wedi'r cyfan, fe suddodd y
Jane yn 1800 ac ni wyddys os llwyddodd y buddsoddwyr i
wneud yr elw yr oeddynt yn gobeithio ei gael. Ond yng
nghyd-destun yr astudiaeth hon, fodd bynnag, y cymal
allweddol yn ei lythyr yw'r cais iddi beidio â thrafod y mater.

Yn amlwg ni allai drafod gyda neb arall y tu allan i'r grŵp
o fuddsoddwyr felly roedd i'w wraig rôl bwysig fel clust y
gallai Robert Thomas droi ati. Yn anffodus, mae'r math yma
o dystiolaeth yn brin a rhaid i ni yn aml awgrymu
pwysigrwydd yr elfen hon wrth drafod y cysylltiad rhwng
perchnogion llongau a'u gwragedd.

Un o fanteision mawr bod yn gapten a pherchennog ar long
hwylio'r glannau oedd bod llafurlu parod a phrofiadol ar
gael yn y gymuned leol. Hyd yn oed yng nghanol yr ugeinfed
ganrif gyda chwmnïau mawrion yn dominyddu'r byd
morwrol â hyfforddiant a chymwysterau proffesiynol a
sianelau swyddogol, wrth benodi criwiau llongau byddai
ambell gapten yn parhau i ddibynnu ar gysylltiadau lleol, llai
proffesiynol, wrth sicrhau criw i'w long. Yn hyn o beth bu i

ferched rôl bwysig, os nad allweddol, yn y broses o recriwtio criw llong.

Ceir hanes hir mewn sawl cymuned forwrol o famau yn sicrhau gwaith i feibion y pentref. Er bod sawl ffordd o sicrhau gwaith i hogyn, gan gynnwys defnyddio cysylltiadau teuluol, roedd hynny yn gyffredin yn y rhan fwyaf o ardaloedd ac mewn sawl math o ddiwydiant. Roedd un drefn oedd yn unigryw i'r gymuned forwrol sef arferiad y fam o fynd at wraig capten lleol i holi am le i'w mab ar long ei gŵr. Ymddengys i ddegau o fechgyn fynd i'r môr yn dilyn sgwrs ragarweiniol rhwng dwy fam. Cymunedau bychain, clos oedd nifer o gymunedau morwrol Cymru a hawdd y gellid magu'r math yma o gysylltiad. Ar y llaw arall, erbyn diwedd y bedwaredd ganrif ar bymtheg a degawdau cynnar yr ugeinfed ganrif, roedd y dirywiad yn y fasnach arfordirol draddodiadol yn peri bod mwy a mwy o ddynion y cymunedau morwrol yn troi i gyfeiriad y porthladdoedd mawr, a'r cwmnïau llongau mawrion, am waith. Gyda chymaint o deuluoedd trefi fel Lerpwl a Chaerdydd yn wreiddiol o gymunedau morwrol arfordir Cymru, roedd cysylltiadau'n parhau'n bwysig, ond i raddau llai na'r gorffennol. Eithriad prin iawn mae'n debyg oedd y sefyllfa a fodolai yn Aber-porth lle trigai Miss Anne Jenkins, chwaer i James Jenkins, un o sylfaenwyr y cwmni llongau Jenkins Brothers o Gaerdydd y cyfeiriwyd ato eisoes. Byddai cartref y teulu, Fron-dêg, yn Aber-porth, yn gweithredu bron fel swyddfa recriwtio wrth i lanciau'r fro chwilio am eu cyfle cyntaf i hwylio'r moroedd.[69] Ond, er yn eithriad, parhad ar draddodiad oedd y dull hwn o gyflogi, ac un a bwysleisiai rôl y ferch yn y gweithgarwch.

Roedd gan wragedd i gapteiniaid a oedd yn berchen ar eu llongau eu hunain yn aml ddyletswyddau pwysig eraill i'w cyflawni er mwyn sicrhau y byddai pob agwedd o'r busnes yn rhedeg yn esmwyth. Ym mhentref Moelfre roedd Thomas Hughes, yn wreiddiol o blwyf Penrhos-llugwy, yn ddyddynwr ac yn gapten llong; ac wedi symud i Foelfre oherwydd ei bwysigrwydd fel porthladd a magwrfa morwyr, mae'n debyg.[70] Byddai Thomas Hughes yn derbyn cymorth Elisabeth ei wraig wrth drefnu ei fusnes hwylio'r glannau. Yn ôl y traddodiad llafar, wedi llwytho'i gargo byddai Capten Hughes yn anfon telegram at ei wraig yn eu tyddyn ym Moelfre. Hi wedyn fyddai'n gyfrifol am adael i fasnachwyr lleol wybod pryd a lle y byddai'r cargo'n cyrraedd: traeth Dulas gan amlaf. Er i'w long fod yn feithrinfa i'w feibion (a ddaethant yn berchnogion llongau yn eu tro), roedd llwyddiant y busnes yn dibynnu ar gyfraniad Elisabeth Hughes. Wedi'r cyfan, roedd hi'n wraig i gapten llong, yn gyfrifol am y tyddyn yn ei absenoldeb ac yn wniadwraig, a magodd saith o blant.

Un o'r plant hynny oedd Henry Hughes (geni 1866), ac un arall a anwyd ac a fagwyd yn y pentref oedd Siôn Ifan (John Evans – geni 1859). Bu cyndeidiau'r ddau yn hwylio'r moroedd ond er eu bod o'r un plwyf, roedd gwahaniaeth yn statws y ddau o fewn y pentref. Fel ei dad o'i flaen, roedd Henry Hughes yn gapten llong ac yn berchen ar nifer o longau yn ystod ei yrfa, a Siôn Ifan yn llongwr cyffredin, er iddo godi i safon mêt. Priododd y Capten Henry Hughes ferch o Abercegin ym Mangor, Catherine Emma Jones, a magodd y ddau wyth o blant yn eu cartref, Trem y Don, tŷ sylweddol ei faint a adeiladwyd ganddynt ger y môr. Roedd gan Siôn Ifan yntau deulu mawr, wyth o feibion ac un ferch, a bu ef a'i wraig Catrin, Saesnes o ardal New Brighton, yn byw yn un o dai Penrallt, tai teras bychain dwy ystafell wely. Yn ôl y traddodiad llafar, cytiau fu'r tai ar un cyfnod lle trigai pysgotwyr llymeirch o Guernsey tua chanol y bedwaredd ganrif ar bymtheg. Golygai'r gwahaniaeth mewn statws a'r ffaith eu bod yn byw mewn gwahanol rannau o'r pentref, nad oedd Catherine Hughes a Catrin Ifans yn cymysgu rhyw lawer. Ond roedd un cyswllt uniongyrchol rhwng y ddwy, fodd bynnag, sef bod Siôn Ifan yn hwylio'n aml fel mêt efo'r

Capten Henry Hughes. Roedd Capten Hughes yn amlwg yn ymwybodol o anhawster Catrin Ifans i gael deupen llinyn ynghyd, a'r demtasiwn a wynebai nifer o longwyr o gyfeiriad tafarndai'r porthladdoedd wedi iddynt gyrraedd y lan yn ddiogel o helbulon mawr y môr. Felly, pan gyrhaeddai'r Capten Hughes borthladd byddai'n sicrhau y byddai gan Siôn Ifan arian ar gyfer ymweld â'r lan ond, yn ôl ym mhentref Moelfre, byddai Catherine Hughes yn sicrhau fod gweddill y cyflog yn cyrraedd llaw Catrin Ifans. Mae'r digwyddiad syml hwn yn adlewyrchu un agwedd ar fywyd y gymuned forwrol a'r rhan a chwaraeai merched yn y gymuned honno. Nid mater o gydwybod cymdeithasol ar ran y Capten Henry Hughes yn unig oedd hyn. Roedd o'n weddol ifanc pan ddaeth yn gapten ac roedd Siôn Ifan yn fêt profiadol a hwyliai gyda Capten Hughes yn aml. Mae'n debyg fod profiad Siôn Ifan yn bwysig i'r Capten ac roedd sicrhau ei fod yn aros gyda'i long o, a'i gynorthwyo wrth sicrhau lles ei deulu, yn bwysig iddo. Roedd y ddwy wraig felly yn rhan o ddarlun mwy cymhleth na'r hyn sy'n amlwg yn y lle cyntaf.[71]

Clo

Yn groes i'r disgwyl, efallai, bu i ferched chwarae rhan bwysig iawn mewn sawl agwedd ar y busnes llongau yng Nghymru. Roeddynt yn fuddsoddwyr sylweddol ac er bod nifer ohonynt yn fuddsoddwyr goddefol roedd hynny hefyd yn wir am nifer fawr o fuddsoddwyr o ddynion. Yn sicr roedd nifer o ferched i'w cael a oedd yn fuddsoddwyr brwd ac yn llawn mor debygol o fentro ag unrhyw ddyn. Ond er y llu o enghreifftiau o ferched yn chwarae rhan ddistaw gefndirol mewn sawl agwedd o'r busnes llongau, ni ddylid diystyru pwysigrwydd y cyfraniad hwnnw ychwaith. Mewn sawl ystyr dim ond yn ddiweddar mae haneswyr wedi dechrau trafod o ddifrif gyfraniad, maint a dylanwad merched i'r system economaidd yn gyffredinol. Mae Doe yn pwysleisio'r angen am ymchwil i sawl agwedd ar ferched a'r busnes llongau nad ydynt wedi derbyn sylw hyd yma, gan gynnwys amrywiol fusnesau unigol, lle'r busnes hwnnw yn y diwydiant morwrol ehangach a'r penderfyniadau oedd yn allweddol i'r busnes.[72] Efallai fod natur y cymunedau morwrol Cymreig, y cyfleoedd economaidd amrywiol oedd yn rhan ohonynt, y pwyslais ar fusnesau bychain a natur annibynnol merched o fewn y cymunedau hynny, hefyd yn esbonio pam y bu i ferched hefyd fanteisio ar, a chyfrannu at, y busnes llongau yn lleol. Er mai megis cychwyn y drafodaeth o safbwynt eu cyfraniad i'r busnes llongau Cymreig y mae'r bennod hon, ymddengys fod pwysigrwydd merched i'r maes wedi ei danbrisio a bod angen rhoi llawer mwy o sylw i'w rôl o'i fewn.

Nodiadau

1   Am drafodaeth ar y berthynas rhwng y busnes llongau a hanes busnes yn gyffredinol gweler Lewis Johnman and Hugh Murphy, 'Maritime and Business History in Britain: Past, Present and Future?', *International Journal of Maritime History*, XIX, 1 (Mehefin 2007), 239-270. Rhoddir sylw penodol i longau'r glannau yn John Armstrong, 'Some Aspects of the Business History of the British Coasting Trade,' *International Journal of Maritime History*, XVIII, 2 (Rhagfyr 2006), 1-15.

2   Helen Doe, *Enterprising Women and Shipping in the Nineteenth Century* (Woodbridge,The Boydell Press, 2009).

3   Doe, *Enterprising Women*, 217.

4   Doe, *Enterprising Women*, 216-217.

5   Basil Greenhill, *Aspects of Late Nineteenth Century rural shipowning in southwestern Britain*, Maritime History Group Proceedings of the Conference of the Atlantic Canada Shipping Project March 31-April 2, 1977, 159.

6   Mark D. Matthews, 'Mercantile Shipbuilding Activity in South-West Wales', 1740-1829, *Cylchgrawn Hanes Cymru* 19, Rhif 3 (Mehefin 1999), 400-424.

7   Lewis Lloyd, *The Unity of Barmouth* (Caernarfon, Gwasanaeth Archifau Gwynedd/Gwasg Gee, 1977), 44.

8   Owain T. P. Roberts, 'The sloop *Darling* of Beaumaris, 1781 to 1893', *Cymru a'r Môr/Maritime Wales*, 7 (1983), 5-21.

9   Lewis Lloyd, *Pwllheli:The Port and Mart of Llŷn* (Caernarfon, Gwasg Pantycelyn, 1991), 167.

10 David Jenkins, 'Llongau y Chwarelwyr? Investments by Caernarfonshire

Slate Quarrymen in Local Shipping Companies in the Late Nineteenth Century', *Cylchgrawn Hanes Cymru*, Cyfrol 22, Rhif 1 (Mehefin 2004), 80-102.

11 Aled Eames, *Ventures in Sail: Asepcts of the maritime history of Gwynedd, 1840-1914, and the Liverpool connection* (Caernarfon, Gwasanaeth Archifau Gwynedd; Lerpwl, Merseyside Maritime Musuem, National Museums and Galleries on Merseyside; Llundain, National Maritime Museum, 1987), 179-205; Jenkins, 'Llongau y Chwarelwyr?', 84.

12 Eames, *Ventures in Sail*, 263-264.

13 Graeme J. Milne, 'North East England Shipping in the 1890s: Investment and Entrepeneurship', *International Journal of Maritime History*, XXI, 1 (Mehefin, 2009), 1-26.

14 Lloyd, *Pwllheli*, 166-67.

15 Jenkins, 'Llongau y Chwarelwyr?', 80-102.

16 Eames, *Ventures in Sail*, 179-205; Jenkins, 'Llongau y Chwarelwyr?', 84.

17 Mewn gwirionedd roeddynt wedi buddsoddi mewn llawer mwy o longau na'r ffigwr hwn, sy'n seiliedig ar Gofrestrau Llongau Biwmares (Gwasanaeth Archifau Gwynedd). Felly, er enghraifft, nid yw'r sampl yn cynnwys llongau dan 15 tunnell gan nad oedd rhaid iddynt hwy gael eu cofrestru, tra bod nifer o drigolion lleol hefyd yn buddsoddi mewn llongau a gofrestrwyd mewn porthladdoedd eraill.

18 Mike K. Stammers, 'The Welsh Sloop', *Cymru a'r Môr/Maritime Wales*, 21 (2000), 55-58.

19 J.G. Jenkins, *Maritime Heritage: the Ships and Seamen of Southern Ceredigion* (Llandysul, Gomer, 1982), 84.

20 Grahame E. Farr, *Chepstow Ships* (Cas-gwent, Cymdeithas Cas-gwent, 1954), 7.

21 Aled Eames, *Heb Long wrth y Cei: Hen Borthladdoedd Diflanedig Cymru* (Llanrwst, Gwasg Carreg Gwalch, 1989), 44.

22 David Jenkins, *Jenkins Brothers of Cardiff: A Ceredigion Family's Shipping Ventures* (Caerdydd, Amgueddfa Genedlaethol Cymru, 1985).

23 Hyderaf fod y termau perchennog-danysgrifiwr a pherchennog cyffredin yn dderbyniol ar gyfer *subscribing owner* a *non-subscribing owner*.

24 Am astudiaeth ar ferched o berchnogion llongau gweler Doe, *Enterprising Women*, 102-126.

25 Aled Eames, *Ships and Seamen of Anglesey* (ail.arg. Llanrwst, Gwasg Carreg Gwalch, 2011), 569-576. Argrafffiad Cyntaf (Llangefni, Cymdeithas Hynafiaethwyr a Naturiaethwyr Môn, 1973), 548-553.

26 Am restr o fuddosddwyr yn llongau Llanallgo gweler Robin Evans, *Ffarwel i'r Grassholm Gribog: Moelfre a'r Môr* (Llanrwst, Gwasg Carreg Gwalch, 2009), Atodiad 2.

27 Rwyf yn cyfyngu'r ffigur i'r merched hynny a nodwyd pan gofrestrwyd y llongau unigol, gan anwybyddu'r merched hynny sy'n ymddangos mewn amrywiol nodiadau gwerthiant a hynny yn aml dros dro am gyfnodau byr iawn.

28 Lloyd, *Pwllheli*, 165-199.

29 Jenkins, 'Llongau y Chwarelwyr?', 86-87, 93.

30 Gwasanaeth Archifau Gwynedd, Cofrestrau Llongau Biwmares, XSR 38/1813, XSR 57/1826.

31 Rwy'n ddiolchgar i'r diweddar R. R. Williams, Cymdeithas Hanes Teuluol

Gwynedd, am wybodaeth am hanes teulu Matthews yng ngogledd-orllewin Môn. Yn Moelfre cyfeirir at y teulu fel 'y Mathewiaid' ac mae'n weddol sicr fod 'y Mathewiaid' y cyfeirir atynt yma yn perthyn i'w gilydd.

32 Doe, *Enterprising Women*, 52-77.

33 Eames, *Ships and Seamen*, 570, 572-73. Argraffiad Cyntaf, 548-49, 551.

34 Aled Eames ac Emrys Hughes efo John Alexander, *Porthmadog Ships* (ail arg. Llanrwst, Gwasg Carreg Gwalch, 2009), 274. Argraffiad Cyntaf (Caernarfon, Gwasanaeth Archifau Gwynedd, 1975), 274.

35 Farr, *Chepstow Ships*, 8.

36 Gwasanaeth Archifau Gwynedd, XSR 12/1852.

37 Eames a Hughes, *Porthmadog Ships*, 258. Argraffiad Cyntaf, 258.

38 John Rowlands, 'Family Connections and Ship Ownership', *Cylchgrawn Cymdeithas Hanes Teuluoedd Ceredigion*, Cyfrol 3, Rhif 7 (Chwefror, 2004), 160-162.

39 Jenkins, *Jenkins Brothers*, 24-26.

40 Lewis Lloyd, *The Port of Caernarfon, 1793-1900* (Caernarfon, Gwasg Pantycelyn, 1989), 118.

41 Eames, *Ships and Seamen*, 568-69. Argraffiad Cyntaf, 547.

42 Nils Nilsson, 'Shipyards and Ship-Building at a Wharf in Southern Sweden,' yn Olof Hasslöf, Henning Henningsen, Arne Emil Christiensen Jr (gol.), *Ships and Shipyards, Sailors and Fishermen* (Copenhagen, Copenhagen University Press, 1972), 267.

43 Am astudiaeth ar ferched fel buddsoddwyr brwd a goddefol, gweler Doe, *Enterprising Women*, 78-101.

44 Eames, *Ventures in Sail*, 38-39; Myrvin Elis-Williams, 'Samuel Roberts, Preacher and Shipbuilder', *Cymru a'r Môr/Maritime Wales*, 9 (1985), 44-72; M.Elis-Williams, *Bangor, Port of Beaumaris: the Nineteenth Century Shipbuilders and Shipowners of Bangor* (Caernarfon, Gwasanaeth Archifau Gwynedd, 1988), 97-113.

45 Eames, *Ventures in Sail*, 21-22.

46 Eames, *Ventures in Sail*, 221-222; J. Geraint Jenkins, 'Y Parch. John Cynddylan Jones', *Cymru a'r Môr/Maritime Wales*, 8 (1984), 69-75.

47 Gwasanaeth Archifau Gwynedd, XSR 13/1841.

48 Gwasanaeth Archifau Gwynedd, XSR 23/1855.

49 Alison Brigstocke, An Eighteenth Century Parish and its Port: Llanbedr-goch and the Port of Red Wharf', *Trafodion Cymdeithas Hynafiaethwyr a Naturiaethwyr Môn* (Llangefni, 2003), 22-34.

50 Gwasanaeth Archifau Gwynedd, XSR 7/1822.

51 Gwasanaeth Archifau Gwynedd, XSR 19/1803.

52 Gwasanaeth Archifau Gwynedd, XSR 31/1824.

53 Gwasanaeth Archifau Gwynedd, XSR 22/1830.

54 Farr, *Chepstow Ships*, 5, 61, 76, 83, 87, 102, 111, 134, 171.

55 Paul M. Heaton, *The 'Usk' Ships: History of a Newport Shipping Venture* (Rhisga, The Starling Press Ltd., 1982), 19-20, 35-36, 42.

56 Doe, *Enterprising Women*, 127-148.

57 Eames, *Ventures in Sail*, Atodiad B.

58 Aled Eames, *O Bwllheli i Bendraw'r Byd: Agweddau ar Hanes Forwrol Pwllheli a'r Cylch Gan Mlynedd yn ôl* (Pwllheli, Clwb y Bont, 1979), 20-23.

59 Lloyd, *Pwllheli*, 188.
60 Lloyd, *Pwllheli*, 197-98.
61 Jenkins, *Jenkins Brothers*, 16.
62 Greenhill, *rural shipowning*, 162.
63 A. Gregg Finley, 'The Morans of St. Martins, N.B., 1850-1880: Toward an Understanding of Family Participation in Maritime Enterprise', yn Lewis R. Fischer, Eric W. Sager (gol.) *The Enterprising Canadians: Entrepeneurs and Economic Development in Eastern Canada, 1820-1914* (Proceedings of the Second Conference of the Atlantic Canada Shipping Project, Memorial University of Newfoundland, 1979) 36-54. 43
64 Doe, *Enterprising Women*, 219.
65 Finley, 'The Morans of St. Martins', 44-45.
66 Elis-Williams, *Bangor*, 37.
67 Elis-Williams, *Bangor*, 37.
68 Matthews, 'Mercantile Shipbuilding', 416.
69 Jenkins, *Jenkins Brothers*, 59.
70 Thomas Hughes oedd un o'r ddau cyntaf i weld y *Royal Charter* enwog wedi iddi suddo yn 1859,
71 R. Evans, 'Yn Fam ac yn Dad: Hanes Merched yn y Gymuned Forwrol c. 1800-1950', *Cof Cenedl XVIII* (2003), 99-126.
72 Doe, *Enterprising Women*, 221-223

Pennod 4

Merched yn Hwylio'r Moroedd

Gair benywaidd yw 'llong' yn y Gymraeg a hyd yn oed yn Saesneg mae hanes personoli'r llong fel rhywbeth benywaidd yn mynd yn ôl i'r Oesoedd Canol – ceir y cyfeiriad cyntaf ati yn yr *Oxford English Dictionary* yn 1375. Mae hyn yn wir trwy'r byd gorllewinol. Un esboniad am yr agwedd hon yw ei bod yn cyfleu ymdeimlad mewn dynion tuag at y llong yr oeddynt yn byw a gweithio arni: *'going to sea was hazardous and threw them into an intimate relationship with their ship.'*[1] Yn feunyddiol byddai'r llong yn eu diogelu, yn eu cynnal ac yn eu cysgodi; roedd yn bartner iddynt ac yn meddu ar osgeiddrwydd arbennig.

Yn draddodiadol ystyrid llongau yn fyd gwaith i ddynion yn unig, ond roedd y realiti yn fwy cymhleth. Ar lefel ymarferol, credid nad oedd gan ferched y gallu corfforol angenrheidiol i fod yn aelod llwyddiannus o griw llong; ond gwelwyd eisoes fod merched yn aml yn chwarae rhan allweddol yn y diwydiant pysgota, gan gynnwys cyflawni gwaith corfforol ochr yn ochr â dynion mewn sawl cymuned. O safbwynt ofergoeliaeth, credai cenedlaethau o forwyr fod presenoldeb merched ar fwrdd llong yn siŵr o ddod a lwc ddrwg i'r llong neu hyd yn oed drychineb.[2] Ar y llaw arall, yn y ddeunawfed ganrif daeth merched o flaenddelwau yn amlwg ar nifer o longau, yn aml yn seiliedig ar y gred fod i'w llygaid allu mordwyo arbennig.[3]

Yn sicr roedd merched yn bresennol ar longau drwy gydol y cyfnod dan sylw. Bu i nifer ohonynt hwylio gyda'u gwŷr o gapteiniaid neu berchnogion llongau a hynny ar hyd y glannau ac i bedwar ban byd. Rhaid cofio hefyd fod nifer o enethod ifainc, naill ai'n blant neu yn eu harddegau, yn aml wedi hen arfer hwylio gyda'u tad o gapten llong. Nid oedd y cyfleoedd i ferched i hwylio wedi eu cyfyngu i wraig neu blant capteiniaid llongau'n unig – daeth cyfleoedd i wragedd i swyddogion, gan gynnwys swyddogion peirianyddol, ar y llongau mawrion modern – ond drwyddi draw prin iawn oedd y cyfleoedd i wragedd i longwyr cyffredin hwylio gyda'u gwŷr.

Wrth drafod hwylio ar long y teulu neu ar un o'r llongau cwmni mawr ni ddylid ystyried y mordeithiau hynny yn rhai hamdden yn unig i wraig y capten neu berchennog llong. Mewn gwirionedd bu cyfraniad sawl gwraig a merch ar fordeithiau o'r fath yn llawer mwy amrywiol, heriol ac arwyddocaol na mordaith bleser yn unig. Yn anffodus mae'n anodd iawn asesu faint o ferched oedd yn hwylio fel hyn gan nad oedd eu presenoldeb ar y llong yn aml wedi ei gofnodi. Yn ei hastudiaeth o bysgotwyr morfilod o Ogledd America darganfu Margaret Creighton fod bron i 20% o gapteiniaid y llongau morfilod yn 1853 yn mynd â'u gwragedd efo nhw.[4] Yn anffodus, eithriad yw'r math yma o wybodaeth am niferoedd y merched a hwyliai gyda'u gwŷr fel hyn.

Yn yr un modd fe wyddom i nifer o ferched weithio ar longau mewn amrywiol swyddi dros y canrifoedd, gan gynnwys rhai a oedd wedi cymryd arnynt mai morwyr o ddynion oeddynt. Er i sawl menyw brofi eu hunain yn forwyr o'r radd flaenaf, prin oedd y merched o forwyr o ran niferoedd a chadarnhawyd y duedd hon, yn ymddangosiadol o leiaf, gan newidiadau sylweddol mewn llongau yn ystod y ddwy ganrif ddiwethaf. Golygai ymddangosiad llongau stêm yn y bedwaredd ganrif ar bymtheg barhad ar gadw merched draw o'r llongau masnach; nid lle i fenyw oedd peiriandy llong stêm, er enghraifft. Ond ar yr un pryd, roedd datblygiad llongau cludo teithwyr ar fordeithiau pleser, a fferïau, yn mynnu merched fel aelodau o griwiau llong a hynny fel stiwardesau. Felly, o ganlyniad i ddatblygiad llongau arbenigol, masnach arbenigol a rhaniadau llafur ar y llongau hynny, a newidiadau mewn agweddau tuag at hawliau merched a lle merched yn y gweithle, cynyddu wnaeth y cyfleoedd i ferched o safbwynt gweithio ar longau yn ystod y cyfnod hwn.

Yn ychwanegol at hyn bu datblygiadau mewn gweithgareddau hamdden a chynnydd mewn oriau hamdden, oedd yn golygu fod merched hefyd yn hwylio er pleser. Yn y ddeunawfed ganrif a dechrau'r bedwaredd ganrif ar bymtheg cyfyngwyd hwylio a mynd ar fordeithiau pleser i rengoedd uchaf cymdeithas i bob pwrpas, gyda hwylio ar iotiau moethus ar hyd y glannau a thramor yn boblogaidd. Wrth gwrs bu nifer o ferched a phlant cyffredin y glannau yn hwylio er pleser, mewn cychod rhwyfo a hwyliau, fel ffordd o ddifyrru eu hunain ar ddiwrnod braf o haf. Ond wrth i'r bedwaredd ganrif ar bymtheg a'r ugeinfed ganrif fynd rhagddynt, ac wrth i oriau hamdden y dosbarth gweithiol gynyddu, ochr yn ochr â datblygiadau eraill megis twf yn yr ymwelwyr i ganolfannau glan môr a thwf y diwydiant mordeithiau pleser, daeth cyfleoedd eraill i ferched hwylio'r moroedd er pleser. Amrywiai'r rhain o gyfleoedd i gystadlu mewn regatas amrywiol i fynd ar fordeithiau pleser o amgylch y byd mewn llongau moethus o'r radd flaenaf. Erbyn heddiw golyga twf diwydiant hamdden y môr, a'r amrywiaeth o fewn y diwydiant hwnnw, fod rhywbeth at ddant pawb – gyda'r merched mwyaf anturus yn hwylio o amgylch y byd yn hollol annibynnol.

Dros gyfnod o ddwy ganrif a hanner mae diffyg ystadegau cyson dibynadwy yn golygu ei bod hi'n anodd gwybod faint o ferched fu'n hwylio'r moroedd mewn cymhariaeth â nifer y dynion, yn sicr o safbwynt y llong fel gweithle. Ond wrth sôn am hwylio gyda'u gwŷr o gapteiniaid, fel aelod o'r criw neu i hamddena, fe wyddwn eu bod wedi hwylio ar amrywiol longau gan gyfrannu at fywyd y llongau hynny. O'r herwydd rhaid herio'r darlun traddodiadol mai byd dynion oedd byd y llongau masnach gyda merched yn ymddangos yn achlysurol yn unig. Rhaid hefyd ceisio asesu dylanwad y merched hynny ar fywyd y llongau masnach a'u harwyddocâd i'n dealltwriaeth ehangach o fywyd ar y môr.

Does dim dwywaith fod merched yn gynyddol wedi manteisio ar y cyfleoedd a ddeuai i'w rhan i hwylio er pleser. Yn yr un modd mae datblygiad gweithgareddau morwrol mwy cyffrous ac anturus megis syrffio, rasio iotiau neu hwylio o amgylch y byd yn annibynnol wedi cynnig cyfleoedd i ferched allu gwneud yr un mathau o weithgareddau â dynion.

Gwraig y Capten

Fel rhan o deulu morwrol mewn cymuned forwrol, roedd y môr yn ganolog i brofiadau niferoedd lawer o ferched y glannau o'u plentyndod. Bu i nifer o ferched i forwyr hwylio gyda'u rhieni i borthladdoedd pell ac agos ac yn aml iawn fe briodasent gapten llong gan barhau'r traddodiad hwnnw i'r genhedlaeth nesaf. Er enghraifft, pan hwyliodd John Owen o Bwllheli fel mêt ar y *Twelve Apostles*, llong a adeiladwyd ym Mhwllheli yn 1858, efo'r Capten Hugh Hughes, roedd merch Capten Hughes, Elizabeth, ar y fordaith. Yn ddiweddarach, pan ddaeth yn gapten ei hun, priododd John Owen ag Elizabeth.[5] Nid eithriad oedd y profiad hwn. Roedd hwylio'r byd felly'n rhan naturiol o fywydau sawl gwraig a merch i gapten llong dros genedlaethau lawer.

Er bod amryw o wahaniaethau rhwng y capten a gweddill ei griw, o safbwynt statws a chyflog er enghraifft, ar y llong byddai'r capten yn rhannu'r un profiadau â gweddill ei griw o safbwynt hiraeth am gartref a theulu. Ond, er nad oedd hyn yn wir ym mhob achos, un o fanteision amlwg bod yn gapten llong oedd y gallai fynd â'i wraig a'i blant gydag ef ar ei fordeithiau. Roedd hynny'n sicr yn wir pe byddai'r capten

yn berchen ar ei long ei hun ac roedd cannoedd o'r meistri-
berchnogion hyn i'w cael yng nghymunedau'r glannau.
Llwyddodd Terry Davies i ganfod dros ugain o ferched o
bentref bach Borth yng Ngheredigion a hwyliai'r arfordir fel
aelod o'r criw gyda'u gwŷr – a'r plant yn aml hefo nhw – mewn
cyfnod o ddau gan mlynedd. Yn y 1830au, er enghraifft, roedd
gwragedd a merched y brodyr John a Hugh Davies o'r pentref
yn hwylio gyda hwy ar longau'r teulu, sef y *Sarah*, y *France* a'r
Amity.⁶ Ond gyda datblygiad y cwmnïau llongau mawrion
roedd yr hawl i gapten fynd â'i wraig gydag ef yn amrywio o
gwmni i gwmni. Cwynai un darpar reolwr llongau fod capten
llong yn dod â'i wraig a'i deulu gydag ef ar ei fordaith yn
golygu y byddai'r llong yn troi *'into a sort of floating hotel.'*⁷
    Llwyddodd rhai i osgoi'r broblem. Yn 1880 roedd
Capten Thomas, Llandwrog, yn gapten ar un o longau
cwmni Davies, y *British Princess*. Anfonodd neges i'w wraig
Kate yn gofyn iddi hi a'u merch fach ei gyfarfod yn Aberfal
(Saes: Falmouth) yng Nghernyw. Bu iddynt aros mewn
gwesty am ychydig ond yna symudasant i fflat nid nepell
oddi wrth Capten Edwards, *True Briton*, a'i deulu ef.
Derbyniodd y ddau gapten orchmynion i hwylio i Sant-
Nazer (Ffrang: St. Nazaire) yn Llydaw ond trefnodd y ddau
i'w teuluoedd hwylio drosodd o Southampton i Sant-Maloù
(Ffrang: St. Malo), hefyd yn Llydaw. Roedd Capten Thomas
wrth ei fodd yn gweld ei wraig a'i ferch ar y pier yn disgwyl
amdano a threuliwyd chwe wythnos, y rhan fwyaf o'r amser
yn byw ar y llong yn y dociau, cyn symud i westy oherwydd
bod capten newydd i gymryd y llyw a'i hwylio i Gaerdydd.⁸
    Wrth i'r ugeinfed ganrif fynd rhagddi daeth yn fwy
derbyniol gan nifer o gwmnïau i wraig y capten hwylio gydag
ef ac mewn sawl achos ehangwyd yr hawl hwnnw i wragedd
uwch swyddogion gan gynnwys swyddogion y peiriandy. Felly
cafodd Rosaline Evans, gwraig y peiriannydd Marcus Evans,
un o deuluoedd Borth, Ceredigion, hwylio gydag ef ar danceri

Merched y Môr

cwmni olew Caltex yn y 1970au a'r 1980au gan ymweld ag amrywiol leoliadau yn y Dwyrain Pell a'r Bahamas.[9]

Dylid nodi, wrth gwrs, nad oedd pob capten am i'w wraig hwylio gydag ef a hynny am amryw resymau: oherwydd bod hwylio'r moroedd yn beryglus ynddo'i hun, pryderon amlwg mewn cyfnod o ryfel, neu ddiogelu iechyd y wraig os oedd hi'n disgwyl plentyn, er enghraifft.

Os oedd yr hawl i wraig hwylio gyda'i gŵr yn adlewyrchu gwahaniaeth rhwng y capten (ac uwch swyddogion) a'r llongwr cyffredin yna roedd hefyd yn cadarnhau'r cyfle a ddeuai i wragedd yn y cymunedau morwrol, neu i fod yn fanwl gywir, i wragedd capteiniaid ac uwch swyddogion, i hwylio'r moroedd a gweld y byd. Nid oedd y cyfle wedi ei gyfyngu i gapteiniaid llongau mawr a hwyliai i bedwar ban byd ychwaith. Gallai gwraig i gapten llong a hwyliai'r glannau hithau deithio gyda'i gŵr i amryw borthladdoedd yn yr Ynysoedd Prydeinig ac i'r cyfandir. Yn ôl y diweddar Lewis Lloyd, roedd gwragedd yn hwylio gyda'u gwŷr ar longau'r arfordir o lefydd fel Porthmadog a Phwllheli yn llai cyffredin na hwylio ar longau fforen, ond yn sicr roedd merched o rai o'n cymunedau morwrol tlotaf yn hwylio ar led efo'u gwŷr. Yn y ddau achos, mae'n bosibl mai rheidrwydd oedd y prif gymhelliad a hynny oherwydd mai'r llong yn aml oedd cartref y capten a'i wraig newydd yn ystod blynyddoedd cyntaf eu bywyd priodasol a dyma'r unig ffordd y gallasant fod gyda'i gilydd. Hyd yn oed wedi setlo i fywyd ar y tir, y dewis i sawl gwraig i gapten os am ei weld yn amlach oedd iddi hi a'r plant hwylio gydag ef yn ystod gwyliau'r haf, er enghraifft, neu fynd i aros gydag ef os oedd y llong mewn doc am gyfnod sylweddol – roedd hyn yn brofiad cyffredin iawn i nifer o ferched pentrefi a threfi'r glannau. Ond wrth hwylio'r byd neu'r glannau, ar fordaith hir neu fer, roedd dewrder a medrusrwydd nifer o'r merched hyn yn amlwg a hynny weithiau dan amgylchiadau anodd.

Dylid cofio hefyd, pan fyddai gwraig yn ymuno â'i gŵr ar ei long, nad oedd yn gwneud dim yn wahanol i'r hyn a oedd yn draddodiadol mewn cymunedau morwrol ledled y byd.

Priodi

Byddai merched i forwyr, a chapteiniaid llong yn benodol, yn dod i wybod am fywyd y môr yn fuan iawn. Bu Begw, chwaer Ann James Garbett, o Borth-y-gest yn hwylio efo'i thad o Gaergybi i Ddulyn ar y sgwner *M. A. James* – ac yn digwydd bod, yn Nulyn y priodwyd ei rhieni.[10] Yn aml iawn rhaid oedd i briodferch ymdopi â bywyd ar long o ddiwrnod eu priodas.

Y cyfle cyntaf a gawsai nifer o ferched i hwylio oedd wedi iddynt briodi capten llong a chael cynnig mynd i ffwrdd gyda'r gŵr. Yn Ebrill 1908 priodwyd y Capten Robert Owen Williams a Mrs Williams yn nhref Crewe. Roedd o yn gapten yr *Isallt (I)* ac roedd wedi teithio ar drên o Aberfal yng Nghernyw i briodi gan ddychwelyd yno gyda'i wraig. Oddi yno roeddynt i hwylio am Borthmadog i lwytho cargo o lechi. Roedd Capten Williams yn forwr profiadol ac er mai ifanc oedd ei wraig newydd roedd hi'n llwyr ymwybodol o greulondeb bywyd y môr – collwyd un o longau ei thad, y Capten Joseph Williams, Borth-y-Gest, yn 1903 ac roedd llai na phum mis ers iddi golli ei brawd Pierce Owen Williams a foddodd gyda'r *Kitty* oddi ar arfordir Norwy. Ar ei mordaith gyntaf hi o Aberfal bu'r *Isallt (I)* mewn gwrthdrawiad â'r S.S. *Atlantic*. Neidiodd hi o'i gwely a phrysuro i'r dec i ganol tywyllwch a therfysg. Er i'r *Isallt (I)* suddo o fewn dim llwyddodd Capten Williams i sicrhau ei bod yn glir o'r llong arall a chafodd pawb o'r criw gan gynnwys Mrs Williams eu hachub.[11]

Tebyg fu profiad Grace Owen o Nefyn. Nid oedd gan ei theulu hi unrhyw gysylltiad â'r môr. Yn Nhachwedd 1905, priododd y Capten William Davies ac ar ddiwedd y mis hwnnw ymunodd hi ag ef ar y *Gwydyr Castle*. Cyflwynwyd hi i fywyd anodd y môr yn syth wrth i'r llong droi drosodd cyn cychwyn oherwydd camgymeriad wrth ei llwytho. Wedi i'r criw drimio'r balast, ailgodwyd y llong a hwyliodd o Lundain ddeng niwrnod cyn y Nadolig. Cam cyntaf y fordaith oedd drwy Fôr Iago Llwyd (Bae Biscay) ond wynebasant wyntoedd croes a moroedd mawr i'r fath raddau fel y bu'n dair wythnos cyn iddynt glirio Penrhyn Finistere yng ngogledd orllewin Galisia. Roedd y tywydd mor wael ar ddydd Nadolig, gorfu i'r criw i gyd fod ar y dec. Nid oedd hynny'n cynnwys Mrs Davies gan iddi hi dreulio'r Nadolig a'r Flwyddyn Newydd yn ei gwely. Am bythefnos bu'n gorwedd yn ei bync yn rhy wan i godi ei phen hyd yn oed. Hawdd dychmygu bod rhamant y môr ymhell o'i meddwl a'i hiraeth am adref yn ddirdynnol.[12]

Addasu i Fywyd Llong

Beth bynnag eu cefndir, nid oedd dewis i wraig y capten a hwyliai gyda'i gŵr ond ceisio creu math o gartref iddi ei hun mewn sefyllfa anarferol iawn. Ond, fel arfer, unwaith iddi gael ei thraed 'dani, cynefinai gwraig y capten â bywyd ar y môr, bywyd a oedd yn gallu bod yn unig ac undonog ar adegau, a hithau'r unig ddynes ar fwrdd y llong.

Mae dyddiadur Ellen Owen, Minafon, Tudweiliog a hwyliodd fforen efo'i gŵr, Capten Thomas Owen, ar y *Cambrian Monarch* yn 1881-82 yn dadlennu llawer am fywydau merched a hwyliai'r moroedd.[13] Mae Aled Eames yn tynnu sylw at y ffaith fod merched o'i chefndir hi yn 'mynd â'r wlad gyda hi ar fwrdd y llong' – cyfeirio at orchwylion ei bywyd beunyddiol mae'r dyddiadur yn aml, megis golchi dillad, glanhau'r caban a phoeni am fwyd a pham nad oedd yr afr fach yn rhoi digon o laeth na'r ieir yn dodwy digon, er enghraifft.[14]

Ysgrifennodd wedi pedwar diwrnod o'r fordaith:

> Feb. 8... y mhau yr Orangs yn dda iawn. y mhau yn dda gin i fod gennyf gymaint o honynt, os y daliant heb fund yn

ddrwg. crosio yr ydwyf wedi bod yn ai wneud ers pan yr ydwyf wedi hwilio. mi fyddaf yn golchi y cwbl i mi fy hun ag i Tom hefud. y mhau yma le reit braf i olchi. mi fyddaf yn teimlo yn rit gartrefol yn y llong a pawb yn od o garedig i mi... [15]

Pan hwyliodd Ann Ellen Parry o Foelfre efo'i gŵr, y Capten John Parry, ar hyd y glannau rhwng y ddau ryfel byd, byddent hwy a'r plant yn byw yng nghaban Capten Parry. Adlewyrchai hynny'r ffaith mai caban y capten fel arfer oedd parth y wraig wrth hwylio gyda'i gŵr. Byddai Ann Ellen Parry yn golchi dillad ar y llong a'r Capten Parry yn gwneud lein iddi i'w sychu. Ond, o brofiad, byddai Mrs Parry yn mynd â ffrogiau tywyll nad oeddynt yn maeddu'n hawdd ac roedd trowsus bach gan ei mab Emrys, oedd hefyd yn arbed ychydig ar waith golchi dillad.[16]

Amrywiai'r trefniadau bwyd i'r gwragedd hyn. Yn achos Ann Ellen Parry a'i phlant byddent yn cael yr un bwyd â Chapten Parry, ond roedd cogydd ar gael iddynt yn y blynyddoedd diweddaraf.[17] Ar y llaw arall, pan fu Mrs Anita Parry, gwraig y Capten Tom Parry o Foelfre, yn hwylio'r glannau efo'i gŵr yn y 1930au a'r 1940au, nid oedd hi'n hoffi bwyd y llong, er bod gan y llong ei chogydd ei hun. Gan na fyddai Mrs Parry yn cael mynd yn agos at y giali, ei hateb hi i'r broblem oedd iddi hi ei hun baratoi'r bwyd cyn i'r Capten Tom Parry fynd ag ef i'r giali i'w goginio.[18] Pan hwyliai Elizabeth Roberts efo'r Capten Harry Owen Roberts roedd digonedd o fwyd ar gael ond nid oedd hi'n credu fod y cogydd yn rhoi llawer o sylw i lanweithdra. Yn ffodus iddi hi, Cymro o Amlwch o'r enw Richard Williams oedd y mêt a byddai ef yn gwneud pryd arbennig i Mrs Roberts gyda'r nos.[19]

Gyda'r cyfleoedd i weithio, sef glanhau, golchi a pharatoi bwyd, mor gyfyng, rhaid oedd i wraig y capten ddarganfod dulliau o ddiddanu ei hun ar fordeithiau hir ac undonog iawn. Felly pan aeth hi ar y môr efo'r Capten William Davies, Nefyn, yn y *Gwydyr Castle* yn 1905-06 dechreuodd

Grace Davies wneud llawer o bethau i gadw'i meddwl yn brysur ac i basio'r amser – roedd hi'n hoff iawn o ddarllen, gwau a gwnïo.[20] Yr un oedd y drefn yn achos Mrs Anita Parry, sef sicrhau ei bod yn mynd â'i llyfrau, ei gwaith crosio a'i gwau hefo hi. Un a ganfu ddull difyr o ddiddanu ei hun oedd Elizabeth Davidson o Gwmystwyth, merch i fwynwr plwm, gwraig Capten Thomas Charles Enos (1856-1946) o Borth, a mam i ddeg o blant. Cytunodd hi i'w briodi ar yr amod ei fod yn gwneud gyrfa iddo'i hun – a gwnaeth hynny. Ei rhan hi o'r fargen oedd cefnu ar fywyd y wlad a bu'n hwylio gyda Chapten Enos ar sawl achlysur. Ymddengys ei bod hi'n cadw rhai o gysuron cartref ar y llong. Ar un fordaith hir i Dde America bu hi'n treulio'r amser yn gwneud set o antimacasarau o les, i'w rhoi ar y soffa a'r cadeiriau. Wrth i'r llong gyrraedd porthladd ei chartref dywedodd y Capten wrthi am eu cuddio rhag ofn i'r perchnogion feddwl eu bod yn smalio bod yn berchnogion eu hunain![21] Ar y llaw arall, byddai'r Capten T. Barlow Pritchard, Caernarfon, a'i wraig yn eu caban ar y *Glenesslin* yn negawdau olaf y bedwaredd ganrif ar bymtheg, yn treulio'u hamser hamdden mewn ffordd ddiwylliedig iawn – hi'n canu'r piano ac yntau'n canu yn ei lais bariton cyfoethog, ganeuon fel 'Clychau Aberdyfi' neu 'Dafydd y Garreg Wen'.[22]

Mewn sefyllfa ddigon anodd felly, llwyddodd y merched hyn i greu rhyw fath o gartref iddynt eu hunain a difyrru eu hunain yn ystod yr wythnosau neu fisoedd unig yn hwylio'r moroedd.

Cyfarfod ag Eraill

Nid oedd bod efo'i gilydd yn golygu nad oedd gŵr a gwraig yn hiraethu am eu cartref. Ar ddechrau'r ugeinfed ganrif, er enghraifft, bu Jane Evelyn Griffith, o Abersoch yn wreiddiol, yn hwylio droeon efo'i gŵr, Capten William Owen Griffith,

Sarn Mellteyrn. Treuliodd y pâr un Nadolig yn ninas Barcelona, yng Nghatalunya, ar fwrdd yr S.S. *Cleveland Range*, ond hiraethu am adref oedd y ddau.[23] Felly er iddynt addasu'n llwyddiannus i'w cynefin newydd, bywyd unig oedd realiti bywyd merched ar y môr yn aml.

O'r herwydd, byddent yn falch o gyrraedd porthladd, yn arbennig pe byddai cyfle i gymdeithasu gyda theulu, cyfeillion neu wragedd capteiniaid eraill o Gymru. Nid oedd y profiad hwn wedi ei gyfyngu i'r Cymry, wrth gwrs. Yn 1899 roedd dwsin o longau Norwy yn Pensacola yn Chile ar yr un pryd ac felly roedd gwragedd y capteiniaid yn cymdeithasu efo'i gilydd ac yn mynd i siopa yn un haid, gyda rhai mewn clic oherwydd eu bod o'r un dref.[24] Pan gyrhaeddodd y *Gwydyr Castle* borthladd Sydney yn Awstralia ar ôl 98 diwrnod, manteisiodd Grace Davies ar y cyfle i gymdeithasu gyda ffrindiau ei gŵr. Y porthladd nesaf ar ei mordaith oedd Valparaiso yn Chile ac yno roedd oddeutu 50 o longau yn sefyll, gyda Chymry yn gapteiniaid ar tua dwsin ohonynt. Yno cyfarfu Mrs Davies â gwraig y Capten David Roberts o Ddolgellau, capten y *Kirkcudbrightshire*, a sefydlwyd cyfeillgarwch a barodd am oes. Bob nos Sul byddai'r capteiniaid yn cyfarfod yn salŵn y *Gwydyr Castle* i siarad siop, rhannu newyddion a chanu emynau i gyfeiliant yr harmoniwm. Ar 5 Gorffennaf 1906 rhoddodd Mrs Roberts enedigaeth i fab, a Grace Davies oedd y fam fedydd. Enw'r mab oedd Robert David Valparaiso Roberts a adwaenid yn ddiweddarach yn Valpo.[25] Ni chyfyngwyd cyfarfodydd o'r fath i borthladdoedd ychwaith. Yn 1909, daeth y *Langdale*, llong y Capten Griffith Jones, Pwllheli, i gyfarfod y *Kirkcudbrightshire* dan y Capten David Roberts, Dolgellau, i'r gogledd o'r cyhydedd. Roedd teuluoedd y ddau gapten yn hwylio efo nhw ac yng nghanol Môr yr Iwerydd bu'r ddau deulu yn cael te ar fwrdd y *Kirkcudbrightshire*. Prin iawn oedd digwyddiadau fel hyn ond roeddynt yn werthfawr iawn i'r gwragedd wrth iddynt edrych ymlaen at gyrraedd y porthladd nesaf ar ôl mordaith hir, anodd ac unig.[26]

Llawer haws yn amlach i wraig y capten na hwylio'r moroedd oedd aros gydag ef pan fyddai'r llong mewn porthladd am gyfnod maith. Treuliodd gwraig y Capten William Davies, Nefyn, sef Grace Davies, saith mlynedd ar y môr i gyd. Yn 1919 penodwyd Capten Davies yn gapten y *Monkbarns* (llong ddur rig llawn 1,771 tunnell yn perthyn i gwmni John Stewart o Lundain a adeiladwyd yn 1895). Rhwng Medi 1921 ac Ionawr 1923 bu Capten Davies a'r *Monkbarns* yn gorwedd i fyny (sef aros heb waith) yn Brugge yng Ngwlad Belg. Yno daethant yn rhan o gymuned glos a hynny oherwydd bod tair llong Eidalaidd nesaf i'r *Monkbarns* ac roedd eu capteiniaid hwy a'u gwragedd yn gyfeillgar iawn. Roedd bwydydd a danteithion eu gwledydd yn cael eu cyflwyno i'w gilydd ac er bod ambell broblem wrth gyfathrebu bu chwerthin mawr wrth iddynt geisio esbonio pethau i'w gilydd. Nid oedd y gymuned wedi ei chyfyngu i'r porthladd ychwaith oherwydd daeth y teulu i adnabod rhai o drigolion Brugge yn dda, yn enwedig felly teulu'r cigydd a theulu'r Pâtisserie. Roedd y Nadolig yn gyfnod arbennig iawn a bu'r teulu o Gymru wrthi'n canu carolau i'w cymdogion Eidalaidd yn Gymraeg a Saesneg. Yn Ionawr 1922 symudodd y llong i Benbedw a'r un oedd y drefn yno – ond roedd Penbedw yn dra gwahanol i Brugge! Un o'r criw ym Mhenbedw oedd bachgen o Fanceinion, Malcolm Bruce Glasier, oedd wedi colli ei dad, a oedd yn olynydd i Keir Hardie fel Cadeirydd y Blaid Lafur Annibynnol. Byddai ei fam (y newyddiadurwraig sosialaidd Katharine Glasier) yn ymweld ag ef bob hyn a hyn, a bryd hynny byddai'r teulu yn cael te gyda hi – roedd disgwyl i'r plant fyhafio ar eu gorau ac roedd Mrs Davies yn edrych ymlaen at yr ymweliad ac yn mwynhau cwmni Mrs Glasier yn far iawn.[27] Roedd yr angen am gwmni benywaidd ar wraig y capten yn amlwg iawn.

Gweld Rhyfeddodau

Er yr unigrwydd a'r awch am gymdogaeth fenywaidd, drwy hwylio'r byd fe gafodd y gwragedd hyn gyfleoedd a phrofiadau gwerthfawr iawn. Cawsant gyfle i weld llefydd na fyddai ond yn enwau ar fap iddynt gartref, er nad oedd pob profiad yn un dymunol. Yn 1909, yn Callao ym Mheriw, cafodd Grace Davies gyfle i ymweld â mwynfeydd copr Cerro de Pasco yn uchel ym mynyddoedd yr Andes tu hwnt i Lima. Aethant i fyny mewn tryc ar reilffordd gul, taith dwy awr ond ugain munud yn unig ar y ffordd i lawr! Ar ei mordeithiau, gwelodd fynyddoedd iâ yn drifftio i fyny o begwn y de ac yn cracio gan wneud sŵn fel taranau wrth gyrraedd dŵr cynhesach.[28] Yn ôl ei mab, J. Ifor Davies, er ei bod wedi wynebu helbulon mawr ar y môr, mwynhaodd yr holl deithio a'r cyfle unigryw a gafodd i gyfarfod a gwneud ffrindiau mewn gwahanol rannau o'r byd ac i ymweld â threfi, dinasoedd, gwledydd a chyfandiroedd newydd.

Roedd Margaret Thomas o bentref bychan Pensarn yng ngogledd ddwyrain Môn yn briod â'r Capten William Rowlands (1870-1953) o Ddulas, un o borthladdoedd gwledig anghysbell Cymru. Bu'r Capten Rowlands yn gwasanaethu ar longau cwmni Ellerman am flynyddoedd gan hwylio i bedwar ban byd ac yn aml ymunai ei wraig ag ef. Yn 1933 roedd yn hwylio ar un o longau Ellerman fel a ganlyn: Durban – Columbia – Beira – Kolochel – Calcutta – Columbia – Aden – Jubiti – Port Sudan – Suez – Halifax – Boston – Efrog Newydd (gan gyrraedd ar 23 Ebrill 1934). Dyma pryd yr ymunodd Margaret Thomas a'u merch Felicina ag ef. Roeddynt wedi hwylio drosodd ar y llong deithio Cunard *Franconia* o Lerpwl. Hwyliodd y ddau gyda Chapten Rowlands ar hyd yr arfordir fel a ganlyn: Efrog Newydd – Philadelphia – Baltimore – Norfolk – Newport News – New Orleans – Port Arthur – Newport News – Norfolk – Philadelphia gan gyrraedd yn ôl yn Efrog Newydd

ar Fehefin 18, 1934. Yna dychwelodd Margaret Thomas a
Felicina adref ar y llong Cunard *Schythia*. Parhau wnaeth
mordaith Capten Rowlands.[29]

Gweld y byd fu hanes Rosaline Evans, gwraig y
peiriannydd Marcus Evans o'r Borth, Ceredigion, hefyd.
Bu'n hwylio gydag ef ar danceri Caltex yn y 1970au a'r
1980au gan ymweld ag amrywiol leoliadau yn y Dwyrain
Pell a'r Bahamas. Un tro bu'r llong mewn doc sych yn
Siapan am dri mis a manteisiodd ar y cyfle i weld y wlad. Ei
statws ar y mordeithiau hyn oedd 'swyddog ychwanegol'
(*supernumerary*) ac roedd yn cael ei thalu swllt y fordaith. Hi
fel arfer oedd yr unig ddynes ar fwrdd y llong ac roedd hi'n
falch iawn pan geid cyfle i gyfarfod â gwragedd swyddogion
eraill.[30]

Roedd gwragedd i gapteiniaid a hwyliai'r glannau
hwythau yn cael cyfle i weld y byd, er nad oedd y
porthladdoedd efallai mor rhamantus ac egsotig yr olwg o'u
cymharu â phorthladdoedd y cyfandiroedd pell. Hwyliodd
Mrs Anita Parry, Moelfre, efo'r Capten Tom Parry i amrywiol
borthladdoedd y glannau gan gynnwys Béal Feirste (Belffast),
An Iúraigh (Saes: Newry), Corcaigh (Cork), Preston, yr Afon
Clyde, Caerdydd, y Barri a Phensans (Penzance) yng
Nghernyw. Roedd un arall o'r pentref, Mrs Elizabeth Roberts,
yn hwylio efo'r Capten Harry Owen Roberts i Droichead
Átha (Drogheda) gan fwyaf ac i Corcaigh a Gaillimh
(Galway), eto yn Iwerddon, ond hefyd i borthladdoedd eraill
o fewn ffiniau 'masnach gartref' megis Esbjerg yn Nenmarc
a Rouen yn Normandi. Wedi cyrraedd porthladd roedd y
gwragedd yr un mor awyddus i lanio â phe baent mewn
gwlad bellennig. Byddai cyfle i rai ymlacio mewn ffordd na
fyddai'n bosibl mewn pentref bach ar y glannau. Er
enghraifft, pan fyddai Mrs Anita Parry o Foelfre yn cyrraedd
porthladd byddai ei gŵr, Capten Tom Parry, yn mynd â hi i'r
theatr.[31] Wedi cyrraedd porthladd byddai Mrs Elizabeth

Roberts, hefyd o Foelfre, yn 'ei gwneud hi am y lan yn syth' er
mwyn manteisio ar y cyfle i siopa. Ar gyfnodau arbennig roedd
manteision mawr i allu hwylio i borthladdoedd y tu allan i'r
Deyrnas Gyfunol. Wedi'r Ail Ryfel Byd roedd dogni a
phrinder nwyddau yn broblem yng Nghymru, ond nid oedd
dogni yng Ngweriniaeth Iwerddon a byddai Mrs Elizabeth
Roberts yn cael nwyddau yno nad oedd ar gael mor rhwydd
gartref. Byddai hi'n treulio rhyw ddau ddiwrnod ar y lan yn
ymlacio a mwynhau cyn gorfod troi at y môr eto.[32]

Peryglon

Atgoffwyd gwragedd yn aml fod pris uchel i'w dalu am y
profiad o gael hwylio'r byd. Roedd hwylio o amgylch yr Horn
yn ddigon i brofi medr ac i godi ofn ar y Capteiniaid a'r
criwiau mwyaf profiadol. Roedd profiadau Catherine
Thomas, Llangybi, ar fwrdd y *Criccieth Castle* yn 1912 yn
adlewyrchu'r peryglon real a wynebai'r merched hynny a
hwyliai'r moroedd gyda'u gwŷr.[33] Un o longau haearn
Robert Thomas a'i Gwmni, Cricieth a Lerpwl oedd y
Criccieth Castle, 1,920 tunnell. Wedi hwylio o Valparaiso yn
Chile roedd y llong, dan ofal gŵr Catherine Thomas, y
Capten Robert Thomas, ac wedi wynebu nifer o stormydd
anghyffredin o ffyrnig ar ei ffordd at yr Horn. Roedd Capten
Thomas yn forwr profiadol ac yn adnabod y moroedd yn
dda, ac roedd Catherine Thomas hithau eisoes wedi hwylio
ddwywaith o amgylch y byd. Bu'n hwylio'n rheolaidd gyda'i
gŵr byth ers eu mordaith gyntaf ar eu mis mêl yn 1907, o'r
Barri i Tocopilla yn Chile yn cludo glo. Bryd hynny aeth y glo
ar dân, ond er y tân a'r dŵr yn llifo i mewn i'r llong,
llwyddwyd i ddychwelyd i Montevideo yn Uruguay yn
ddiogel. Ond y tro hwn, roedd y sefyllfa yn dra gwahanol
oherwydd bod ei mab pedair oed efo hi a hithau'n disgwyl
plentyn arall. Gwyddai fod tywydd mawr yn eu disgwyl ond
gwyddai hefyd fod hwylio o'r dwyrain i'r gorllewin yn haws

na hwylio'r ffordd arall. Erbyn min nos 14 Gorffennaf 1912 roedd y *Criccieth Castle* bron â dod rownd yr Horn yn ddiogel ond gwaethygu wnaeth y stormydd. Yn gynnar ar y bore Llun, trawyd y llong gan fôr trymach na'r cyffredin gan falurio'r llyw. O fewn ychydig funudau, roedd dŵr yn arllwys i mewn. I wneud pethau'n waeth, roedd giwano (sef baw adar y môr) wedi tagu'r pympiau a'r llong yn suddo. Er mwyn ceisio sicrhau na fyddai niwed yn digwydd i'r badau achub, clymwyd hwyliau a dillad gwely i ochr y llong i leihau'r niwed wrth eu gostwng i'r môr. Rhoddwyd Catherine Thomas a'i mab a thri o'r criw yn y bad. Un munud roedd y bad ar yr un lefel â'r dec a'r munud nesaf roedd bymtheg troedfedd yn is. Yna gollyngwyd yr ail fad i'r môr. Difrodwyd y badau wrth eu gollwng ac roedd un yn gollwng dŵr yn syth. Bwriad y capten oedd anelu am Ynysoedd y Malfinas, rhyw 180 milltir i ffwrdd, gyda'r bad hwyliau yn tynnu'r bad arall. Dim ond dwy gasgen fach o ddŵr oedd ym mhob un o'r badau a digon o fara am ddeg i ddeuddeg diwrnod ac un cas o gig tun. Roedd y rhagolygon i bawb yn ddu iawn, iawn.

Erbyn naw o'r gloch y nos, roedd y dymestl wedi cryfhau a chyrraedd nerth corwynt. Gorfu i'r mêt alw ar y Capten i ddweud bod ei fad yn mynd dan donnau ac y byddai'n rhaid iddo aros yn ei unfan, a chytunwyd i wneud hynny. Fore trannoeth, nid oedd golwg o'r mêt na'i fad yn unman. Credai'r gweddill eu bod ar fin cael eu hachub ychydig oriau yn ddiweddarach pan welwyd barc pedwar mast yn rhedeg o flaen y gwynt yn bur agos atynt. Er codi blanced ar y mast ar frys a gweiddi, ni welodd criw'r barc mohonynt. Gyda'r oerni eithafol, dechreuodd y criw golli arnynt eu hunain. Credai un dyn ei fod yn ôl ar y llong a chododd i fynd i nôl ei goffi, tra credai'r Capten Thomas ei fod yn gweld adeiladau a strydoedd. Y noson honno, bu farw tri o'r criw a rhoddwyd eu cotiau oel i Mrs Thomas a'i mab i'w cadw'n gynhesach. Bu farw dau ddyn arall yn ddiweddarach. Fore

Mercher golchwyd Capten Thomas ei hun dros yr ochr ond llwyddwyd i'w dynnu'n ôl. Ar y dydd Sadwrn, sef y chweched diwrnod ar y bad achub, llwyddwyd i lanio mewn cilfach ar ynysoedd y Malfinas. Aeth y Capten Thomas a'r saer i chwilio am gymorth ond wedi cerdded rhai milltiroedd dychwelsant wedi sylweddoli nad oedd neb yn byw ar y rhan honno o'r ynys. Roedd yn rhaid iddynt hwylio oddi yno ac er wynebu storm enbyd arall, daethant i olwg goleudy Penrhyn Pembroke nid nepell o Port Stanley. Cawsant gymorth ceidwad y goleudy i lanio. Wedi cyrraedd y lan, torrwyd dillad rhewllyd Mrs Thomas a'i mab oddi amdanynt. Am gyfnod ofnid y byddai'n rhaid trychu traed y mab ond yn ystod y nos dechreuodd y gwaed lifo iddynt unwaith eto. Bu farw dau arall o'r criw. Trychwyd holl fysedd traed dau o'r criw a rhai bysedd a bysedd traed y lleill i arbed gwenwyn gwaed o ganlyniad i ewinrhew. Yn wyrthiol, wyth wythnos wedi glanio, ganwyd merch fach i Catherine Thomas a rhoddwyd yr enw Mercy Malvina arni hi.

Mae parchedig ofn at yr Horn yn amlwg hefyd yn nyddiadur Ellen Owen, Tudweiliog a hwyliodd efo'i gŵr, Capten Thomas Owen, ar y *Cambrian Monarch* yn 1881-82. Gadawodd y llong Gasnewydd ar 12 Mai 1881 gan gyrraedd Sydney fis Awst. Oddi yno hwyliodd Ellen Owen i San Francisco a threulio'r Nadolig yn y porthladd hwnnw. Cawn ddarlun o bryderon a rhyddhad Ellen Owen wrth hwylio'r Horn yn y tri darn canlynol o'i dyddiadur:

Dydd Iau, 23 March 1882.
Y mae yn ddiwrnod clir heddiw a brisin braf. diolch i Dduw am dano. yr ydym wedi cael yr haul. yr ydym yn closio yn arw at Cape Horn. gobeithio y cawn rwyteb u basio yn lled fuan... yr hyn euthom er dou ydi 186 Millter.[34]

Dydd Gwenar, 24 March 1882.
Y mae un diwyrnod braf heddiw eto Ond a'i bod yn our. Yr ydym wedi cael towydd Od o braf hŷd yma. Ond un dwyrnod fe gawsom un mawr iawn ag fela y cawn eto yr un

fath yr ochor arall ir Horn. Ond gobeithio na chawn ni
ddim. yr ydm heddiw ar frest Cape Horn ag yr ydym wedi
cael yr Haul. y mhau hynu yn beth mawr iawn... fyr hyn
euthom er dou 180 Millter.

Dydd Sadwrn. 25 March 1882.
Yr ydym wedi cael dwyrnod da er dou. y mae y Brenhin
Mawr yn dda iawn wrthym yn a'i rhagliniaeth. 7 wythnos i
heddiw sydd ers pan y darfym hwilio ag yr ydym wedi
pasio Cape Horn y prutnhawn heddiw... yr ydym yn
disgwyl y gwnawn i bassage go dda adref.

Nid tywydd enbyd oedd yr unig berygl a wynebai'r
gwragedd hyn wrth iddynt hwylio'r moroedd. Roedd Grace
Davies yn Valparaiso yn Awst 1906 pan fu daeargryn mawr
yno. Chwalwyd rhannau mawr o'r ddinas a lladdwyd
cannoedd o bobl. Yn dilyn y daeargryn, daeth ton lanw enfawr
i chwipio'r arfordir. Gwelodd Mrs Davies ddioddefaint ar
raddfa nas dychmygodd o'r blaen a hithau yn gwbl analluog i
gynnig cymorth ymarferol. Cafodd y digwyddiad hwn effaith
ar Mrs Davies am weddill ei hoes. Fel y nododd hi ei hun:

> All that I know for certain is that the incident shattered the
> lives of countless innocent people, and was an ordeal that I
> would never willingly pass through again. Perhaps the
> worst part was the feeling of utter helplessness which
> gripped one like a paralysis.[35]

Bygythiad arall i fywydau'r rhai a hwyliai'r moroedd oedd
afiechydon. Bu farw gwraig y Capten Thomas Barlow
Pritchard wrth hwylio ar y *Glenesslin*. Bu hi'n dioddef yn
ystod mordaith ar hyd arfordir Affrica ac aethpwyd â hi i'r lan
yn Laurenco Marques, Mozambique ac mae'n ymddangos
mai haint o ryw fath a'i lladdodd.[36] Roedd y merched yn
ymwybodol o'r perygl hwn – cyfeiria Ellen Owen yn aml at ei
hiechyd yn ei dyddiadur gan nodi ei bod 'yn iachach o lawer
mewn towydd our nag ydwyf mewn towydd poeth.'[37]

Un o nodweddion anghysurus amlwg bywyd ar y môr
oedd salwch môr a allai daro'r morwr mwyaf profiadol, yn

arbennig wedi iddo ddychwelyd i'r môr wedi cyfnod gartref. Byddai rhai morwyr yn dethol a dewis eu llongau a'u llwybrau gwaith yn ofalus oherwydd effaith salwch môr arnynt. Nid oedd dewis gan wraig y capten a hwyliai gyda'i gŵr ond dioddef yn ddistaw; ond roedd pawb yn wahanol, fel y tystia profiad pedair o Foelfre. Er nad oedd Mrs Anita Parry ond yn mynd i ffwrdd hefo'r Capten Tom Parry am ryw bythefnos i fis yn yr haf, roedd hi'n cydnabod nad oedd ganddi 'sea legs da'. O'r herwydd nid oedd Mrs Parry yn hoffi hwylio'r glannau – ac roedd hynny'n wir ers ei dyddiau'n eneth ifanc yn hwylio efo'i thad a'i mam, sef y Capten Henry a Catherine Hughes.[38] Os nad oedd merch o Foelfre yn gallu ymdopi â hwylio yna pa obaith oedd i Mrs Elizabeth Roberts, merch fferm o gefn gwlad Môn? Aeth hi ar y môr gyntaf gyda'i gŵr, y Capten Harry Owen Roberts, yn 1946 ar y *Spirality*. Nid oedd yn 'deall dim' am y môr ac er mai ond yn yr haf y bu'n hwylio byddai'n treulio llawer o'i hamser yn ei gwely'n sâl. Un tro, pan oedd hi'n hwylio ar y Manchester Ship Canal cafodd Mrs Roberts niwmonia a rhaid oedd iddi ddychwelyd adref.[39] Rhieni y Capten Dei Roberts (g.1904) oedd y Capten John a Bessie Roberts a byddai hi yn mynd ar y môr haf a gaeaf gyda'i gŵr ar y llongau stemars – a byddai hi'n sâl môr bob amser. Ond unwaith y byddai'n cyrraedd porthladd 'roedd hi fel deryn.'[40] Pan oedd Katie Roberts yn ifanc byddai'n hwylio gyda'i thad a'i mam, y Capten John ac Ann Ellen Parry, a'i brawd Emrys. Roedd mam Katie Roberts yn 'llongwr da – byddai hi byth yn sâl,' ond roedd Mrs Roberts a'i brawd yn sâl weithiau. Pan fyddai'r teulu yn mynd ar y llong gyntaf byddai tad Mrs Roberts yn dweud wrth y teulu, yn Saesneg: '*Get your sea legs out now*.'[41] Ond yn amlwg roedd bod heb *sea legs* yn gallu gwneud bywyd rhai gwragedd a hwyliai efo'i gwŷr yn anodd ac anghysurus iawn, hyd yn oed wrth hwylio'r glannau.

Gwraig arall a gawsai gyfle i hwylio'r glannau oedd Catherine Hughes, Trem y Don, Moelfre, y cyfeiriwyd ati eisoes. Arferai fynd ar ei gwyliau hefo'i gŵr, Capten Henry Hughes, ar y *William Shepherd*. Roedd hyn yn arferiad digon cyffredin mewn amryw o ardaloedd. Ond nid oherwydd gwyliau braf y cofiai Catherine Hughes y *William Shepherd*. Yn 19 mlwydd oed, hwyliodd Henry Hughes o Eochaill (Saes: Youghal) yn Iwerddon efo Siôn Ifan yn fêt ac Owen Lewis, Tŷ'n Giat, Moelfre yn hogyn arni. Ar fwrdd y *William Shepherd* hefyd roedd Catherine Hughes a'i babi. Y bwriad oedd hwylio i Fangor gan fod Capten Hughes wedi cael hanes llwyth – o lechi mae'n debyg – ac roedd yn awyddus i gyrraedd yno. Fe'u daliwyd gan y tywydd. Am dridiau, roedd y tywydd mor ddychrynllyd fel nad oedd hi'n bosibl gweld dim. Gwelodd Owen Lewis dir o'r diwedd, sef Ynys Manaw, a hwyliodd y *William Shepherd* i Fae Rhumsaa (Saes: Ramsey) yn ddiogel. Yn ystod y storm, roedd Mrs Hughes wedi'i chlymu i gadair yn y caban ac roedd ei babi, Jinnie, mewn drôr! Wedi cyrraedd Ynys Manaw, rhybuddiodd ei gŵr hi am faint y difrod. Pan aeth hi i fyny ar y dec, doedd dim ar ôl. Roedd y bwlwarcau a'r giali wedi mynd a phopeth wedi'i sgubo ymaith yn y storm. Aethant i'r lan i chwilio am fwyd a hwythau heb fwyta ers oriau lawer yn ystod y storm. Cawsant wledd o ham, bara a chabetsien fawr! Gohiriwyd y daith yn ôl i Fangor er mwyn gosod hwyliau newydd yn lle'r rhai a gollwyd. Dysgodd Henry Hughes wers bwysig ar y daith honno ac ni roddodd flaenoriaeth i elw ar draul diogelwch fyth wedyn, ac ymfalchïai na chollodd yr un aelod o'i griw drwy gydol ei yrfa forwrol.[42]

Geni a magu plant

Un profiad pleserus, a phoenus, i sawl merch oedd geni a magu teulu ifanc ar long. Ganed nifer o blant naill ai mewn porthladdoedd pell neu ar y môr ei hun. Ganed dau o blant Capten Owen Jones Cricieth, capten yr *Havelock*, a'i wraig Mary ym Mheriw, wrth iddynt ddisgwyl am giwano. Ganwyd y cyntaf, Ellis, ym mhorthladd anghysbell Pisco y 1877 a'i frawd

John ger Callao yn 1879.[43] Aeth Ellen Jones, gwraig Capten Griffith Jones, rownd yr Horn o leiaf chwe gwaith yn y *Langdale*. Dim ond chwe mis oed oedd eu mab pan aeth o am y tro cyntaf a bu ar y llong hyd nes iddo orfod mynd i'r ysgol. Cafodd eu merch ei geni yn 1909 ac fel hyn y nodwyd y ffaith yn foel gan Ellen Jones: '*Baby born in North Atlantic, 37? 42'N 33?W 5a.m.*' Rhoddwyd enw addas iawn iddi – Moraned. Yn ôl yr hanes magwyd y fechan ar sgedis caled (rhyw fath o fisgedi neu fara caled, *hard tack*) a llaeth tun – arwydd arall o'r caledi a wynebai gwraig yn ceisio magu teulu ar y môr.[44]

Roedd cael plant ar fwrdd llong yn achos pryder parhaol i wraig a hwyliai efo'i gŵr o gapten. Weithiau byddai poeni am blant yn digwydd ar adeg digon anodd i deulu yn y lle cyntaf, a hynny yn y porthladd. Bu farw merch i Gapten R. Davies o'r sgwner *George the Fourth* o Nefyn yn Southampton yn 1846. Fe'i boddwyd tra oedd ei rhieni ar y lan.[45]

Colli plant ar y môr oedd un o'r digwyddiadau mwyaf brawychus. Yn 1903 suddwyd y *Miningu*, llong rig llawn 924 tunnell yn perthyn i Gaerdydd, oddi ar arfordir gogledd orllewin Cymru. Collwyd pawb o'r criw gan gynnwys gwraig y capten, Mrs Wright, a'i phum plentyn. Daeth ei chorff i'r lan ym Morfa Nefyn a nododd Robert Williams, Borth-y-Gest, mab y swyddog tollau ym Mhorthmadog, David Williams:

> Went with father to the Custom House. Mr. Williams Police came there with Mrs. Wright's purse, brooch, and watch case, also some bills. She had five children on board and her husband and seventeen crew were all lost.[46]

Er y peryglon, bu i genedlaethau o blant gael eu magu ar longau yn hwylio i bedwar ban byd. Tra byddai gwragedd i gapteiniaid llongau fforen yn cael cyfle i hwylio'r byd, roedd gan wraig i gapten llongau hwylio'r glannau fantais drostynt. Pan fyddai plentyn yn cyrraedd oed ysgol, roedd hi'n anoddach i wraig y capten hwylio'n bell.

Roedd plant, wrth reswm, yn ddireidus ar long, yn

gwthio hen fflachynau drwy'r fentiau yn y tanciau dŵr ffres
ac yn tynnu'r pwti rhwng y planciau ar y dec wedi i'r criw
dreulio oriau yn ei osod. Ni ellid dadlau ychwaith nad oedd
llong yn lle peryglus iawn i blant. Felly erbyn i'r plant
gyrraedd oed ysgol, roedd gwragedd yn aml yn gadael y
llong ac yn sefydlu cartref. Ond gallai gwragedd capteiniaid
llongau hwyliau'r arfordir, fodd bynnag, hwylio yn ystod
gwyliau'r haf neu ar fordaith fer gan ddod adref gyda thrên.
Ar fordeithiau byr fel hyn, roedd yn haws mynd â'r plant i'w
canlyn, er bod angen gofal mawr drostynt, fel mae atgofion
John Hughes o fordaith ei daid a'i nain a'i fam, sef y Capten
William a Margaret Rowlands a'u merch, Felicina.

> The following incident probably took place in 1920. My
> grandmother had joined my grandfather on passage on the
> coast somewhere and had taken my mother, who was eight
> years old at the time, with them. It was noticed that my
> mother was missing. The 'man overboard' procedure was
> put into operation – that is reverse course and double
> lookouts etc. A full search of the ship was made and my
> mother was found sitting at the very stern of the ship, no
> doubt reflecting on the poetic aspect of the ship's wake.[47]

Roedd dyfodiad plant yn rheswm, neu'n esgus, dros beidio â
mynd i'r môr. Nodwyd eisoes fod Mrs Anita Parry yn hwylio
gyda'i gŵr ond nad oedd hi'n or-hoff o'r profiad.[48] Cofiai
iddi ofyn i'r Capten Tom Parry: 'fuoch chi erioed ofn?' Ei
ateb oedd 'Do, lawer tro,' ac ar ôl esbonio fod unrhyw un
sydd yn dweud nad oes ganddo ofn y môr yn dweud
celwydd, ychwanegodd: *'You can't fight the elements.'* Felly
wedi iddi gael plant nid oedd Mrs Parry yn mynd â hwy ar y
môr efo hi. Roedd hynny er i'w mam ei hun, Catherine
Hughes, hwylio efo'r Capten Henry Hughes droeon gan
fynd ag un neu ddau o'r plant efo hi, fel ffordd o gadw'r teulu
efo'i gilydd. Ond manteisiodd Mrs Parry ar un cyfle i
gyfarfod â'i gŵr mewn porthladd. Roedd Capten Tom Parry
ar y Clyde – roedd ei fab Hywel yn gwrthod aros adref ac

felly aeth ag ef i Glasgow gyda hi. Felly bu Mrs Parry a Hywel yn hwylio efo'r Capten Tom Parry i fyny'r Clyde. Roedd hyn yn ystod yr Ail Ryfel Byd ac nid oedd gan Mrs Parry ddewis ond cymryd yr agwedd *'we trust to luck'*. Heb fod yn ymwybodol o bryderon ei rieni, roedd Hywel wrth ei fodd yn chwarae a rhedeg yn ôl ac ymlaen ar y llong.

Er gwaetha'r pryderon roedd y mordeithiau hyn yn gyfle i wragedd fod gyda'u gwŷr ac yn deulu gyda'i gilydd am ychydig wythnosau o leiaf. Roedd gwragedd yn aml yn hwylio yn yr haf ar fordeithiau byrrach a ymddangosai'n fordeithiau hamdden i bob pwrpas. Cofia'r llongwr Bob Owen, ar long Capten Henry Roberts o Foelfre, godi gwraig y Capten Henry Roberts i'r llong 'yn y bae 'ma' ac yna ei chludo i Benbedw, mordaith o ryw bedair i bum awr.[49] Manteision i wraig y capten yn unig oedd y rhain – ni allai llawer o wragedd pentref Moelfre fynd ar y môr oherwydd mai llongwyr cyffredin oedd eu gwŷr, er i Bob Owen gofio ei fam, Marged Jane Owen, yn hwylio efo'i gŵr, y llongwr Owen Owen, unwaith, ond ni wyddai pam y caniatawyd hynny.[50] Efallai nad oedd holl wragedd y pentrefi morwrol yn cael cyfle i weld y byd mawr, ond tystiai nifer o'r gwragedd o bentref Moelfre a hwyliai gyda'u gwŷr o gapteiniaid fod y mordeithiau hyn yn rhai braf ac yn ehangu eu gorwelion a'u profiadau.

Helpu fel Aelod o'r Criw a Deall Bywyd y Môr

Yn sicr ni ddylid meddwl am y gwragedd fel teithwyr yn unig. Roeddynt yn ymwybodol iawn o natur gwaith eu gwŷr a'r peryglon a wynebent, felly roeddynt yn fwy na pharod i gynorthwyo yng ngwaith beunyddiol y morwyr ac i gyfrannu y tu hwnt i rôl ddomestig yn unig. Enghraifft syml, sy'n ymddangos yn ddibwys bron, yw Catherine Hughes o Foelfre – pan fyddai ar ei gwyliau hefo'i gŵr ar ei long byddai hi'n llywio'r llong ar dywydd braf. Ond roedd hwn yn gyfraniad pwysig oherwydd fe roddai gyfle i'r criw gael ychydig o gwsg. Gweithredai sawl gwraig fel aelod o'r criw pan fyddai angen, ac fe wyddent hefyd am yr angen iddynt gefnogi eu gwŷr wrth eu gwaith hwy pan fyddai'r galw yn codi.

Ar adegau gallai deallusrwydd gwraig y capten o fywyd morwrol fod yn allweddol. Mewn storm ddychrynllyd yn y Môr Tawel yn 1894 aeth y barc *Cambrian Chieftain* i drafferthion mawr.[51] Roedd y llong, dan gapteiniaeth Hugh Thomas, Caernarfon, ar ei ffordd o Newcastle, New South Wales i borthladd Taltal yn Chile pan ddaeth hyrddwynt a symud y llwyth glo ar ei bwrdd gan ddymchwel y llong. Bu'r criw yn ceisio symud y glo am bron i ddeugain awr er mwyn ei hunioni cyn i long hwyliau o'r enw'r *Dee*, un o longau Dundee yn yr Alban, eu gweld. Achubwyd gwraig y Capten Hugh Thomas a'r ddau blentyn gan gwch y *Dee* ond collwyd y cwch hwnnw a phawb ynddo wrth geisio dychwelyd i achub gweddill criw'r *Cambrian Chieftain*. Er iddi hwylio o amgylch y safle drwy'r nos a'r diwrnod wedyn ni welodd y *Dee* unrhyw arwydd o'r cwch achub nac ychwaith o'r *Cambrian Chieftain*. Nid oedd gan y *Dee* ddewis ond parhau ar ei thaith i Valparaiso lle glaniwyd Mrs Thomas, ei phlant a gweddill y criw. Penderfynodd Mrs Thomas aros yno yn y gobaith y byddai rhyw long neu'i gilydd yn llwyddo i ddod a'r draws rai o weddill criw'r *Cambrian Chieftain*. Er ei sefyllfa bersonol drychinebus anfonodd Mrs Thomas lythyr yn syth at Gwmni Thomas Williams, Lerpwl, perchnogion y llong: '*as his* [sef ei gŵr] *representative I felt it my duty to write a few particulars regarding the loss of the ship.*'[52]

Mae disgrifiad Mrs Thomas o'r fordaith a'r trafferthion yn dangos ei bod yn deall pob agwedd ar forwriaeth a bywyd llong o ddydd i ddydd:

> After leaving Newcastle we had fairly moderate weather, and therefore all precautions were taken to prepare the ship for bad weather – hatches well battened down,

ventilation covered, boats lashed right round, over, and
under the skids, lifelines run along decks; in fact,
everything was done to ensure safety.

Ysgrifennodd Mrs Thomas yn llawn am y trychineb a
cholli'r bad a hwyliodd i gynorthwyo'r llong. Roedd hi'n
dyst i'r digwyddiad gan iddi fynnu aros ar ddec y *Dee*.
Gwerthfawrogwyd holl fanylder a chywirdeb ei hadroddiad
gan y cwmni.

Ond trwy wyrth, ni chollwyd y *Cambrian Chieftain*.
Llwyddodd Capten Thomas a gweddill ei griw i unioni'r
llong a chyrhaeddodd ben ei thaith yn ddiogel i Taltal, rhai
cannoedd o filltiroedd i'r gogledd o Valparaiso. Daeth y
teulu at ei gilydd yn Valparaiso.

Cawn enghraifft wahanol o'r math o gefnogaeth a
dealltwriaeth oedd yn perthyn i wragedd capteiniaid yn
achos gwraig Capten T. Barlow Pritchard o Gaernarfon,
capten ar y *Glenesslin* yn 1885; llong rig llawn, haearn, 1,743
tunnell. Yn 1901 roedd y llong yn un a gymerodd ran yn y
ras enwog o San Francisco am adref i Cóbh (Saes: Cobh –
ond gelwid yn Queenstown ar y pryd). Er mai hi oedd yr olaf
allan o'r porthladd o fewn dim yr oedd ar y blaen a bu'r
Capten 'yn cario pob darn o hwyl oedd yn bosib.' Er
gwaethaf storm yng nghyffiniau'r Horn cadwodd Capten
Pritchard yr hwyliau y byddai fel arfer wedi eu tynnu i lawr o
dan y fath amgylchiadau. Drwy gydol y storm ni symudodd
y capten oddi ar y dec – ac roedd ei wraig gydag ef am ran
fawr o'r amser. Ymddengys ei bod hi'n mynnu cerdded
bwrdd y swyddogion (*quarterdeck*) beth bynnag y tywydd
a'i bod hithau fel ei gŵr yn cadw llygad barcud ar yr hwyliau.
Wedi mynd trwy'r storm ac yna hwylio drwy'r mynyddoedd
iâ fe lwyddodd y llong i gyrraedd Cóbh ddau ddiwrnod ar
bymtheg o flaen y llongau eraill – roedd hi wedi llwyddo i
gwblhau'r fordaith mewn 114 diwrnod.[53] Yn yr achos hwn,
roedd dewrder gwraig y capten, a'i chefnogaeth iddo ef a'r

criw, yn adlewyrchu ei chymeriad ac yn crynhoi'r angen i bawb uno yn wyneb peryglon y moroedd.

Agweddau

Mae'n debyg fod gwahaniaeth rhwng agweddau at ferched yn pysgota a merched ar longau masnach. Ystyriwyd pysgota yn rhan o economi'r werin ac roedd y rhan a chwaraewyd gan ferched yn hollol dderbyniol. Ond roedd byd llongau masnach yn faes economaidd lle byddai gwraig y capten yn cael ei chynnal yn economaidd yn hytrach na chyfrannu'n economaidd.[54] Felly roedd hi'n ymddangos, o leiaf.

O safbwynt perchnogion llongau, fel y gwelwyd eisoes, roedd y sefyllfa'n amrywio. Ar ddiwedd y bedwaredd ganrif ar bymtheg ac yn ystod hanner cyntaf yr ugeinfed ganrif, roedd enw Richard Hughes yn adnabyddus ar hyd arfordir Cymru a thu hwnt. Ef oedd perchennog cwmni llongau'r arfordir mwyaf Cymru a Lerpwl ar y pryd. I nifer fawr o bobl ei lynges ef oedd y *Welsh Navy* ond adwaenid hwy'n well fel llongau'r 'Roses'.[55] Roedd gweithio ar longau'r Roses yn waith caled, diddiwedd ac fel y dywed Frank Rhys Jones: '*To make them pay their way they had to be run hard on a shoestring.*'[56] O'r herwydd, roedd llongau Richard Hughes yn enwog am eu cynildeb. Erbyn y 1920au roedd nifer o gwmnïau llongau'r arfordir wedi rhoi'r gorau i'r hen drefn lle byddai'r criw yn prynu a choginio eu bwyd eu hunain, a bellach cyflogid cogydd llawn amser. Roedd Richard Hughes, fodd bynnag, yn tynnu cost y bwyd o gyflogau'r criw ac oherwydd hyn fe'i hadwaenid fel 'Hungry Dick'.[57] Bu'r cwmni yn fwy na pharod ar un cyfnod i adael i wraig y capten hwylio ar eu llongau ond ymddengys i Hughes glywed drwy gyfrwng merched o dref borthladd Amlwch fod rhai o'i griwiau wedi denu merched ar fwrdd eu llongau a meddwi. Wedi hynny ataliwyd merched rhag mynd ar y llongau. Roedd gan y llongwr Bob Owen gof o fod ar y *Bush*

Rose yn Preston a hithau'n bwrw glaw a gwraig y Capten ar y cei, ond nad oedd hi yn cael mynd ar y llong o gwbl![58] Dadleua Margaret Creighton yn ei hastudiaeth hi o ferched yn hwylio wrth bysgota'r morfil yn yr Unol Daleithiau, fod y ffaith mai un rhyw oedd ar fwrdd llong yn siwtio'r perchnogion llongau. Ymddengys na ystyriodd perchnogion llongau fforen America gyflogi merched fel rhan o'r criw, ond roeddynt wedi trafod manteision ac anfanteision gadael i wraig y capten hwylio gyda'r llong.[59] Ond, fel y gwelwyd eisoes, ceir digonedd o enghreifftiau yng Nghymru o wragedd i gapteiniaid yn hwylio efo'u gwŷr, er bod hynny'n aml oherwydd mai'r capten oedd hefyd yn berchen ar y llong dan sylw.

Ond beth oedd yr agweddau tuag at y gwragedd hynny ar y llongau eu hunain? A oedd merched yn cael eu gweld fel tresmaswyr mewn byd gwrywaidd? Yn sicr, ymddengys fod gwraig y capten yn gwybod ei lle ar y llong. Pan fyddai hi'n mynd ar y môr hefo'r Capten Tom Parry, ni fyddai Mrs Anita Parry yn mynd ar y bont oherwydd mai eu 'lle nhw [sef y gweithwyr] oedd hynny.'[60] Cofiai Mrs Elizabeth Roberts, hefyd o Foelfre, fod ei mab, Huw, yn blentyn bywiog iawn ar y llong. Roedd wedi cael gorchymyn gan ei fam i beidio mynd i stafelloedd y llongwyr (gan eu bod yn cysgu) ond un tro aeth y bachgen ar goll – roedd wedi mynd at le cysgu'r llongwyr a chuddio yno.[61] Yn sicr roedd gwragedd i gapteiniaid yn ymwybodol o'r ffiniau iddynt hwy ar y llong.[62]

Roedd y wraig yn aml yn ymwybodol ei bod yn mentro i fyd dieithr a'r criw yn ei gwylio cyn cyrraedd dec y llong, a hynny oherwydd ei bod yn gorfod dringo ysgol gyffredin fel pawb arall i fynd ar long, profiad anghyffredin iawn iddi fel arfer. Wrth ddringo i long oedd yn cludo glo, er enghraifft, nid oedd sicrwydd na fyddai cawod o lwch glo yn disgyn dros wraig y capten.[63]

Cymysg oedd y croeso i deulu'r capten ar long. Cofiai

Mrs Katie Roberts iddi hwylio ar long pan yn bymtheg oed
hefo'i thad a chlywed y cogydd yn datgan amdani ei fod
eisiau *'see her sick'* drwy roi ciper iddi i frecwast. Bwytaodd
Mrs Roberts y ciper![64] Ai herio Mrs Roberts oedd y cogydd
ynteu herio ei thad, y capten, drwyddi hi? Neu ai dyna natur
y cogydd arbennig hwnnw? Hollol wahanol oedd profiad
Beti Isabel Hughes yn ystod gwyliau'r haf 1940 pan fu efo'i
mam Elizabeth Griffith yn aros gyda'i thad, Capten Griffith
Parry Griffith, yn nociau Salford ar fwrdd y *Wellington Court*.
Oherwydd cyrchoedd gan awyrennau'r Almaen, bu'n rhaid
symud y llong i ddoc arall er diogelwch. Er bod sŵn y seiren yn
codi ofn arni hi a'i mam, roedd bywyd yn llawn hwyl i'r ferch
fach, a bu'r llongwyr yn hynod garedig wrthi ac roedd hi'n:

> ... cael fy nhrin fel tywysoges fach gan y llongwyr.
>
> I'm difyrru, byddent yn dal dau ben rhaff a'i throi ar y
> dec er mwyn i mi gael sgipio a neidio, ac yn mynd â fi i'r
> *engine-room* boeth a swnllyd i weld rhyfeddodau'r
> peiriannau mawr yn y fan honno, neu i'r *galley* gyfyng at y
> cwc.[65]

Beth bynnag am agweddau tuag at bresenoldeb gwraig y
capten ar long roedd sawl mantais i'w phresenoldeb. O
safbwynt ariannol, os oedd y wraig a'r plant yn hwylio gyda
chapten berchennog yna fe olygai mai un cartref yn unig yr
oedd yn rhaid ei gynnal, ac roedd hi hefyd yn gallu arbed
amser i'w gŵr drwy ofalu am gaban y capten. Roedd gwraig
capten mewn un ystyr yn union fel gwraig ffermwr neu wraig
perchennog siop gan ei bod yn cynorthwyo â rhai
gorchwylion ar y llong ac felly'n cyfrannu'n economaidd:
'*For both the ship's economy and their private economy (which
is hard to separate on this occasion), the master would probably
save at least one hand by bringing his wife.*'[66]

Mae'n debygol hefyd fod presenoldeb gwraig y capten, a
phlant, ar y llong yn cyfrannu'n bositif i les a hwyl y criw a
bod hynny hefyd o fudd economaidd.[67] Roeddynt, er

enghraifft, yn gallu cynnig cysur i'r criw, fel yn achos Grace Davies a hwyliai ar y *Gwydyr Castle* ar ddechrau'r ugeinfed ganrif. Hyfforddwyd hi fel athrawes a chan fod mwyafrif y criw yn Gymry, fe gymerai ddiddordeb mamol ynddynt. O fewn dim, roedd hi wedi sefydlu dosbarth Beiblaidd a phob prynhawn Sul byddent yn cyfarfod yn salŵn y Capten i ddarllen a thrafod yr Ysgrythurau a chanu emynau. Ar ddiwedd y cyfarfod, ceid gwledd o de, sgons, jam a chacennau. Roedd y dosbarth yn boblogaidd iawn![68]

Yn amlwg, mae'r maes hwn yn un cymhleth ac yn haeddu sylw pellach ond gallwn gasglu fod agweddau tuag at ferched ar fwrdd llong, ynghyd ag agweddau'r merched eu hunain, yn amrywio. Llawer sicrach fyddai awgrymu fod eu presenoldeb yn sicr o les i'r llong yn economaidd ac yn seicolegol, er nad oedd hynny yn aml yn amlwg i bawb ar y pryd.

'Men at Sea Never Completely Left Behind the World of Women'[69]

Gellir dadlau fod dylanwad a phwysigrwydd menywod i ddynion ar y môr yn bresennol hyd yn oed pan nad oedd y merched eu hunain ar fwrdd y llong. Yn draddodiadol pwysleisiai haneswyr morwrol y gwahaniaeth rhwng y cartref a'r môr ym mywydau morwyr – eu bod yn aml yn gadael cartref clyd, distaw a diogel ac yn mynd i fyd estron, anghysurus a pheryglus. I oroesi fel morwr rhaid oedd bod yn galed ac nid oedd lle i, na disgwyliad am, gysuron y cartref ar fwrdd llong. Ond mewn astudiaeth o bysgotwyr morfilod gogledd ddwyrain America rhwng 1830 ac 1870 mae Margaret Creighton yn amau oedd morwyr yn ddynion caled, gwrth-ddomestig fel mae'r darlun traddodiadol yn ei bortreu.[70] Noda hefyd fod gwahaniaethau rhwng gwahanol garfanau o forwyr o safbwynt eu cefndir, eu profiadau a'u disgwyliadau ar fwrdd llong.

Yn ôl Creighton roedd swyddogion o gefndir dosbarth

canol yn gwerthfawrogi'r llonyddwch a oedd yn rhan o fywyd llong hwyliau – roedd ganddynt gabanau yn y starn. Roedd yr elfen o gadw cysylltiad â'r cartref yn bwysig hefyd a byddai swyddogion yn cadw dyddiaduron – roedd y rheiny yn anuniongyrchol, a llythyrau yn uniongyrchol, yn eu cysylltu â'u gwragedd. Roedd diwylliant y ffocsl yn hollol wahanol. Byd caled oedd y byd hwnnw, ac roedd disgwyl i'r morwyr ymddwyn mewn modd gwrywaidd iawn.

Does dim dwywaith fod cysuron cartref megis dylanwad benywaidd yn amlygu eu hunain ym mhrofiadau morwyr. Bu'r Capten W. E. Williams, Cricieth, yn hwylio i Dde America yn y 1920au ac yn Vera Cruz byddai Señor Delphin, cynrychiolydd Cwmni Harrison, yn hoffi mynd ar y llong i gael paned o de a chacen. Mrs Catherine Williams fyddai'n gwneud y gacen Madeira a daeth 'yn ddefod nad oedd y gacen honno i'w thorri nes cyrraedd Vera Cruz.'[71] Gellir dadlau felly mai math ar ddal gafael ar ryw ddarn bach o'r cartref oedd y ddefod hon i'r Capten Williams.

Gellir dadlau hefyd fod sicrhau anrhegion ar gyfer y wraig a'r teulu hefyd yn golygu fod dylanwad benywaidd yn holl bresennol. Cofiai Ann James Garbett gyfarfod llong ei thad ym Mhorthmadog pan ddychwelai o fordaith dramor a hithau'n:

> ... mynd i lawr i'r caban i weld a oedd presant i ni a photel o *Eau-de-Cologne* i Mam o'r Almaen. Unwaith fe gefais ddoli bach dlos o Hamburg a chanddi wallt melyn a llygaid glas. Fe ddaeth fy nhad â llawer o bresantau o wledydd estron o dro i dro, yn degananu, defnyddiau a ffrwythau ... ac y mae yn fy meddiant lamp olew bras hardd anghyffredin yr olwg o Patras yn Groeg, a llestri pridd o Rufain.[72]

Nid casglu anrhegion oedd yr unig ffordd o gadw cysylltiad â'r cartref. Roedd llythyru'n bwysig i'r teulu hefyd, fel y cofiai Beti Isabel Hughes am 1937:

> Ar gerdyn a bostiwyd yng ngorllewin Sbaen, dywed Nhad fod y llong ar fin gadael porthladd Lisbon ym Mhortiwgal – ymhen

ychydig oriau byddai'n hwylio am Gibraltar. Dro arall, ar gerdyn post a ddanfonwyd o Tangiers yng ngogledd Affrica, mae'n disgrifio'i ymweliad â Phalas y Swltan yno, ac yn sôn am ysblander yr adeilad hwnnw gyda'i loriau *mosaic* patrymog a'i golofnau hardd.

Byddwn wrth fy modd pan ddeuai cerdyn wedi'i gyfeirio'n arbennig i mi – cawn fy nghyfarch fel Betw weithiau, a Betsan dro arall. Yn hogan fach naw oed, cefais oriau o fwynhad yn gosod y cardiau'n ofalus mewn albwm ac yn casglu'r stampiau amrywiol at ei gilydd. I Mam y mae'r diolch am ragweld gwerth y casgliad yma i mi ymhen blynyddoedd.[73]

Roedd gwerth y cardiau post yr un mor amlwg i Capten Griffith Parry Griffith oherwydd eu bod yn cadw'r cyswllt â'r cartref yn fyw. Nid mater syml o gofio am, a chadw cysylltiad gydag anwyliaid yn unig oedd codi anrheg mewn porthladd estron i'w gadw nes cyrraedd gartref, neu roi amser ar gyfer ysgrifennu pwt o lythyr neu gerdyn post. Roeddynt yn weithredoedd syml oedd yn clymu'r morwr oedd yn bell o'i gartref ac mewn byd gwaith anghyffredin gyda'i gartref cysurus a'i anwyliaid. Er mai gwŷr a rhieni oedd yr achos yn y ddwy enghraifft uchod, roedd yr awch am normalrwydd cartrefol benywaidd i'w gael mewn rhai sefyllfaoedd annisgwyl.

Mewn erthygl sy'n cynnig trosolwg o ysgrifau ar fôr-ladron mae C. R. Pennell yn tynnu sylw at honiad anhygoel parthed un o fôr-ladron enwocaf Cymru, Bartholomew Roberts.[74] Wedi ei ysgrifennu o safbwynt anarcho-ffeministaidd mae'r llyfr *Women Pirates and the Politics of the Jolly Roger* yn cynnig mai menyw oedd Barti Ddu mewn gwirionedd![76] Cyfeirir ato fel 'hi' yn y testun a noda'r awdur nifer o resymau dros ei safbwynt gan gynnwys y ffaith fod Barti Ddu yn gwrthod yfed ac ysmygu, nad oedd yn goddef rhegi, ei fod yn gwisgo dillad coegwych, fod ganddo lygad creadigol wrth lunio gwahanol faneri môr-ladron, ei hoffter o de a sudd ffrwythau a'r ffaith fod ganddo gluniau fel y cyn

chwaraewraig tenis Martina Navratilova! Ond fel y noda
Pennell, efallai nad oes sail wirioneddol i'r honiad ond
mae'n llwyddo i ysgogi'r darllenydd i feddwl yn heriol am y
testun ac yn arbennig i herio rhagdybiaethau am fyd y môr-
ladron sydd wedi eu creu gan academyddion gwrywaidd. Ar
y llaw arall, yng nghyd-destun yr astudiaeth hon, a yw hi'n
deg awgrymu yma fod y dystiolaeth a gynigir yn dangos, nid
mai menyw oedd Barti Ddu, ond fod dylanwad agweddau
benywaidd ar fywyd y dyn o forwr yn gallu bod yn bresennol
ym mhob math o longau.

Er nad oedd Barti Ddu yn fenyw, ceir sawl enghraifft ar
draws y byd o fôr-ladron o ferched dros ganrifoedd lawer,
gan gynnwys Gráinne Ní Mháille (Grace O'Malley) yn yr
Iwerddon yn yr unfed ganrif ar bymtheg a Lo Hon-cho yn
China yn y 1920au. Nid oes unrhyw dystiolaeth sicr o fôr-
ladron benywaidd Cymreig. Fodd bynnag, roedd merched o
Gymru yn gweithio ar y moroedd mewn amrywiol rolau
dros gyfnod yr astudiaeth hon a bu i'r cyfloed iddynt wneud
hynny, ochr yn ochr â'u cyfraniad, gynyddu'n sylweddol.

Merched fel Criw ar Long

Er i nifer o ferched oedd yn wragedd i gapteiniaid hwylio'r
moroedd, ar y cyfan prin oedd y merched oedd yn aelodau o
griw llong. Er hynny, bu i rai merched droi at weithio ar y
môr yn dymhorol, dros dro ac yn llawn amser. Roedd rhai
ohonynt yn wragedd neu'n ferched i gapteiniaid neu o
gymunedau morwrol, ond roedd eraill yn dod o'r tu hwnt i'r
ffiniau hynny. Cynyddodd y cyfleoedd i ferched, yn
arbennig yn ystod yr ugeinfed ganrif, a heddiw mae'n bosibl
i ferched ddilyn gyrfa ar amrywiol fathau o longau ar hyd a
lled y byd. Ar y llaw arall, bu enghreifftiau dros y canrifoedd
hefyd o ferched yn gorfod mynd i weithio i'r môr yn y dirgel
oherwydd nad oedd croeso iddynt ym myd dynion.

Gweithio

Mae rhai cyfeiriadau at ferched ar longau yn crybwyll eu bod yn gweithio ochr yn ochr â'r dynion. Ym Mhorthmadog, er enghraifft, yn ôl Henry Hughes byddai dynes o'r enw Mrs Jones, gwraig i un o gapteiniaid y *Fleetwing*, brig a adeiladwyd ym Morth-y-Gest yn 1874, yn mynd ar nifer o fordeithiau efo'i gŵr gan daflu ei hun i mewn i waith y llong:

> She was a good sailor and ever ready to tail on a rope or take a turn at the wheel should the watch be hard pressed.[77]

Ategwyd ei gasgliad mewn paentiad o'r llong yn hwylio o Fae Napoli yn 1877 sy'n ei dangos hi fel un o'r criw.

Daw enghraifft fanylach o borthladd Amlwch. Oddeutu 1897, aeth Elizabeth Jones a'i mam ar y *Gauntlet*, sgwner 120 tunnell a adeiladwyd yn Glasson Dock yn 1857. Capten y llong oedd ei thad, y Capten Bob Jones, neu 'Hurricane Bob' i'w gyfoedion. Byddai mam Elizabeth yn ceisio cynnig amrywiaeth ar fwydlen arferol y llongwr o sgedis caled drwy fynd â chabaits coch a menyn pot i'w gŵr. Wedi hwylio ar y *Gauntlet* am rai blynyddoedd aeth Elizabeth Jones adref er mwyn mynd i'r ysgol yn Amlwch. Wedi'r Rhyfel Mawr fodd bynnag, dychwelodd Elizabeth Jones i'r môr fel cogyddes ac aelod o'r criw. Byddai'n gwneud yr un gwaith â'r dynion, er enghraifft mynd i fyny'r hwylbren i'w grafu'n barod ar gyfer ei beintio. Ar dywydd gwael neu pan oedd y criw yn brin, byddai'n cadw gwyliadwriaeth efo'r mêt. Ei hoff atgof, fodd bynnag, oedd hwylio i fyny'r Solent pan oedd ei thad yn sâl yn ei fync. Gan fod angen pob aelod o'r criw wrth yr hwyliau, pan ddaeth y peilot ar y bwrdd, gwisgodd ei chot oel a llywio'r llong i mewn i'r harbwr. Un tro aeth i'r llys efo'i thad i roi tystiolaeth mewn achos o wrthdaro rhwng dwy long pan oedd hi ei hun wrth y llyw mewn glaw a niwl tew. Yn sicr cafodd 'Lizzie' brofiadau amrywiol iawn fel aelod o'r criw.[78]

Yr enghraifft amlycaf o ferch i gapten yn sicrhau gyrfa forwrol iddi'i hun, a hynny hefyd fel capten o bosib, oedd

Sarah Jane Rees ('Cranogwen', 1839-1916). Pan oedd yn eneth ifanc fe dreuliodd hi ddwy flynedd yn hwylio gyda'i thad, y Capten John Rees, a hwyliai o borthladd Llangrannog. Un o ganlyniadau ei phrofiad o hwylio'r glannau, ac i'r cyfandir hefyd mae'n debyg, oedd iddi fynd ati i ddysgu morwriaeth ac, yn ôl y sôn, ennill tystysgrif Capten. Er nad oes unrhyw dystiolaeth swyddogol iddi fod yn gapten llong, ac er nad ydym yn gwybod dim o'i hanes fel capten llong, o gofio ei chefndir, ei chymeriad a'i gyrfa amrywiol ac arloesol yna nid yw'n amhosib iddi fod wedi hwylio glannau'r gorllewin yn feistr ar long. Yn sicr hi yw capten o fenyw chwedlonol enwocaf Cymru.

Cludo nwyddau

Roedd merched i'w cael ar longau'r glannau, a hynny fel masnachwyr yn cludo nwyddau i farchnad. Roedd un ferch ifanc yn arfer mynd o amgylch ffermydd a thyddynnod Uwchmynydd ym mhen draw Llŷn i hel wyau, yn ystod degawdau cynnar yr ugeinfed ganrif mae'n debyg. Byddai'n mynd â'r wyau i Aberdaron, eu llwytho yno ar y *Catrin*, slŵp fechan y teulu, a hwylio gyda hwy i Lerpwl i'w gwerthu. Byddai hi wedyn yn cerdded adref yr holl ffordd o Lerpwl cyn mynd i dalu'r trigolion lleol am eu hwyau. Byddai hyn yn digwydd yn fisol.[79] Roedd masnach eang mewn nwyddau amaethyddol o borthladdoedd amrywiol Bro Morgannwg yn ail hanner y ddeunawfed ganrif – un o'r rhai a oedd ynghlwm â'r fasnach gywion ieir oedd Jane Robert o Michaelston le Pit. Ni wyddys os oedd hi ei hun yn hwylio ar longau lleol ond yn sicr roedd hi'n masnachu cywion ieir yn rheolaidd ym Mryste gan ddefnyddio un o longau'r teulu Priest, masnachwyr amlwg o Gaerdydd.[80]

Nid yw'n glir a oedd yr un o'r ddwy uchod yn gweithio ar y llongau wrth gludo'u nwyddau ond mae'n werth tynnu sylw yma at yr hyn oedd yn gyffredin yng ngogledd Ewrop.

Yn Norwy, cyn dyfodiad y llongau stêm, byddai merched yn hwylio gyda'u cynnyrch i'r farchnad, ond roeddynt hefyd yn gweithio ar fwrdd y llong, nid yn unig drwy baratoi bwyd a glanhau ond hefyd drwy wneud gwaith llongwr. I'r dwyrain o Norwy, dengys rhestrau criwiau o 1825 fod 20% o'r unigolion a oedd ar fyrddau'r llongau a hwyliai rhwng Åland, ynysoedd Swedeg eu hiaith ond dan reolaeth Y Ffindir, a Stockholm, prifddinas Sweden, yn ferched. Roedd y mwyafrif llethol ohonynt yn wragedd a merched fferm, yn hwylio yn yr hydref i werthu cynnyrch amaethyddol ar ddiwedd y tymor. Ar y llongau byddent yn gwerthu eu cynnyrch a choginio, ond fydden nhw ddim yn gwneud gwaith llongwr.[81]

Mae Mark D. Matthews yn tynnu sylw at y ffaith nad y byw yn unig oedd yn teithio dros y môr – ceir sawl sylw gan William Thomas, y dyddiadurwr o Michaelston-super-Ely, at gyrff yn cael eu cludo i'w claddu yn eu broydd genedigol. Er enghraifft, roedd Nancy Lewelin, perchennog siop 26 oed, wedi mynd i ffair Bryste i brynu nwyddau, ond bu farw ar ôl cyrraedd o *'ling'ring consumption'*. Yn briod ac yn fam i ddau o blant fe'i cludwyd ym Medi 1773 o Fryste drosodd i St. Athan i'w chladdu yn y plwyf lle ganwyd hi – bu ei chorff ar y llong am bum niwrnod oherwydd y tywydd garw.[82]

Gweithio Gan Fynd ar y Moroedd

Hwylio yn sgil eu gwaith oedd y merched a gludai nwyddau i farchnadoedd, ond rhoddai rhai swyddi gyfleoedd i ferched hwylio'r moroedd a phrofi bywyd ar longau, a gweld y byd ar yr un pryd. Ymfudodd Margaret Stephens o Gaernarfon i Awstralia bell yn 1866, ond ni arhosodd yno yn hir a hwyliodd i Dde America cyn dychwelyd i Gymru.[83] Cafodd swydd ar y fordaith o Brisbane fel cydymaith i Madame De Young, gwraig Capten De Young, ac fel mamaeth i'w mab. Hwyliodd i Ynysoedd y Chinchas yn ne America, a chyrhaeddodd adref yn Ionawr 1867.

Roedd llawer o ferched eraill a fu'n hwylio fel rhan o'u gwaith ac, o'r herwydd, yn rhan o fywyd y llong. Un o ferched unigryw'r bedwaredd ganrif ar bymtheg oedd Elizabeth Davies, neu Betsi Cadwaladr. Daeth yn enwog fel nyrs yn ystod Rhyfel y Crimea ond doedd hynny ond un rhan o fywyd diddorol a arweiniodd hi i sawl cyfandir, gan gynnwys hwylio fel mamaeth i India'r Gorllewin. Er iddi gael sawl antur ac wynebu nifer o fygythion i'w bywyd, roedd llawer o'i phrofiadau wrth hwylio'r byd yn gyffredin i nifer o ferched eraill a hwyliai'r moroedd wrth eu gwaith.[84] Ar y llaw arall, cafodd sawl profiad a oedd yn dangos cyfraniad i lwyddiant menter forwrol.

Tua 1821 fe'i cyflogwyd fel morwyn i Capten a Mrs Foreman yn Llundain. Roedd ef yn berchen ar y *Denmark Hill* a byddai ei wraig yn hwylio i bob man gydag ef. Nid oedd dyletswyddau Betsi Cadwaladr fel morwyn wedi ei gyfyngu i wasanaethu anghenion Mrs Foreman yn unig – er ei bod yn paratoi bwyd ar eu cyfer yn eu cartref, roedd hi ei hun yn cysgu ar fwrdd y llong. Felly, roedd y Capten yn ofalus iawn wrth ddewis ei griw – roedd yn well ganddo beidio defnyddio asiantau – ac fe gymerai lawer o amser i sicrhau ei fod yn cael criw dibynadwy. Gwaith Betsi Cadwaladr yn ystod y cyfnod hwn yn nociau Llundain oedd trefnu llety ar gyfer y teithwyr a gwneud yr holl drefniadau ar eu cyfer gan gynnwys trefnu a derbyn yr ystorfeydd bwyd a nwyddau ar gyfer y fordaith. Ar y fordaith ei hun, yn ogystal â gweini ar ei meistres byddai Betsi Cadwaladr yn gwasanaethu gweddill y gwragedd bonheddig ar y fordaith, yn gweithredu fel nyrs pan fyddai angen ac yn pysgota – a chwaraeodd ran bwysig unwaith wrth achub y llong mewn storm a oedd yn ei bygwth.[85]

Daeth cyfleoedd i ferched ar longau mewn sawl modd annisgwyl. Yn 1866 agorwyd HMS *Hamadryad* fel ysbyty yng Nghaerdydd ar gyfer cynnig triniaeth yn rhad ac am ddim i forwyr o bob rhan o'r byd.[86] Roedd hi wedi ei hadeiladu yn Noc Penfro rhwng 1819 ac 1823 ar gyfer y Llynges ac ar fin cael ei datgymalu pan logwyd hi i weithredu fel ysbyty ar ynys ym mhorthladd Caerdydd, gyda lle ar gyfer 60-65 o gleifion. Deuai'r morwyr neu deithwyr o gleifion o borthladdoedd Caerdydd, Casnewydd a'r Barri. Daeth yr arian i redeg yr ysbyty drwy gyfraniad gwirfoddol o ddau swllt am bob 100 tunnell o gargo gan longau cofrestredig.

Roedd staff yr ysbyty yn cynnwys swyddog meddygol, rhingyll, cogydd, nyrsys a stiwardes. Dynion oedd y tri cyntaf. O'r nyrsys, dim ond y brif nyrs oedd yn gorfod gallu darllen ac roedd rheolau llym ar gyfer y merched – nid oeddynt yn cael gadael y llong heblaw yn ystod gwyliau neu ymweliad gartref a rhaid oedd iddynt ddychwelyd i'r llong cyn chwech y bore yn yr haf a saith y bore yn y gaeaf. Ymhlith gwaith y nyrsys roedd sicrhau nad oedd neb yn ysmygu, rhwystro cnocio hoelion i goedyn y llong, atal pobl rhag cludo fflamau agored a rhwystro unrhyw beth rhag cael ei basio drwy bortyllau'r llong. Un o brif ddyletswyddau'r nyrsys oedd sicrhau safonau glendid uchel. Roedd un ar wyliadwriaeth gyda'r nos yn cadw golwg ar gyflwr iechyd y cleifion ac adrodd yn ôl yn syth i'r swyddog meddygol pe byddai angen. Bu'r ysbyty'n cyflawni gwaith gwerthfawr iawn yng nghymuned y porthladd am bron i gan mlynedd gyda merched yn rhan bwysig o'i lwyddiant.[87]

Merched yn Ymfudo

Bu mudo'n rhan greiddiol o hanes Cymru, yn arbennig yn ystod y ddwy ganrif a hanner ddiwethaf, er iddo amrywio yn ei ddwyster a'i gyfeiriad ar wahanol gyfnodau. Un garfan o ferched unigryw i hwylio'r moroedd felly oedd merched o ymfudwyr. Yn achos nifer fawr ohonynt roeddynt yn gadael am gyfandir pell er mwyn cychwyn bywyd newydd. Roedd un garfan arall o ymfudwyr, fodd bynnag, sef y merched hynny a drawsgludwyd i Awstralia bell a hynny fel cosb.[88] Roedd mwyafrif y merched o ymfudwyr o reidrwydd yn perthyn i gymuned forwrol dros dro, ond byddai'r profiad o fod yn perthyn i'r gymuned newydd hon yn debygol o aros gyda hwy.

Ar yr wyneb byddai profiadau merched ar fordaith yn debyg i rai'r dynion. Un o'r problemau cyntaf i wynebu'r ymfudwyr, ond a oedd hefyd yn gallu bod yn broblem i'r morwyr mwyaf profiadol ar adegau, oedd salwch môr. Roedd amodau byw yn anodd iawn i'r rhan fwyaf o ymfudwyr oes y llongau hwyliau a'r llongau stêm. Roedd llefydd byw ar fwyafrif y llongau hwyliau cynnar a gludai ymfudwyr, ond nid oeddynt wedi eu cynllunio ar gyfer hynny, a oedd yn achos pryder mawr. Yn aml iawn roedd uchder y dec yn annigonol, rhyw bump i chwe throedfedd ar y gorau, ac roedd awyriad a golau yn brin. Pan ddeuai yn dywydd stormus byddai'r ymfudwyr yn gorfod aros ym mol y llong hefo'r hatsys wedi eu cau a oedd yn gwneud anadlu yn anodd iawn, er bod yr aer yn ddigon afiach pan fyddai'r hatsys ar agor! Roedd perygl o danau yn ystod tywydd stormus hefyd oherwydd y brif ffynhonnell o olau ym mol y llong oedd lampau.[89]

Cyflwynwyd gwelliannau yn raddol wrth i'r awdurdodau yn yr Unol Daleithiau ac Ewrop basio deddfwriaeth i geisio rhwystro llawer o'r problemau. Felly gan fod y *Mimosa* wedi ei llogi yn bwrpasol ar gyfer y fordaith i Batagonia yn 1865, un o'r camau cyntaf oedd ei haddasu ar gyfer cludo ymfudwyr. Rhoddwyd dynion sengl ym mhen blaen y dec isaf gyda bariau haearn a hatsys ar wahân yn arwain i'r dec uchaf er mwyn eu cadw rhag y merched. Rhoddwyd cyfleusterau golchi ar y prif ddec, lle'r oedd y teuluoedd a'r merched sengl yn byw. Gan nad oedd portyllau ar y llong, rhaid oedd gosod awyryddion a ffenestri to. Roedd pedwar toiled – dau ar gyfer dynion a dau ar gyfer y merched. Llenni syml yn unig oedd rhwng y bynciau.[90]

Roedd safon y bwyd ar y llongau ymfudo yn wael, fel y nododd Keturah Davies ar fordaith i Awstralia yn 1860:

We had for dinner Beef Preserved potatoes and rice pudding and cake for tea. We have plenty of oatmeal, treacle, sugar, Butter, Tea and coffee. We have pickles and lemon juice given us and flour and suet to make pudding every day and we have raisins 3 times a week and we have bread twice a week. We have plenty of biscuit every day.[91]

Adlewyrchai'r 'fwydlen' hon y math o fwyd undonog a oedd yn gyffredin i nifer o longau ymfudo, yn sicr yn y degawdau cynnar, gyda diffyg bwyd ffres yn amlwg. Daeth gwelliannau i'r bwyd fel rhan o'r gwelliant cyffredinol yn safon y llongau ymfudo a'r gwasanaethau a gynigiwyd arnynt wrth i'r degawdau fynd rhagddynt.

Problem arall ar fordeithiau hir oedd prinder dŵr, a'r ffaith nad oedd yn aml yn ddŵr pur. Yn ddiddorol iawn, oherwydd natur mordaith ar y llongau stêm a hwyliai i Awstralia drwy Fôr y Canoldir, prif achos marwolaethau erbyn diwedd y bedwaredd ganrif ar bymtheg oedd y gwres. Ymateb y cwmnïau oedd gwella'r cysgod a'r gwyntylliad oedd ar gael i'r ymfudwyr.

Un o nodweddion mordeithiau ymfudo hir oedd diflastod a rhaid oedd i'r ymfudwyr cyntaf geisio diddanu eu hunain ar y llong, er bod adloniant mwy ffurfiol ar gael yn ddiweddarach. Er hynny, bu i nifer fawr o'r ymfudwyr o ferched gael sawl profiad na fyddai fyth wedi dod i'w rhan oni bai am y fordaith wrth iddynt ymweld â phorthladdoedd estron a gweld rhyfeddodau oedd yn hollol newydd iddynt. Ymhlith sylwadau Margaret Stephens yn ystod ei mordaith i Awstralia yn 1866-67, er enghraifft:

> *Ion 30.* Tarawyd pawb a syndod boreu heddyw – ar doriad dydd, gan y waedd *"Icebergs in sight"* (Ynysoedd bach o rew). Yr oedd chwech neu saith i'w gweled ar un golwg, o wahanol faintoli a ffurfiad. Yr oedd rhai ohonynt agos gymaint ag Ynys Seiriol, ond yn llawer uwch, ac yn fwy gorywch yr olwg. Deuai rhai o'r newydd i'r golwg trwy'r dydd mewn peryg mawr.[92]

Ar y llaw arall, cafodd ferched o ymfudwyr brofiadau annymunol a brawychus megis stormydd. Roedd heintiau'n berygl cyson i ymfudwyr hefyd. Pan hwyliodd y *John Davies* o Lerpwl am Awstralia yn 1852 bu farw o leiaf 27 ar ei bwrdd, y mwyafrif ohonynt yn blant, a hynny o ganlyniad i'r frech goch mae'n debyg.[93] Roedd plant yn teithio ar y llongau trawsgludo hefyd fel yn achos y *George Hibbert* yn 1834 a hwyliodd gyda 150 o ferched a 41 o blant ar ei bwrdd. Bu i sawl plentyn gael ei eni ar longau ymfudo a thrawsgludo ac er bod geni plentyn dan y fath amgylchiadau yn achos pryder roedd bywyd newydd ar y llong hefyd yn rhoi hwb i'r galon.[94] Roedd yn arferol iawn i blentyn gael ei (h)enwi ar ôl y llong, fel yn achos geneth o'r enw Schah Jehan ar fordaith Keturah Davies i Awstralia.

Er bod merched o ymfudwyr yn hwylio dan yr un amodau â'r dynion i bob pwrpas, roedd profiadau'r merched ar y llong ymfudo yn estyniad o'u rôl a'r disgwyliadau arnynt gartref: coginio, glanhau a chyfrifoldeb dros y plant yn fwyaf penodol. A oedd profiadau'r merched yn eu gwneud yn wragedd annibynnol? Awgrymir yn glir fod y merched o ymfudwyr wedi eu cael eu hunain mewn sefyllfa oedd yn sicr o brofi eu cymeriadau ond mae'n amlwg fod angen ymchwil bellach i weld a oedd y merched a gyrhaeddodd y byd newydd yn wahanol i'r merched a adawodd Cymru, a sut yn union roedd y profiad o fod yn rhan o gymuned y llong wedi dylanwadu arnynt.

Stiwardesau

Yn y ddeunawfed ganrif a dechrau'r bedwaredd ganrif ar bymtheg roedd cyfrifoldeb dros wasanaethau personol ar longau, oedd yn cynnwys glanhau a choginio, yn disgyn ar ysgwyddau'r bechgyn, prentisiaid, dynion hŷn a'r anabl.[95] Roedd merched hefyd ar longau masnachol yn cyflawni'r gwaith hwn, a dyletswyddau eraill yn ogystal, gyda gwraig y capten yn enghraifft amlwg. Fel arfer, fodd bynnag, ni fyddai eu presenoldeb yn cael ei gofnodi'n swyddogol ac nid oeddynt yn aml yn derbyn unrhyw dâl am eu gwaith ychwaith. Un o'r datblygiadau pwysicaf wrth i'r bedwaredd ganrif ar bymtheg fynd rhagddi, o safbwynt cyflogaeth merched ar y môr, oedd ymddangosiad, a thwf graddol yn niferoedd, y stiwardesau. Daeth hynny yn sgil y galw am ferched i gynorthwyo merched o deithwyr, ymfudwyr yn y lle cyntaf, gwaith a gynyddodd wrth i dwristiaeth ddod yn fwy poblogaidd. Er bod enghreifftiau o ferched yn gweithio ar longau mewn amrywiol swyddi, mewn gwirionedd gweithio fel stiwardes oedd yr unig faes a oedd yn amlwg ar gael ar eu cyfer; a hyd yn oed o fewn y maes hwn roedd cyfyngiadau ar y cyfleoedd oedd ar gael iddynt.[96]

Mae sawl enghraifft o berthynas i'r capten yn hwylio fel stiwardes ar long, naill ai'n swyddogol neu'n answyddogol. Adeiladwyd y brig *Palestine* (233 tunnell) yn y Felinheli yn 1870. Bu'n gweithredu bron fel llong hyfforddi i forwyr ifainc Abermaw ac Ardudwy am flynyddoedd. Yn 1897 wrth hwylio ar draws yr Iwerydd o Lerpwl bu'r llong mewn trafferthion a gorfodwyd i'r capten a'i chriw ei gadael. Y Capten oedd Owen Parry ac ymhlith y criw roedd stiwardes o'r enw Jane Parry, merch 27 oed o Gricieth, a thybiai Lewis Lloyd mai hi oedd chwaer y capten. Achubwyd hwy i gyd a'u glanio ar ynys St. Lucia yn Y Caribî.[97] Sgwner tri mast o Borthmadog oedd yr *R. J. Owen* ac yn y cyfnod cyn y rhyfel mawr bu'n hwylio'n rheolaidd yn y fasnach rhwng y Tir Newydd a Môr y Canoldir. Pan gychwynnodd ar fordaith o Lanelli yn 1911 roedd aelod newydd i'r criw, sef Ellen Mary Owen, 24 oed o Gricieth, a nodwyd fel a ganlyn: '*First Ship, Stewardess*'. Hi oedd gwraig y capten a hwyliodd gydag ef i Lisboa (Lisbon).[98]

Bu hwylio'r moroedd fel stiwardes deuluol fel hyn yn draddodiad anrhydeddus mewn sawl bro. Yn yr 1880au roedd Capten William Richards o bentref morwrol Borth yn mynd â'i wraig a'i blant efo fo ar yr S.S. *Mostyn* a'r S.S. *Eira*. Ar un fordaith bu ei ferch, Elizabeth, yn gweithio fel stiwardes ar fordaith rhwng Casnewydd a Llundain.[99] Ganrif yn ddiweddarach bu'r Capten Alan Enos yn mynd â'i wraig Valerie efo fo ar fordeithiau. Daeth hi i arfer â bywyd ar y llong – ac yn ogystal, roedd hi'n gyfarwydd â therminoleg y morwr ac yn cadw gwyliadwriaeth. Fel arfer roedd hi'n hwylio fel nyrs neu stiwardes ac ar adegau bu'n gwneud gwaith cysylltiadau cyhoeddus i'r cwmni i bob pwrpas drwy drefnu derbyniadau i ymwelwyr â'r llong. Bu hi'n cyfarfod â'r llong mewn llefydd mor amrywiol â Hamburg, Panama, Miami, Efrog Newydd a New Orleans, a bu'n hwylio i Dde America, De Affrica, Rwsia, y Dwyrain Canol a'r Unol Daleithiau.[100]

Y galw am stiwardesau

Er bod sawl enghraifft o berthnasau i gapten llong yn dod yn stiwardes, datblygodd y swydd i fod yn allweddol ar rai mathau o longau gan roi gwaith i ferched o amrywiol gefndiroedd. Datblygiad y llongau cludo ymfudwyr oedd y sbardun gwreiddiol i gyflogi stiwardes yn swyddogol. Ar y cychwyn un fenyw yn unig a gyflogid a hynny i dalu sylw i anghenion merched y dosbarth cyntaf, ond erbyn y 1870au roedd cwmnïau llongau cludo teithwyr yn cyflogi llawfeddyg a stiwardes. Erbyn diwedd y ganrif roedd y llongau ymfudo mwyaf yn cyflogi rhwng dwy a phedair stiwardes a metronau, ac roedd y nifer wedi codi i rhwng pymtheg ac ugain ar nifer o longau mawrion erbyn dechrau'r ugeinfed ganrif. Mae'n bosibl mai'r rheswm dros y cynnydd oedd y gystadleuaeth rhwng y cwmnïau cludo ymfudwyr, gan y byddai nifer yn ymfudo mewn grwpiau teuluol.[101] Er mai stiwardesau ar longau ymfudo a llongau mordeithiau sydd wedi derbyn sylw haneswyr, rhaid cofio eu bod yn amlwg hefyd ar y mordeithiau byr, megis y gwasanaethau fferi rhwng amrywiol borthladdoedd Cymru ac Iwerddon, er enghraifft.

Pwy oedd y stiwardesau hyn? Yn achos y llongau cludo ymfudwyr a mordeithiau pleser ar led gellir dadlau fod mwyafrif y merched a ddewisai yrfa fel stiwardes yn gwneud hynny oherwydd nad oedd dewis arall iddynt. Adlewyrchwyd hynny gan y ffaith eu bod yn nodweddiadol yn ganol oed, yn sengl neu'n weddwon (megis y '*company widows*' oedd yn cael gwaith gan gwmni fel math o iawndal wedi marwolaeth gŵr oedd yn gweithio i'r cwmni). Ond erbyn y 1920au roedd mwy o ferched yn dewis mynd i'r môr – roedd nifer ohonynt wedi blino ar fywyd undonog y lan. Roedd rhai ohonynt yn ifanc, yn awchu am antur, gan gynnwys rhai o'r dosbarth canol oedd wedi cael addysg.[102] Wrth i'r ugeinfed ganrif fynd rhagddi daeth bod yn stiwardes yn un o nifer o gyfleoedd gwaith i ferched, ac roedd yn sicr yn atyniad i ferched oedd yn byw mewn, neu o fewn cyrraedd, cymunedau porthladd. Un a drodd at yrfa ar y fferïau a llongau cludo teithwyr rhwng Caergybi ac Iwerddon oedd Janice Roberts.[103] Er ei bod o Gaergybi nid oedd a wnelo ei theulu ddim â'r môr, ond pan ddaeth yn fater o ddewis gyrfa yr oedd hi'n sicr nad oedd hi eisiau gweithio mewn siop na dim tebyg, a'i bod am weithio ar longau Caergybi. Daeth ei chyfle wedi streic y Rheilffyrdd Prydeinig yn 1966 pan gafodd swydd dros dro. Cafodd aros yn y swydd am flwyddyn ac, wedi iddi orffen ei chytundeb, cafodd swydd lawn amser a threuliodd weddill ei gyrfa ar y llongau. Heddiw mae'n parhau i weithio'n rhan amser, ond yng nghanolfan alw'r cwmni llongau erbyn hyn.

Dros y ddwy ganrif ddiwethaf gwelwyd rhai newidiadau yn nyletswyddau'r merched a weithiai ar y llongau. Ar y cychwyn, prif ddyletswydd y stiwardesau oedd gofalu am y teithwyr benywaidd. Yng nghanol y bedwaredd ganrif ar bymtheg roedd dyletswyddau ar fordeithiau ymfudo yn amrywio o helpu'r rhai oedd yn dioddef o salwch môr, i gadw merched ar wahân i'r dynion. Yn amlwg, roedd gwaith stiwardes o'r drydedd safon, neu fetron, yn wahanol i stiwardes o'r dosbarth cyntaf. Prif ddyletswydd y metron oedd bod yn gyswllt i ferched yn nhrydydd dosbarth (*steerage*) llong ymfudo ac i gadw golwg dros bob agwedd ar fywyd a gwaith y merched o ddydd i ddydd, gan gynnwys eu diogelwch moesol. Roedd yn rhaid i'r stiwardesau dosbarth cyntaf gwrdd â disgwyliadau tra gwahanol gan eu bod yn gweini ar holl anghenion y deithwraig dosbarth cyntaf.[104] Erbyn diwedd y ganrif roedd cynnydd yn eu dyletswyddau, a datblygodd eu gwaith i gynnwys helpu'r merched i wisgo, gweini bwyd, glanhau'r cabanau a helpu'r rhai oedd yn sâl. Roeddynt hefyd yn cael eu hurio fel nyrsys neu olchwragedd.[105] Yn ychwanegol fe'u cyflogid yn aml i edrych ar ôl, a chynghori, plant ar y fordaith. Mae Jo Stanley wedi rhoi sylw arbennig i ferched a weithiai fel stiwardesau ar longau cludo teithwyr a noda mai po uchaf y byddai safon y gwasanaeth i'r teithwyr, y mwyaf o stiwardesau fyddai, ar fordeithiau pleser o amgylch y byd er enghraifft.[106]

Mewn sawl ystyr nid oedd llawer wedi newid erbyn y 1960au, o leiaf yn achos y llongau a gludai deithwyr rhwng Caergybi a Dún Laoghaire. Prif ddyletswyddau'r stiwardesau oedd glanhau, gan gynnwys y toiledau, gwneud y gwelyau yn y cabanau, edrych ar ôl y rhai oedd yn sâl môr a rhoi gwybodaeth i'r teithwyr. Roedd gwaith i'w gael ar y fferïau pan fyddent yn y porthladd hefyd. Pan fyddai'r *Cambria* yn cyrraedd Caergybi am hanner nos yna byddai rhai teithwyr yn aros arni gan na fyddai'r trên yn gadael y stesion tan y bore. Yn ystod y cyfnod hwn o ddisgwyl yn y porthladd byddai gweithwyr y lan (hynny yw, gweithwyr nad oeddynt yn hwylio) yn gweithio arni. Pan fyddai'r ail long yn cyrraedd am chwarter wedi tri'r bore byddai gweithwyr y lan yn cael eu trosglwyddo i honno. Roedd tua phump o weithwyr y lan, sef y prif stiward, ail stiward, cogydd, stiward ac un stiwardes. Eu gwaith oedd aros ar y llong, gan y byddai'r criw wedi mynd adref, a gwneud brecwast ar gyfer y teithwyr fyddai'n codi erbyn wyth.

Ond os na newidiodd gwaith sylfaenol y stiwardesau rhyw lawer dros y blynyddoedd, yna'n sicr dros y degawdau daeth mwy o gyfleoedd i ferched o fewn maes y stiwardes. Yn y 1920au, er enghraifft, ar y llongau mordeithiau pleser daethant yn weithwyr siop, mamaethau, golchwyr dillad, cynorthwywyr baddon a thrinwyr gwallt.[107] Wedi'r Ail Ryfel Byd daeth mwy o amrywiol swyddi iddynt ar longau, megis darlithwyr, diddanwyr a thywyswyr teithiau ar y lan.[108] Adlewyrchwyd yr ehangu hwn ar y cyfleoedd oedd ar gael i ferched yn adran arlwyo llongau cludo teithwyr cwmni Cunard rhwng 1861 ac 1938. Un swydd yn unig oedd ar gael i ferched yn yr adran yn 1861 ond roedd 15 o swyddi erbyn 1938.[109] Ar y llaw arall roedd 31 o swyddi i ddynion yn yr un adran yn 1861 a 209 o swyddi iddynt yn 1938! Er hynny mae'r swyddi oedd yn agored i ferched yn 1938 yn ddadlennol:

> Bath Attendant, Bookstall Attendant, Electric and Turkish Bath Attendant, Hairdresser, Laundress, Head Laundress (or Laundry Manageress/Head Washer), Laundry Clerk, Masseuse, Nurse, Nursery Stewardess, First Class Stewardess, Tourist Class Stewardess, Third Class Stewardess, Leading Stewardess (or First Stewardess/Chief Stewardess) and Swimming Pool Attendant.

Er nad oedd gan ferched yr un dewis eang â'r dynion yna'n sicr roedd mwy o gyfleoedd ar gael iddynt. Daeth hynny'n wir hefyd yn achos y fferïau rhwng Cymru ac Iwerddon. Pan aeth Janice Roberts i weithio ar longau Caergybi yn 1966 roedd pedair stiwardes ar ei bwrdd ond roedd swyddi eraill i ferched hefyd megis cynorthwywraig y *bureau*, gweithio ar y ddesg gwybodaeth ac yn y siop yn gwerthu amrywiol nwyddau megis papurau newydd, llyfrau a thabledi rhag salwch môr. Er hynny, ar y pryd roedd sawl swydd nad oedd yn agored i ferched; nid oedd croeso i ferched yn y bar nac fel cogyddion, er enghraifft. Ond erbyn diwedd yr ugeinfed ganrif roedd swyddi i ferched ar y fferi gyflym HSS (*High-speed Sea Service*) yn cynnwys gweithio yn y bar ac ehangwyd y cyfleoedd y tu hwnt i faes traddodiadol y stiwardes gyda rhai ohonynt yn Llongwyr Abl (Abs, *able bodied seamen*) erbyn hyn.

Ond er ehangu ystod y swyddi i ferched, lleiafrif sylweddol iawn oedd merched ar longau masnach. Noda Stanley, er enghraifft, fod merched yn y cyfnod rhwng y rhyfeloedd yn cyfrif am lai nag un y cant o forwyr y llynges fasnach a'u bod ond rhwng un a dau y cant o griw llongau cludo teithwyr.[110] Er i swydd y stiwardes ddod yn gynyddol bwysig, ar y llongau cludo teithwyr er enghraifft, ar y mwyaf rhyw ddeg y cant o staff Adran y Stiward oedd yn ferched. Felly lleiafrif sylweddol oedd merched hyd yn oed yn yr unig adran a gyflogai nifer o ferched. Dim ond rhwng 5 ac 8% o'r staff arlwyo yn y cyfnod 1920-1940 ar longau'r Peninsular and Oriental Steam Navigation Company (P&O) oedd yn stiwardesau benywaidd, er enghraifft.[111] O gofio fod yr adran hon yn ei thro rhwng chwarter a thraean o holl weithlu'r llong, yna prin iawn oedd merched fel aelodau o gyfanswm criw llong. Rhaid cofio hefyd eu bod bron yn gyfan gwbl absennol o brif adrannau'r llong, sef y dec, y peiriandy a'r giali.[112] Ymddengys fod y sefyllfa'n debyg yn achos y fferïau a hwyliai rhwng Caergybi ac Iwerddon. Pan ymunodd Janice Roberts â'r *St. Columba* yn 1966 (bu iddi wasanaethu arni tan ddiwedd oes y llong) roedd 101 yn gweithio yn yr adran arlwyo, ond rhyw ddeg i ddwsin yn unig ohonynt oedd yn ferched.

Roedd merched o Gymru yn amlwg yn manteisio ar y cyfleoedd a godai yn sgil swyddi stiwardesau, fel yn achos Margaret Davies o Dreffynnon, a fu'n stiwardes ar nifer o longau Lerpwl yn 1881-96.[113] Pan hwyliodd y *Duchess of York*, yn perthyn i Gwmni Canadian Pacific, am Montreal yn 1930 roedd mwyafrif y criw o Lerpwl ei hun. O'r stiwardesau, roedd 4% yn enedigol o Gymru o'u cymharu â 40% oedd o Lerpwl ei hun. Roedd 3.22% o'r Stiwardesau Gwelyau o Gymru o'u cymharu â 51.6 % o Lerpwl. Yn ddiddorol, dim ond 2.98% o holl Adran y Stiward – yn cynnwys dynion felly – oedd yn dod o Gymru, a hynny er bod Lerpwl yn borthladd oedd yn denu morwyr o Gymru ac oedd â chanran sylweddol o Gymru yn byw yno.[114] Yn ddigon naturiol roedd nifer o'r stiwardesau y bu Janice Roberts yn gweithio gyda hwy yn ferched lleol sy'n awgrymu bod cyfleoedd gwirioneddol i ferched o Gymry allu dilyn gyrfa o borthladdoedd Cymru.

I'r rhai a ddewisai ddilyn gyrfa fel stiwardes roedd sawl mantais. Un o brif atyniadau'r swydd oedd bod statws a bri yn perthyn iddi, yng ngolwg y cyhoedd a'r stiwardesau eu hunain, yn arbennig gan fod pwyslais ar gymeriad da ac enw da. Noda Maenpaa fod rhestru gwahanol ddosbarthiadau o stiwardesau yn cael ei ystyried yn bwysig iawn gan y gweithlu eu hunain pan ddechreuwyd cynnig amrywiol swyddi o fewn yr Adran Arlwyo, megis Stiwardes y Dosbarth Cyntaf neu Stiwardes Dosbarth y Twristiaid, er enghraifft.[115] Roedd dringo ysgol swyddi'r llong hefyd yn cyfrannu at y teimlad o statws arbennig. Felly, wedi cyfnod fel stiwardes cafodd Janice Roberts ddyrchafiad i'r siop fach a swydd ceidwad yr ystorfa, gyda chyfrifoldeb dros ddosbarthu bwyd a chyflenwadau i'r giali a'r bar a chadw golwg ar y stoc. Yna aeth ymlaen i'r ddesg wybodaeth oedd yn golygu delio â'r teithwyr wyneb yn wyneb. Pan ddaeth yr hawl i ferched weithio yn y siop ddi-doll yn 1978 llwyddodd i gael dyrchafiad yno hefyd gan ddod yn Ail Stiward maes o law. Erbyn i Janice Roberts gyrraedd swydd Ail Stiward dros y llong i gyd yn 1978, yn gyfrifol am amrywiol ddyletswyddau gan gynnwys gwneud y cyflogau a threfnu oriau ychwanegol, roedd y swydd yn gydradd â swydd dyn.

Un o fanteision amlycaf bod yn stiwardes oedd cyflog

da, oedd yn golygu annibyniaeth, rhyddid a chyfle i weld y byd.[116] Bu i Marie Small, er enghraifft, ymweld ag Efrog Newydd, a mwynhaodd fynd i Radio City a gweld *Gone With the Wind*.[117] Ar y cyfan, nid oedd y math yma o gyfleoedd ar gael i stiwardesau ar y llongau fferi ond deuai cyfleoedd iddynt hwy hefyd ehangu eu gorwelion ar adegau. Pan aeth Pont Britannia, rhwng Môn a'r tir mawr, ar dân un canlyniad oedd i longau Caergybi orfod hwylio i'r Iwerddon o Heysham ar arfordir Lloegr rhwng 1970 ac 1972. Roedd y fordaith yn saith awr un ffordd ac roedd y stiwardesau yn gweithio shifftiau o 12 awr ar y tro ac yn byw ar y llong.

Ond er y cyfleoedd i ehangu gorwelion, roedd realiti bywyd stiwardes yn wahanol iawn i'r ddelwedd. Ar y llongau mawrion a hwyliai i bellafoedd y byd roedd bod yn stiwardes yn waith caled a olygai oriau hir, o leiaf 13 awr y dydd. Pan fyddai Janice Roberts yn hwylio ar *HH Ferry 1* rhwng Caergybi a Dún Laoghaire rhaid oedd gwneud chwe mordaith bob dydd a gweithio 24 awr yn ddi-baid ac yna cael 24 awr yn rhydd. Erbyn iddi weithio ar y *St. Columba* roedd yr oriau wedi gwella yn yr ystyr ei bod yn gweithio 24 awr ond yna'n cael 48 awr yn rhydd.

Roedd y cynnydd yn y mathau o swyddi oedd ar gael i ferched yn yr adran arlwyo yn awgrymu mwy o gyfleoedd iddynt ar longau, ond nid felly yr oedd hi mewn gwirionedd. Hyd yn oed o fewn yr adran arlwyo nid oedd merched yn cael bod yn gogyddion – byd dyn oedd hwnnw. Roedd presenoldeb merched yn cael ei weld fel achos gwrthdaro felly prin oedd y cyfleoedd iddynt weithio y tu allan i faes stiwardes ac roedd llai fyth o gyfle iddynt fod mewn safle o rym, er bod hynny wedi newid erbyn y 1920au i raddau gydag ymddangosiad swyddi Prif Stiwardes a Phrif Olchwraig.[118] Gydag ambell eithriad, cyn degawdau olaf yr ugeinfed ganrif roedd merched oedd yn ymddeol o'r môr yn ymddeol o'r un swydd y bu iddyn nhw gychwyn ynddi.

Ond yn sicr, yn achos y fferïau a hwyliai rhwng Cymru ac Iwerddon yn negawdau olaf yr ugeinfed ganrif roedd rhai pethau'n wahanol. Pan ymddeolodd Janice Roberts roedd hi'n ymfalchïo iddi wneud pob un o'r swyddi ar y llong oedd ar agor i ferched ar y pryd. Hyd yn oed wedi ymddeol deuai cyfleoedd i weithio'n rhan amser, yn hyrwyddo sigaréts i gwmni Benson and Hedges neu hyrwyddo persawr; yn hyfforddi pobl ar y tiliau ac yna gweithio yng nghanolfan alwadau'r cwmni. Fe werthfawrogai'r ffaith fod mwy o ddewis ar gael iddi dros y blynyddoedd. Ar y llaw arall, nid oedd hi'n flin am y diffyg cyfle i ferched fod yn gogyddion a'u habsenoldeb o'r giali, rhywbeth na newidiodd tan ddiwedd yr ugeinfed ganrif. Yn ôl Janice Roberts roedd gweithio yn y giali yn gallu bod yn beryglus iawn yn y gaeaf yng nghanol tywydd drwg efo llawer o bethau trwm i'w cludo mewn potiau poeth, a byddai popeth yn syrthio weithiau. Bu'n gweithio fel arianwraig yn y bwyty, ond dynion yn unig oedd yn gweini yno, fel gweinyddion gwasanaeth arian.

Roedd un maes, fodd bynnag, lle'r oedd merched yn sicr yn cael gwell triniaeth na'r dynion a hynny oedd yn eu llefydd byw. Ar y llongau cludo teithwyr roedd y stiwardesau yn byw ymhell oddi wrth y dynion yn '*Virgins' Alley*', ac nid oedd dynion yn cael mynediad yno. Roeddynt yn rhannu baddondy ac yn rhannu caban – naill ai dwy ar y tro neu bedair – ac roeddynt yn bwyta yno oni bai bod stafell fwyta bwrpasol ar gael. Yn y cyfnod pan fu Janice Roberts yn gweithio o Heysham gan fyw ar y llong roedd lle arbennig i'r deg o ferched oedd yn gweithio arni. Roedd dwy ddynes i bob caban, ac roedd cabanau'r merched yn ddigon pell oddi wrth gabanau'r dynion. Fel ar y llongau cludo teithwyr roedd ystafell fwyta i ferched yn unig, a chawodydd cymunedol a baddon i'r merched.

Roedd gweithwyr y dec a'r peiriandy yn edrych i lawr ar waith y stiwardiaid o ddynion gan nad oeddynt yn ystyried gwaith y stiward fel gwaith llong go iawn – a hynny er mai ar longau leinar mawr yr adran arlwyo yn aml oedd yr adran fwyaf o bell ffordd.[119] Roedd stiwardesau yn wynebu rhagfarn ddwbl felly: '*as both "not proper seafarers" and as "not men."*'[120] Yn ychwanegol at hynny, er eu bod yn gwneud yr un gwaith â'r stiwardiaid o ddynion, roeddynt mewn adran ar wahân oherwydd mai merched oeddynt.[121] I'r morwr o ddyn felly, nid oedd gweithio ar long yn lle i ferched. I ychwanegu at eu problemau, wynebai merched aflonyddwch rhywiol yn barhaol – a'r ddynes oedd ar fai bron yn ddieithriad oherwydd y drefn o safonau dwbl. Roedd hyn oll yn golygu mai anodd iawn oedd i ferched gael eu derbyn fel aelodau cyfartal ar griw llongau leinar. Unwaith eto ymddengys fod pethau'n wahanol ar y llongau fferi o Gaergybi. Pan benodwyd Janice Roberts yn Ail Stiward yn 1978, hi oedd un o'r merched cyntaf i'w phenodi i'r swydd ar y pryd. Gyda mwyafrif y 101 o staff arlwyo yn ddynion roedd yn amlwg ar y cychwyn nad oeddynt yn fodlon. Ei hateb hi i'w pryderon oedd datgan na fyddai hi yn gofyn i unrhyw un wneud unrhyw beth na fyddai hi ei hun yn ei wneud. Wedi hynny fe'i derbyniwyd ganddynt fel un o'r criw.

Roedd dyletswyddau'r stiwardesau yn cynnwys yr annisgwyl a'r brawychus. Wynebai'r stiwardesau'r un peryglon â'u cyfoedion o ddynion wrth eu gwaith. Ym Mehefin 1941 suddwyd y fferi a oedd yn hwylio rhwng Ros Láir (Rosslare) ac Abergwaun pan ymosodwyd arni gan awyren Almaenig. Llwyddodd yr ergyd gyntaf i gyrraedd y tanciau olew a olygai fod y llong ar dân yn syth ac o fewn pum munud yr oedd wedi suddo. Er i fwyafrif y rhai a oedd ar ei bwrdd gael eu hachub, collwyd 17 o'r criw, gan gynnwys y Capten Jim Faraday a'i fab, un gynnwr a deuddeg teithiwr. Derbyniodd un o'r criw'r Fedal George, sef Miss Elizabeth May Owen, am ei dewrder wrth achub teithwyr o fenywod a oedd wedi eu dal ar ddec isaf y llong.[122] Sefyllfa wahanol iawn a wynebai Janice Roberts wrth weithio ochr yn ochr â'r stiward Jimmy Evans ar y *Cambrian*. Yng nghanol tywydd mawr ar un fordaith dechreuodd un fenyw esgor ar fabi. Dywedodd Jimmy Evans wrthi y byddai'n rhaid iddi hi ei helpu fo i eni'r babi. Dywedodd y fam y byddai'n enwi'r babi ar ôl un ohonynt, yn dibynnu ar ei ryw, felly enw'r bachgen newydd anedig oedd James.

Yn sicr bu i ferched chwarae rhan bwysig fel rhan o weithlu llongau cludo teithwyr dros y ganrif a hanner ddiwethaf. Ond yn ddigon araf ac yn wyneb anawsterau mawrion y llwyddodd merched i gynyddu'r cyfleoedd oedd ar gael iddynt. Roedd cyfyngiadau yn seiliedig ar ryw yn amlwg am ran fawr o'r cyfnod, ac roedd hynny'n fwriadol.[123] Ar y llaw arall, bu gwelliant mewn sawl agwedd o'r diwydiant yn ystod ail hanner yr ugeinfed ganrif, ac adlewyrchwyd hynny yn hanes y merched a weithiai ar y fferïau a hwyliai o borthladdoedd Cymru.

Merched yn Ddynion

Ceir enghreifftiau mewn hanes morwrol o ferched a lwyddodd i gael gyrfa forwrol drwy wisgo fel dynion. Fel y gellid disgwyl, mae'n anodd cael cadarnhad o hanes y math yma o ddynes a'i gweithgareddau morwrol ond mae awgrym fod hyn wedi digwydd yng Nghymru – adroddwyd y stori hon mewn adroddiad papur newydd yn Medi 1842 dan y teitl '*A female sailor*'.[124]

Yn ôl yr adroddiad roedd hogyn ifanc yn dangos gormod o bres a llawer o ddiddordeb yn y llong baced *Lady Charlotte* oedd ar fin hwylio o Gaerdydd am Fryste. Fe'i harestiwyd ac yng ngorsaf yr heddlu canfuwyd nad llongwr o'r enw Edward Williams oedd 'ef', ond yn hytrach geneth ifanc ddel, ugain mlwydd oed, uniaith Gymraeg o'r enw Mary Davis. Roedd hi'n ferch i ffermwr tlawd a'i chartref rhyw naw milltir o Ferthyr Tudful, ar y ffordd i Gastell Nedd. Roedd hi'n chwilio am ei brawd oedd wedi hwylio dramor. Ond er iddi dderbyn llythyr a £5 ganddo, roedd wedi colli'r llythyr ac nid oedd ganddi syniad ai i America, Awstralia ynteu Iwerddon roedd ei brawd wedi hwylio. Daethpwyd i'r casgliad fod gwendid meddwl ar Mary Davis a phenderfynwyd ei rhoi yn y tloty hyd nes y gellid cysylltu â'i chyfeillion gartref.

Mae'n anodd gwybod ai eithriad prin oedd ymgais Mary Davies, ond ceir tystiolaeth bendant o ferched wedi eu gwisgo fel dynion o fewn y Llynges Brydeinig. Mewn gwirionedd bu merched yn byw a gweithio ar amrywiol longau'r Llynges o ganol yr ail ganrif ar bymtheg hyd at ganol y bedwaredd ganrif ar bymtheg, ond bu i'w presenoldeb gael ei guddio ac / neu ei anwybyddu. Roedd tri chategori o ferched yn gweithio ar y llongau hyn. Un grŵp amlwg oedd puteiniaid a hynny pan oedd y llong yn y porthladdoedd. Byddent hwy yn aml yn byw gyda'r dynion ar y dec isaf tra byddai'r llong yn cael ei pharatoi ar gyfer ei mordaith nesaf. Carfan arall oedd gwragedd y swyddogion gwarant oedd yn aml yn treulio blynyddoedd ar y môr. Roedd swyddog gwarant wedi ei rwymo i weithio yn barhaol ar long arbennig ac ymddengys y byddai eu gwragedd yn dewis hwylio gyda hwy o ddyletswydd, a hynny gyda'u plant hefyd. Ond prin iawn oedd unrhyw gofnod swyddogol o'u bodolaeth ac felly golygai hynny nad oeddynt yn cael eu talu nac ychwaith yn cael bwyd a diod – roedd yn rhaid iddynt hwy a'r plant rannu bwyd eu gwŷr. Roedd y gwragedd hyn yn aml yn gwasanaethu, mewn brwydrau er enghraifft, gan drin y clwyfedigion a chludo powdwr i'r gynnau.[125]

Yn olaf roedd merched oedd wedi eu gwisgo fel dynion. O'r ail ganrif ar bymtheg hyd at flynyddoedd cynnar y bedwaredd ganrif ar bymtheg roedd hanesion am ferched oedd wedi eu gwisgo fel morwyr neu filwyr yn destunau caneuon, straeon a llenyddiaeth boblogaidd. Roedd sylfaen gwirioneddol i'r hanesion hyn o bedwar ban byd ac un o'r enwocaf oedd achos Hannah Snell o Gaerwrangon, neu 'James Gray' fel y galwodd ei hun, a wasanaethodd yn y llynges a'r fyddin rhwng 1745 ac 1750 fel cogydd, is-stiward a llongwr cyffredin.[126] Ymhlith y merched eraill o forwyr roedd Elizabeth Bowden o Truro yng Nghernyw, a oedd yn aelod o griw'r *Hazard* yn 1807; ac yn 1848 a bu Ann Johnson yn gweithio ar long pysgota morfilod o'r UDA am saith mis.[127] Llwyddodd Stark i adnabod dros ugain o ferched oedd wedi gwasanaethu fel hyn o ddiwedd yr ail ganrif ar bymtheg hyd at gychwyn y bedwaredd ganrif ar bymtheg ac, yn groes i'r hyn y byddem yn ei ddisgwyl, nid oedd hi mor anodd â hynny i ferch guddio ei rhyw ar longau'r cyfnod.[128]

Chwilio am ei brawd roedd Mary Davies, y cyfeiriwyd ati yn gynharach, ond un o'r prif resymau a grybwyllir dros i ferched fynd i'r môr oedd eu bod wedi colli cariad ac felly'n mynd i'r môr i chwilio amdano. Yn sicr bu baledi yn adrodd hanesion fel hyn – a cheir enghreifftiau yn Labrador a Nova Scotia o achosion tebyg hefyd.[129] Felly mae'r faled Gymraeg a ganlyn yn nodweddiadol o'r math o hanesion am y merched hyn, ac a oedd yn boblogaidd yn rhyngwladol hyd y 1930au mewn rhai achosion.[130] Hyd yn oed os nad oes sail wironeddol i'r hanes a gyflwynir mae'n dangos yn glir fod chwedloniaeth am ferched yn hwylio fel dynion ymhlith y Cymry hefyd. Roedd y cefndir yn nodweddiadol: merch mewn cariad, y tad yn gwrthod cydnabod y berthynas, y cariad yn gadael a'r ferch mewn gwewyr:

CAN
O HANES
MISS BETSY WILLIAMS

*Yr hon a wisgodd ddillad Mab, ac a aeth ar
fwrdd Llong, ar ôl ei chariad.
Cymerwyd hi yn garcharor gan long o
Spain, ac wedi cael ei rhyddid a fu mewn*

perygl am ei bywyd ar y môr, o eisiau
lluniaeth; ynghyd a'r modd rhyfeddol yr
adnabuasent ei gilydd.

CENIR AR "FRYNIAU'R WERDDON"

Pob llangc a lodes dirion yn union dewch yn nes,
Gwrandewch ar hyn o ganiad er gwir wellad a lles
Merch oeddwn i Farsiandwr, mi eis i gyflwr gwan,
O achos caru glânddyn anffortun ddaeth i'm rhan.

Mi gefais wych fagwraeth, dysgeidiaeth odiaeth iawn,
Y'mysg rhai boneddigaidd, trwy weddaidd ddoethaidd ddawn
A'm cyfri'n lân rhagorol y'mysg y merched gwiw,
A'm bath nid oedd yn unlle o lendid ac o liw.

Mi gefais bob rhyw bleser, trwy burder mwynder maith,
Y'mysg y rhai bon'ddigion hyfrydlon union iaith,
Fy ngwisg i gyd a ydoedd o aur ac arian gwych,
A'm bath nid oedd'ny teirgwlad, o drychiad yn y drych.

Pob peth yn ôl yr amser a gawn mewn hyfder hy
Pob math ar ffasiwn newydd ar gynnydd imi'n gu,
Rhoi jewels yn fy nghlustiau, a pherlau goreu gwaith,
A'r rhei'ny yn dysgleirio, pob peth i'm boddio'n faith.

...

Ac yna daeth achwynion yn union at fy nhad,
Fe yrrai 'nghariad ffyddlon i ffwrdd o Loegr wlad
Ar gefn y moroedd mawrion, i'r India dirion dir;
O achos hwn ce's adfyd anhyfryd amser hir.

Mae'r ferch yn penderfynu mynd i'r môr i chwilio am ei
chariad, gan gymryd arni ei bod hi'n ddyn:

Pan dde'is i fedru codi 'rol bod mewn c'ledi clir,
Mi rois fy mryd ar rodio neu deithio amryw dir,
I'r stryd yr eis i rodio tan geisio mendio'm lliw,
A dillad mab a brynais pan gefais gyfle gwiw.

'Rol i mi wisgo'r rhei'ny mi eis i'r *Man of War*,
A'm meddwl i yn wastad am fy hen gariad gwâr;

'Rol myn'd y'mhell o'm cartref, fe ddaeth rhyw long o Spaen,
Fe'n cym'rwyd yn garch'rorion yn union rhag ein blaen.

Ac felly yn y carchar y buom amser hir,
Sef pymtheg wythnos union, a gwaelion oedd ein gwyr,
O'r diwedd fe'n gollyngwyd i ddyfod oll yn rhydd,
Llawenydd i'n hysbrydoedd oedd gwel'd yr hyfryd ddydd.

Fe'n rhoed ar lestr arall, os y'ch chwi'n deall hyn,
I gyd i ddyfod adre' mewn sicr foddau syn,
Ond tost a thrwm fu'r tywydd anhylwydd i ni o hyd,
Tros bedwar cant o'n pobl aeth i'r anfarwol fyd.

Mae tynged y ferch a'r criw i'w weld yn anobeithiol:

Gan cy'd y buom allan fe ddarfu'r stôr i gyd,
Heb feddu dwfr na lluniaeth, na dim y'chwaith drwy'r byd:
Naw ugain a fu feirw o newyn tost, heb gudd,
Hyn sydd yn drwm i'w 'styried, a gerwin brofiad prudd.

Nid oedd ond deg a chwe chant, trwy fwyniant oll yn fyw,
Y mae yn dost i'w feddwl, fe wyr yr anwyl Dduw,
Heb feddu bwyd na di-oed, ond darfod ar ein traed,
A bwyta cyrff y meirwon yn union yn eu gwaed.

'Rol darfod y rhai hynny, yr wyf yn synnu wrth son,
Ni aethom i fawr wasgfa, tan gaetha' tyna tôn;
I dynu lots yr aethom, yn union, rwyddion ryw,
I edrych pwy ga'i farw, i gadw'r lleill yn fyw.

Y lot a syrthiodd arnaf, i farw bwriwyd fi,
Nid oedd i mi ymwared, er oered oedd fy nghri,
A daeth y cŵg i'm stripio, a'm mwrdro yr un modd,
A minnau oedd yn drymllyd, – rhyw glefyd mawr a'm clôdd.

Ond daeth achubiaeth a chariad!

Mi eis i dynnu am danna, cyn myn'd i'r laddfa loes,
Ac yno y cŵg edrychodd, mewn gofid chwerw e' droes;
Yn farw'r aeth yn union pan ganfu 'nwyfron i,
Gan waeddi, Ow! f' anwylyd, mi safia'ch bywyd chwi.

Pan glywais hyn o eiriau, heb amau gan ddyn pur,
Synu a wnes yn union, i'm calon i daeth cur;
Efe a dynnai am dano, gan wylo'n dost yn wir,-
O'm achos i o ddifri, 'ry'ch chwi mewn cledi elir.

Fe dd'wedodd wrth y Capten, Dewch gwnewch fy niben i,
I farw 'rwyf i'n barod, yn hynod drosti hi;
A chyda hyn ni glywem sŵn canon o ryw fan,
Gobeithio, ebe'r Capten, y cawn ni fyned i'r lan.

Cyn pen y pedair munud, y gwelem yn bur glir,
Yn hwylio tuag atom, yn union, *breivateer*;
Llong ydoedd hon o Llundain, yn dyfod o New Spaen,
Fe'n cym'rwyd adre i Lloegr, trwy bleser rhag ein blaen.

Mae'r faled yn gorffen gyda dathliad o briodas y ddau gyda chefnogaeth y tad. Ond nid rhamant y môr oedd yn gyfrifol am sicrhau cyfle i ferched wasanaethu yn y Llynges Brydeinig maes o law. Digwyddodd hyn yn yr ugeinfed ganrif – drwy gyfrwng Gwasanaeth Llynges Frenhinol y Merched (y WRNS – *Women's Royal Naval Service*).

Sefydlwyd y WRNS yn Nhachwedd 1917 i ryddhau dynion o waith ar y lan. Y bwriad gwreiddiol oedd cyflogi 3,000 o ferched i wneud gwaith domestig ar y cyfan ond bu i ddwbl hynny wasanaethu mewn gwirionedd, ac ehangwyd eu gwaith yn ogystal. Bu farw 23 o'r Wrens yn ystod y Rhyfel Mawr ac yn 1919 terfynwyd y gwasanaeth. Fe'i hailsefydlwyd yn 1938 gyda rhyfel arall ar y gorwel. Y tro yma bu dros 74,000 yn gwasanaethu gan gyflawni dros 200 o wahanol ddyletswyddau. Yn ogystal â gwneud gwaith ysgrifenyddol a gweinyddol roedd y merched hefyd yn weithwyr switsfwrdd, signalwyr, gweithwyr tele-argraffyddion a negesyddion. Bu Criwiau Cychod WRNS yn cludo nwyddau i longau yn y porthladdoedd ac yn cludo prif swyddogion i'r lan. Bu i sawl un gael eu hyfforddi i weithio fel peilotiaid yn ystod D-Day gyda'r dasg o sicrhau fod llongau oedd wedi eu difrodi yn cael eu harwain i ddiogelwch porthladd. Yno bu rhai peirianwyr o'r WRNS ymhlith y rhai oedd yn gyfrifol am yr atgyweirio. Ond er iddynt wasanaethu'n ffyddlon ac yn ddewr, gyda 303 yn colli eu bywydau, ychydig ohonynt oedd yn cael gweithio ar y môr ei hun. Yn 1977, fodd bynnag, daeth y WRNS dan oblygiadau Deddf Disgyblaeth y Llynges oedd yn gam cyntaf yn y symudiad a welodd ferched yn dod yn rhan o'r Llynges yn gyfartal â dynion yn 1993, a diddymwyd y WRNS y flwyddyn honno. Derbyniodd merched yr hawl i weithio ar longau yn 1990 ac erbyn heddiw merched yw traean o griwiau llongau'r Llynges.[131]

Un o bentrefi glan môr Cymru gyda chysylltiadau amlwg â'r WRNS oedd Borth yng Ngheredigion, a chyfrannodd ei ferched i wasanaeth rhyfel.[132] Dwy o drigolion y pentref oedd Muriel Kind a Dorothy Toler. Bu Muriel Kind yn gwasanaethu fel nyrs yn Ysbyty'r Llynges Frenhinol yn Davenport, Plymouth ac yna ar longau ysbyty yn ystod yr Ail Ryfel Byd; ac roedd hi'n un o'r ychydig ferched i dderbyn medal yr Atlantic Star. Bu Dorothy Toler yn aelod o'r WRNS yn ystod yr Ail Ryfel Byd gan weithio fel gyrrwr lori. Yn ddiddorol, bu'r ddwy yn weithgar iawn yn eu hardal wedi'r rhyfel a hynny efo Sefydliad Cenedlaethol Brenhinol y Badau Achub (RNLI).

Bu i un o ferched Borth ei hun greu hanes. Ganwyd Yvette Ellis-Clark yn 1962 ac ymunodd â'r WRNS yn ddeunaw mlwydd oed fel Dadansoddwraig Arfau. Dechreuodd ei hyfforddiant yn 1983 gan gychwyn gyrfa oedd i barhau am 23 o flynyddoedd. Derbyniodd hyfforddiant mewn cyfathrebu yn Llundain gan dreulio deufis efo'r Morlu Brenhinol (*Royal Marines*) yn Norwy. Wrth weithio yn Gibraltar fe'i penodwyd yn Brif Wren ac wedi dychwelyd i Lundain enillodd wobr myfyrwraig y flwyddyn am ei llwyddiant mewn cwrs cyfathrebu arbenigol. Pan ddaeth y cyfle i ferched gael eu trin fel y dynion roedd hi'n un o'r criw cyntaf o'r Wrens i ddilyn cwrs Hyfforddiant Arbenigol y Môr. Wedi iddi ddilyn cwrs oedd yn cyfuno ei sgiliau cyfathrebu tir â dealltwriaeth o systemau cyfathrebu ar longau fe'i penodwyd i HMS *Brilliant,* y llong gyntaf i dderbyn merched fel criw a hynny fel Prif Weithiwr Radio.

Bu'n gwasanaethu yn Rhyfel y Gwlff ac yn ystod ei gyrfa enillodd bedair medal, gan gynnwys Medal y Gwlff a Medal NATO, hynny wedi treulio tri mis yn Bosnia ar HMS *Invincible.* Ar y môr hefyd y cyfarfu â'i gŵr, Tim Clarke, oedd yn beiriannydd morwrol ar yr HMS *Herald.* Priododd y ddau yn Eglwys Borth. Ni chawsant lawer o gyfle i gyd-fyw oherwydd roedd o yn gwasanaethu ar longau a hithau'n gwasanaethu ar orsafoedd ar dir, ym Mhortiwgal. Wedi geni eu mab daeth Tim yn ŵr tŷ gydag Yvette yn gweithio yn Llundain yng Nghyd-Bencadlys y Lluoedd. Wedi iddi ymddeol dychwelodd y teulu i fyw i Rock Villa, ei chartref teuluol yn Borth, er iddi barhau i weithio drwy gynorthwyo'r RNLI yn lleol.

Dengys ei hanes hi gymaint y datblygodd rôl merched yn ystod yr ugeinfed ganrif yn hanes y Llynges yn benodol. Ond roedd hynny, yn ei dro, yn adlewyrchu'r ehangder o gyfleoedd oedd wedi dod i ran ferched ar y môr yn gyffredinol.

Hamdden

Nid yw cyfraniad merched i weithgaredd morwrol wedi ei gyfyngu i fyd gwaith yn unig a daeth manteisio ar y môr o ran hamdden ac fel maes chwaraeon yn gynyddol amlwg ym mywydau merched, fel yng ngweddill cymdeithas, dros y ddwy ganrif a hanner ddiwethaf.

Wrth i oriau hamdden ac incwm gynyddu, a chyda datblygiadau megis llongau stêm a allai hwylio'n rheolaidd ac yn fwy dibynadwy, felly hefyd daeth hwylio'r môr yn atyniad amlwg i nifer gynyddol o bobl. Yn sicr, un o nodweddion arfordir gogledd Cymru yn ystod y bedwaredd ganrif ar bymtheg oedd prysurdeb y llongau stêm pleser a gludai'r dosbarth canol o siopwyr ffynnianus Lerpwl i ogledd Cymru.[133] Ar hyd arfordir y de hefyd bu dwsinau o wahanol longau stêm pleser, yn perthyn i sawl cwmni, yn hwylio rhwng amrywiol borthladdoedd y de ac ystod o borthladdoedd ar hyd arfordir Dyfnaint a Chernyw ac yn yr Iwerddon.[134]

Wrth drafod merched yn hwylio o ran hamddena rhaid cofio mai hwylio ar long neu fferi oedd y dull mwyaf hwylus, yn aml, o deithio o un lle i'r llall. Bu nifer o ferched y glannau a thu hwnt yn hwylio ar longau fel dull o drafnidiaeth, nid er mwyn y pleser ynddo'i hun.

Erbyn diwedd yr ugeinfed ganrif daeth hwylio ar fferi neu long gyflym yn un dewis ymhlith nifer i bobl a oedd am deithio, ochr yn ochr â'r modur a'r awyren, i enwi'r ddau ddewis arall a ddaeth o fewn cyrraedd y boblogaeth yn y cyfnod hwn. Daeth hwylio o borthladdoedd megis Abergwaun, Abertawe a Chaergybi i Ros Láir (Rosslare), Corcaigh (Cork) a Dulyn / Dún Laoghaire yn rhan o weithgaredd hamdden pobl, ac roedd hynny'n cynnwys tripiau diwrnod a ddaeth yn llawer haws yn sgil ymddangosiad y fferi gyflym. Wrth gwrs nid hwylio ar fordeithiau diwrnod i'r Iwerddon yn unig y bu pobl Cymru, ond er i fordeithiau i Ynys Manaw, ar draws Môr Hafren i Ddyfnaint yn Lloegr ac o Abertawe i Lydaw fod yn rhan o'r arlwy, yn aml iawn byddai'r gwasanaethau'n cael eu hatal oherwydd costau cynyddol a llai o alw amdanynt, er y gwelwyd sawl ymgais i atgyfodi nifer o'r gwasanaethau hynny.

Y prif lwybr i deithiwr os yw am fynd i Ewrop mewn modur yw anelu at borthladd yn Lloegr a hwylio gyda fferi neu long i un o borthladdoedd y cyfandir, ac mae hynny wedi parhau hyd yn oed wedi agor Twnnel y Sianel. Fel yn achos y llongau sy'n hwylio o Gymru i'r Iwerddon, erbyn heddiw nid oes gwahaniaeth yn y cyfleoedd gwaith sydd ar gael i ddynion a merched ar fwrdd y llongau hynny.

Un maes amlwg a welodd gynnydd o ran hamdden ac sydd heddiw yn un o lwyddiannau'r byd twristiaeth morwrol yw mordeithiau pleser. Cysylltwyd y rhain â hamdden y dosbarth cefnog breintiedig yn y blynyddoedd cynnar, yna daeth y mordeithiau pleser, fel sy'n wir am sawl agwedd arall ar hamdden, o fewn cyrraedd i drwch y boblogaeth.

Bu i'r Urdd sylweddoli'n fuan iawn fod angen, fel rhan o normaleiddio'r Gymraeg, fanteisio ar ddatblygiadau newydd ac yn y 1930au trefnodd y mudiad fordaith bleser i ogledd Ewrop. Cymro, wrth gwrs, oedd capten yr *Orduña*, sef Capten Ellis Roberts.[135] Bu i ychydig dan 500 o deithwyr, hyrwyddwyr yr Urdd, hwylio o Lerpwl yn haf 1933 a mwynhau'r fordaith i'r gogledd gan alw yn gyntaf yn Bergen cyn hwylio ar hyd amryw gulforoedd Norwy a gadael porthladd Trondheim. I Ifan ab Owen Edwards roedd pwrpas y fordaith yn syml:

> Un o ddatblygiadau mwyaf poblogaidd y dyddiau hyn yw *cruising*, a daeth i feddwl rhai ohonom, 'Pam lai na mordaith bleser Gymraeg?'[136]

Efallai na wireddwyd y freuddwyd o weld mordeithiau pleser rheolaidd yn y Gymraeg ac mae'n amlwg mai aelodau o'r dosbarth canol oedd mwyafrif llethol y rhai a fanteisiodd ar fordaith 1933. Ond wrth i'r ganrif fynd rhagddi daeth mynd ar fordeithiau o bob math o fewn cyrraedd mwy a mwy o bobl, yn ddynion a merched o bob oed a chefndir, ac erbyn degawdau olaf y ganrif byddai'n bosibl i ferched ifainc sengl neu wragedd hŷn deithio ar eu pennau eu hunain gan ddisgwyl gwasanaeth a chyfleoedd cyfartal.

Hamdden Corfforol

Yn draddodiadol ystyrid mai arferiad gweddol ddiweddar oedd defnyddio cychod, neu longau, hwyliau am bleser, gydag ymddangosiad yr iot fel yr arwydd cyntaf o'r arfer newydd hwn. Yn ôl yr hanes, Siarl II ddaeth â iotio i'r ynysoedd hyn wedi iddo gyrraedd Lloegr o'r Iseldiroedd yn 1660, ond mewn gwirionedd ceir tystiolaeth fod hyn yn sicr wedi digwydd yn Ynysoedd Prydain ers o leiaf yr Oesoedd Canol.[137]

Yn ystod hanner cyntaf y bedwaredd ganrif ar bymtheg daeth iotio cystadleuol i'r amlwg. Nid yn unig yr oedd hwylio, ac yn awr rasio, mewn iot yn arwydd o statws a chyfoeth ynddo'i hun, roedd hefyd yn weithgaredd economaidd pwysig. Un rhan bwysig o ddatblygiad iotio fel gweithgaredd cystadleuol oedd sefydlu clybiau hwylio. O tua 1880 hyd at ddiwedd yr Ail Ryfel Byd cafwyd newid mawr yn y byd iotio wrth iddo ddod yn fwy agored i'r dosbarth canol, a sefydlwyd cyfundrefn bwrpasol – y Gymdeithas Rasio Iotiau (*Yacht Racing Association; Royal Yachting Association* o 1952). Bu i sawl datblygiad olygu fod hwylio fel gweithgaredd hamdden yn cael ei ymestyn i fwy o bobl: mwy o incwm personol, mwy o amser hamdden a datblygiad cychod hwylio llai. O ganlyniad bu cynnydd mawr mewn hwylio fel gweithgaredd hamdden, yn arbennig wedi 1945.[138]

Prin iawn oedd y clybiau hwylio yng nghanol y bedwaredd ganrif ar bymtheg ac roedd cysylltiadau amlwg rhwng datblygiadau yn Lloegr a'r hyn oedd yn digwydd yng Nghymru. Roedd gan Gymru ei chlybiau hwylio – sefydlwyd Clwb Iotio Brenhinol Cymru (y *Royal Welsh Yacht Club*) yng Nghaernarfon yn 1847, ond roedd dylanwad Seisnig yn amlwg oherwydd clybiau gogledd orllewin Lloegr fyddai yn hwylio oddi ar arfordir Môn. Felly bu'r RWYC yn denu'r bonedd lleol a chyfoethogion o gyffiniau Lerpwl ac Iwerddon oedd yn hoffi hwylio oddi ar Fôn, ac roedd regatas ar y Fenai yn denu pobl o bell.[139]

Wrth i boblogrwydd hwylio hamdden gynyddu sefydlwyd mwy o glybiau ond nid oeddynt bob amser mewn lleoliadau addas. Roedd agor clwb yn y Rhyl yn enghraifft o hyn, ond roedd ei sefydlu hefyd yn cyd-fynd ag ymddangosiad cychod llai ar gyfer hwylio.[140] Roedd datblygiad y cychod llai, un-cynllun, oedd yn rhatach i'w prynu a'u rhedeg, yn golygu y gellid cynnal cystadlaethau ar gyfer un hwyliwr neu griw amatur, oedd yn ei dro yn ehangu'r ystod o bobl a allai gymryd rhan. Ond roedd rhwystrau o hyd i'r dosbarth canol oherwydd rheolau cymdeithasol y Gymdeithas Rasio Iotiau.[141] Gyda phob math o gyfyngiadau dosbarth yn perthyn i'r clybiau yna nid yw'n syndod mai araf iawn hefyd oedd y cyfleoedd i ferched ynddynt.

Wrth i boblogrwydd regatas gynyddu ychwanegwyd at yr arlwy. Yn ogystal â chystadlaethau hwylio amrywiol a rasys rhwyfo daeth amrediad eang o ddigwyddiadau eraill yn rhan o'r achlysur, megis helfa hwyaid, polyn llithrig, bandiau yn chwarae, ymarferion bad achub, tân gwyllt, dawns, cinio a chyngerdd. Roedd regata Caernarfon yn 1845, er enghraifft, yn cynnwys dawns fawreddog, am y tro cyntaf mae'n debyg.[142] Ond er bod cyfleoedd i ferched fwynhau'r adloniant, prin iawn oedd y merched a fyddai'n chwarae rhan, a chael eu cydnabod, mewn cystadlaethau hwylio. Yn ogystal â'r diffyg cyfleoedd i ferched yn y regata ei hun, roedd cyfyngiadau mawr arnynt o safbwynt cyfrannu at, a mwynhau, adnoddau'r clybiau hwylio: yn aml iawn roedd mynediad i'r clwb, y cyfarfod cyffredinol blynyddol a'r cinio blynyddol ar gau iddynt. Er hynny roedd pwyllgor merched ar gael ym mwyafrif y clybiau erbyn diwedd y bedwaredd ganrif ar bymtheg, gydag ambell aelod benywaidd.[143] Yn achos Clwb Iotio Brenhinol Cymru yng Nghaernarfon, er enghraifft, nid oedd rheol yn rhwystro merched rhag bod yn aelodau o'r clwb – er mai dim ond chwech a etholwyd a phob un yn berchen ar iot: sef Miss Fazakerly yn 1878; Lady Vivian a Miss Tomkyns-Grafton yn 1886; Mrs E. F. Ingram yn 1889; Mrs Cornwallis West yn 1893 a Miss Isla Johnston yn 1931. Llwyddodd Miss Tomkyns-Grafton hefyd i gael ei hethol yn aelod o'r Pwyllgor Hwylio yn 1896. Un fenyw yn unig oedd ymhlith yr Aelodau Anrhydeddus, sef yr Arglwyddes Turner, gweddw Syr Llewelyn Turner (Comodor) wedi ei farwolaeth yn 1906. Hefyd, yn dilyn marwolaeth yr Uwch-sarsiant Tegarty penodwyd ei weddw yn ofalwraig y tŷ clwb wedi 1912, a bu i'w merch ei holynu.[144]

Erbyn hynny roedd mwy o gyfleoedd i ferched ddangos eu doniau ar y môr: dechreuodd rasys merched ar ddiwedd tymor ddod i'r amlwg ac roedd merched hefyd yn rhan o rasys criwiau. Ymddengys mai'r digwyddiad cyntaf a oedd yn ymdebygu i regata yn y Rhyl oedd y 'Rhyl Aquatic Contests' ym Medi 1860.[145] Oherwydd llwyddiant y digwyddiad cafodd Rhyl ei regata ei hun yn 1865. Ymddengys i ferched chwarae rhan yn y cystadlaethau ond rhaid oedd disgwyl hyd at 1898 am gofnod o ferched lleol yn chwarae rhan, sef y ddwy Miss Palethorpe o deulu'r cwmni selsig enwog. Yn 1908 cynhaliwyd rasys ar gyfer merched yn unig, oedd yn ddatblygiad newydd. Y flwyddyn ganlynol penodwyd Mrs Amcotts Wilson yn is-lywydd benywaidd cyntaf Clwb Iotio'r Rhyl.[146] Yn yr un cyfnod, un o nodwedd ion arbennig Clwb Iotio Brenhinol Cymru yng Nghaernarfon oedd y cynnydd yn nifer y merched fel perchnogion iotiau rasio. Yn 1900 Miss Scott Hayward efo *Sandpiper*, un o ddosbarth Seabird, oedd y foneddiges gyntaf i gystadlu yn y regata ac erbyn 1932 roedd pedair arall, sef Mrs Holden, Mrs Fison, Miss Burton a Miss Isla Johnston.[147]

Oherwydd yr angen am sgiliau wrth hwylio, yn hytrach na nerth bôn braich yn unig, llwyddodd y merched hynny a hwyliai'n gystadleuol i ddangos i'r dynion eu bod yn gallu cystadlu ochr yn ochr â hwy. Er hynny, ni ddylid ystyried fod rhagfarnau yn erbyn merched wedi diflannu dros nos. Roedd y ffaith mai aelodau o'r dosbarth canol oedd nifer o'r merched hyn yn amlwg yn dyst i hyder cynyddol merched wrth fynnu hawliau wedi'r Rhyfel Mawr. Roedd y twf yn aelodaeth merched o'r clybiau hefyd yn adlewyrchu'r ehangu mewn mynediad i glybiau hwylio drwy'r ugeinfed ganrif. Yn 2008 roedd gan y Gymdeithas Iotio Frenhinol (*Royal Yachting Association*) 85 o aelodau cyswllt yng Nghymru, gyda rhagfarn yn erbyn merched yn perthyn i'r gorffennol.[148] Daeth merched felly i chwarae rhan ym mhob agwedd o fywyd a chystadlu'r clybiau hyn. Un enghraifft oedd Sue Hardie o glwb y Clwb Brenhinol Iotio Ynys Môn (*Royal Anglesey Yacht Club*), a fu'n recordiwr canlyniadau'r clwb yn 2010, gan weithio cyfanswm o 111 awr mewn 51 cystadleuaeth y flwyddyn honno. Am ei chyfraniad fe dderbyniodd wobr gwirfoddolwraig y flwyddyn yng ngwobrwyon chwaraeon Ynys Môn yn 2010.[149]

Bu i ferched lwyddo mewn sawl maes a ystyrir yn hamdden morwrol ond sydd hefyd ag agwedd o antur forwrol. Erbyn degawdau olaf yr ugeinfed ganrif ymatebodd sawl merch i'r her o hwylio ar draws amrywiol foroedd a chefnforoedd y byd, yn aml ar eu pen eu hunain. Yn 2009 bu Elin Haf o'r Bala yn un o griw o bedair o ferched i rwyfo ar draws Cefnfor India o Awstralia i Mauritius, y criw cyntaf o ferched i wneud hynny.[150] Yn amlwg yn yr achos hwn roedd hwylio'n adlewyrchu natur a diddordeb Elin Haf ei hun – yn athletwraig a fu'n gapten ar ei gwlad ym maes rygbi i ferched ac yn amlwg yn mwynhau her ac antur. Bu ei phrofiad wrth hwylio Cefnfor India, fodd bynnag, yn adlewyrchiad o brofiad sawl menyw arall a hwyliodd mewn amgylchiadau anodd, sef tywydd stormus, colli darnau o'r cwch a'r offer a damwain i aelod o'r criw. Roedd trefn 'gwaith' bob dydd y criw o ferched yn mynnu agwedd benderfynol a gwaith corfforol caled, rhywbeth yn sicr y byddai morwyr ar yr hen longau hwyliau wedi ei werthfawrogi.

Erbyn yr unfed ganrif ar hugain, nid profiad unigryw i

fenyw oedd gorchest Elin Haf ond roedd yn adlewyrchu'r camau enfawr a'r cyfleoedd eang sydd ar gael i ferched yn y byd morwrol modern ac ehangder gweithgaredd morwrol erbyn heddiw.

Clo

Heb unrhyw amheuaeth, ac er sawl anhawster, bu merched yn bresennol ar longau a hynny mewn amrywiol swyddi dros y canrifoedd. Bu eu cyfraniad yn bwysig ac yn aml adlewyrchai ddatblygiadau yn y byd morwrol yn benodol ac yn y gymdeithas ehangach yn gyffredinol. Yn hwylio'r moroedd er mwyn bod gyda'u gwŷr neu bartneriaid, yn dilyn gyrfa forwrol neu'n troi at weithgaredd morwrol o ran hamdden ac antur, canfu merched eu hunain yn gyfartal o'r diwedd mewn byd a ddominyddwyd cyhyd gan ddynion. Ond er yr enghreifftiau unigol a'r tueddiadau positif yn gyffredinol, arwynebol iawn yw'r cyfleoedd i ferched, a'u derbyniad i'r byd morwrol.

Cyhoeddwyd adroddiad arbennig ar fenywod o fewn gweithlu llongau yn 2003.[151] Yn fydeang roedd rhwng 1 a 2% o'r 1.25 miliwn o forwyr a hwyliai ar ryw 87,000 o longau yn ferched. Amrywiai'r niferoedd: roedd 5% o forwyr benywaidd yn Indonesia, 1% yn Brasil, 4% yn yr Almaen a 10% yn Sgandinafia. Er nad oes ffigyrau ar gael ar gyfer Cymru, roedd 8% o forwyr y Deyrnas Gyfunol yn forwyr benywaidd. Drwyddi draw roedd mwyafrif llethol y morwyr benywaidd yn gweithio fel gweithlu gwesty ar longau teithio gydag ond 7% o ferched yn swyddogion. Yn Latfia yn y 1990au, er enghraifft, roedd pob un ddynes a gyflogwyd ar longau yn gogydd neu'n gweini. Yn yr un ddegawd nodwyd mai prin iawn oedd y merched a lwyddodd i gyrraedd swyddi uchel ar longau. Yn yr Almaen, er enghraifft, o'r 1,603 o gapteiniaid neu benaethiaid llongau dim ond 4 oedd yn ferched. Yn y Deyrnas Gyfunol roedd BP Tankers yn gefnogol i hyfforddi swyddogion benywaidd – ond dim ond un Prif Swyddog benywaidd oedd gan y cwmni yn 1997. Cwynai adroddiad 2003 fod merched yn wynebu rhagfarn ar sail rhyw, anoddefgarwch ac aflonyddwch. Mae'r ystadegau moel hyn yn dangos yn glir nad yw merched wedi cael gwir gydraddoldeb ym myd cyflogaeth a chyfleoedd ar longau ar draws y byd, ac na fu cymaint o newid â hynny mewn dwy ganrif a hanner.

Nodiadau

1 Frances Steel, 'Women, Men and the Southern Octopus: Shipboard Gender Relations in the Age of Steam, 1870-1910s', *International Journal of Maritime History*, XX, 2 (2008), 290.

2 Suzanne J. Stark, *Female Tars: Women Aboard Ship in the Age of Sail* (Llundain, Pimlico, 1998), 1.

3 PortCities: 'The early days of women at sea': http://www.plimsoll.org/SeaPeople/womenandthesea/theearlydaysofwomenatsea/default.asp (gwelwyd 13/10/2010).

4 Margaret S. Creighton, '"Women" and Men in American Whaling, 1830-1870', *International Journal of Maritime History*, IV, 1 (1992), 206.

5 Aled Eames, *Meistri'r Moroedd* (Dinbych, Gwasg Gee, 1978), 12-13.

6 Terry Davies, *Borth: A Maritime History* (Llanrwst, Gwasg Carreg Gwalch, 2009), 101.

7 Aled Eames, *Ventures in Sail: Asepcts of the maritime history of Gwynedd, 1840-1914, and the Liverpool connection* (Caernarfon, Gwasanaeth Archifau Gwynedd; Lerpwl, Merseyside Maritime Musuem, National Museums and Galleries on Merseyside; Llundain, National Maritime Museum, 1987), 125.

8 Aled Eames, *Ship Master: The Life and Letters of Captain Robert Thomas of Llandwrog and Liverpool, 1843-1903* (Caernarfon, Gwasanaeth Archifau Gwynedd, 1980), 106-107.

9 Davies, *Borth*, 104.

10 Ann James Garbett, *Llestri Pren a Llechi* (Caernarfon, Tŷ ar y Graig, 1978), 52-53.

11 Aled Eames, *Machlud Hwyliau'r Cymry* (Caerdydd, Gwasg Prifysgol Cymru, 1984), 112-114.

12 J. Ifor Davies, *Growing Up Among Sailors* (Caernarfon, Gwasanaeth Archifau Gwynedd, 1983), 38-39.

13 Aled Eames, *Gwraig y Capten* (Caernarfon, Gwasanaeth Archifau Gwynedd, 1984).

14 Eames, *Machlud Hwyliau'r Cymry*, 104.

15 Eames, *Gwraig y Capten*, 71.

16 Cyfweliad efo Katie Roberts, 6/01/1994 (casgliad yr awdur).

17 Cyfweliad efo Katie Roberts, 6/01/1994 (casgliad yr awdur).

18 Cyfweliad efo Anita Parry, 16/12/1993 (casgliad yr awdur).

19 Cyfweliad efo'r Capten Harry Owen Roberts ac Elizabeth Roberts, 2/12/1993 (casgliad yr awdur).

20 Davies, *Growing Up*, 39.

21 Davies, *Borth*, 102-103.

22 Eames, *Meistri'r Moroedd*, 100.

23 Beti Isabel Hughes, '*O Su y Don...*' *Hanes Teulu Morwrol o Wynedd, 1840-1950* (Dinbych, Gwasg Gee, 1990), 50.

24 Brit Berggreen, 'Dealing with Anomalies? Approaching Maritime Women', in Lewis R. Fischer, Harald Hamre, Poul Holm, Jaap R. Bruijn (eds.), *The North Sea: Twelve Essays on Social History of Maritime Labour* (Stavanger, Stavanger Maritime Museum/The Association of North Sea Societies, 1992), 120.

25 Davies, *Growing Up*, 40-41.

26 Eames, *Gwraig y Capten*, 53.

27 Davies, *Growing Up*, 11; 95; 177; 179; 182; 184-85.

28 Davies, *Growing Up*, 56-58.

29 John Hughes, 'Captain William Rowlands 1870-1953', *Cymru a'r Môr/Maritime Wales*, 23 (2002), 43-50.

30 Davies, *Borth*, 104.

31 Cyfweliad efo Anita Parry, 16/12/1993 (casgliad yr awdur).

32 Cyfweliad efo'r Capten Harry Owen Roberts ac Elizabeth Roberts, 2/12/1993 (casgliad yr awdur).

33 Eames, *Machlud Hwyliau'r Cymry*, 66-80.

34 Eames, *Gwraig y Capten*, 86.

35 Davies, *Growing Up*, 43-45.

36 Eames, *Meistri'r Moroedd*, 100.

37 Eames, *Gwraig y Capten*, 87.

38 Cyfweliad efo Anita Parry, 16/12/1993 (casgliad yr awdur).

39 Cyfweliad efo'r Capten Harry Owen Roberts ac Elizabeth Roberts, 2/12/1993 (casgliad yr awdur).

40 Cyfweliad efo'r Capten Dei Roberts, 29/12/1993 (casgliad yr awdur).

41 Cyfweliad efo Katie Roberts, 25/11/1993 (casgliad yr awdur).

42 Cyfweliad efo Idwal Hughes, 13/01/1993 (casgliad yr awdur).

43 Eames, *Meistri'r Moroedd*, 70.

44 Eames, *Gwraig y Capten*, 52-53.

45 Lewis Lloyd, *The Port of Caernarfon, 1793-1900* (Caernarfon, Gwasg Pantycelyn, 1989), 185.

46 Aled Eames ac Emrys Hughes efo John Alexander, *Porthmadog Ships* (ail. arg. Llanrwst, Gwasg Carreg Gwalch, 2009), 152. Argraffiad Cyntaf (Caernarfon, Gwasanaeth Archifau Gwynedd, 1975), 129.

47 John Hughes, 'Captain William Rowlands 1870-1953', *Cymru a'r Môr/Maritime Wales*, 23 (2002), 43-50.

48 Cyfweliad efo Anita Parry, 16/12/1993 (casgliad yr awdur).

49 Cyfweliad gyda Robert Owen a Richard Owen, 25/06/1992 (casgliad yr awdur).

50 Cyfweliad gyda Robert Owen a Richard Owen, 2/06/1992 (casgliad yr awdur).

51 Lewis Lloyd, *The Port of Caernarfon, 1793-1900* (Caernarfon, Gwasg Pantycelyn, 1989), 192-195.

52 *Carnarvon and Denbigh Herald*, June 29, 1884 yn Lloyd, *The Port of Caernarfon*, 192-94.

53 Eames, *Meistri'r Moroedd*, 98-99.

54 Berggreen, 'Dealing with Anomalies?', 111-126.

55 Am hanes gyrfa a llynges Richard Hughes gweler: R. Griffin ac R. Fenton, 'Richard Hughes and Co.' yn R.S. Fenton, *Mersey Rovers: The Coastal Tramp Ship Owners of Liverpool and the Mersey* (World Ship Society, 1997), 84-123.

56 Frank Rhys Jones, 'Richard Hughes's "Roses"', *Cymru a'r Môr/Maritime Wales*, 11 (1987), 151.

57 Griffin a Fenton, 'Richard Hughes and Co.', 91.

58 Cyfweliad gyda Robert Owen a Richard Owen, 2/06/1992 (casgliad yr awdur).

59 Creighton, '"Women" and Men', 197.

60 Cyfweliad efo Anita Parry, 16/12/1993 (casgliad yr awdur).

61 Cyfweliad efo'r Capten Harry Owen Roberts ac Elizabeth Roberts, 2/12/1993 (casgliad yr awdur).

62 Rwy'n ddiolchgar iawn i Dr. Elin Jones am dynnu sylw at gwestiwn allweddol yn y cyswllt hwn, sy'n haeddu ymchwil bellach, sef pwy oedd yn gosod y ffiniau hynny? Y wraig? Y Capten? Y llongwyr eu hun? Confensiynau cymdeithasol?

63 W. E. Williams, *Llyncu'r Angor* (Tŷ ar y Graig, Dinbych, 1977), 82.

64 Cyfweliad efo Katie Roberts, 6/01/1994 (casgliad yr awdur).

65 Hughes, '*O Su y Don…*', 81.

66 Berggreen, 'Dealing with Anomalies?', 120.

67 Berggreen, 'Dealing with Anomalies?', 114.

68 Davies, *Growing Up*, 38-39.

69 Elliott J. Gorn, 'Seafaring Engendered: A Comment on Gender and Seafaring', *International Journal of Maritime History*, IV, 1 (1992), 222.

70 Creighton, '"Women" and Men', 195-218.

71 Williams, *Llyncu'r Angor*, 72.

72 Garbett, *Llestri Pren*, 52.

73 Hughes, '*O Su y Don…*', 78.

74 C. R. Pennell, 'Who Needs Pirate Heroes?' *The Northern Mariner/Le Marin du nord*, VIII, No. 2 (April 1998), 61-79. http://www.cnrs-scrn.org/northern_mariner/vol08/nm_8_2_61-79.pdf (gwelwyd 13/10/2010).

75 Ulrike Klausmann, Marion Meinzerin, Gabriel Kuhn; Tyler Austin a Nicholas Levis(cyf.), *Women Pirates and the Politics of the Jolly Roger* (Montréal, Llundain ac Efrog Newydd, Black Rose, 1997).

76 Am gyflwyniad difyr i'r maes hwn gweler Jo Stanley, 'The Trouble with Women Pirates...' http://herstoria.com/?p=508 (gwelwyd 26/11/2012).

77 Henry Hughes, *Immortal Sails: A Story of a Welsh Port and some of its Ships* (Prescot, T. Stephenson & Sons Ltd., 3ydd arg. 1977), 121-122.

78 Aled Eames, *Ships and Seamen of Anglesey* (ail arg. Llanrwst, Gwasg Carreg Gwalch, 2011), 500-501. Argrafffiad Cyntaf (Llangefni, Cymdeithas Hynafiaethwyr a Naturiaethwyr Môn, 1973), 493-94.

79 David Thomas, *Hen Longau Sir Gaernarfon* (ail arg. Llanrwst, Gwasg Carreg Gwalch, 2007), 182. Argraffiad Cyntaf (Caernarfon, Cymdeithas Hanes Sir Gaernarfon, 1952), 104.

80 Mark D. Matthews, 'Tales of the Sea: glimpses of maritime Wales and the wider world from southeast Glamorganshire 1762-1795', *Cymru a'r Môr/Maritime Wales* 26 (2005), 38-39.

81 Berggreen, 'Dealing with Anomalies?', 114, 118-119.

82 Matthews, 'Tales of the Sea', 41.

83 Aled Eames, *Y Fordaith Bell* (Caernarfon, Gwasg Gwynedd, 1993), 136-142.

84 Jane Williams (gol.), *Betsy Cadwaladyr: A Balaclava Nurse, An Autobiography of Elizabeth Davies* (Dinas Powys, Honno, 1987).

85 Williams, *Betsy Cadwaladyr*, 67-76.

86 J. F. Mayberry, 'The Hamadryad Hospital Ship for Seamen, 1866-1905', *British Medical Journal* 281 (20-27 December 1980), 1690-1692, http://www.ncbi.nlm.nih.gov/pmc/articles/PMC1715694/pdf/brmedj00 052-0034.pdf (gwelwyd 23/02/2011).

87 Fe'i hadwaenid yn ddiweddarach fel y Royal Hamadryad Hospital for Seamen a bu'n ysbyty am 82 o flynyddoedd, 39 o'r rheiny yn y llong. Yn 1905 fe'i hagorwyd fel ysbyty sefydlog ar y lan a bu'n gwasanaethu fel ysbyty ar gyfer morwyr cyn dod yn rhan o'r Gwasanaeth Iechyd Gwladol yn 1948: gweler Mayberry, 'The Hamadryad Hospital Ship', 1690-1692.

88 Deirdre Beddoe, *Welsh Convict Women: A study of women transported from Wales to Australia, 1787-1852* (Y Barri, Stewart Williams, 1979).

89 Alan Conway (ed.), *The Welsh in America: Letters from the Immigrants* (Minneapolis, University of Minnesota Press, 1999), 14.

90 Susan Wilkinson, *'Mimosa': The Life and Times of the Ship that Sailed to Patagonia* (Talybont, Y Lolfa, 2007), 144; 164.

91 Dyddiadur Keturah Davies: http://www.jlb2011.co.uk/wales/keturah/index.htm (gwelwyd, 20/10/2011).

92 Dyddiadur Margaret Stephens, Gwasanaeth Archifau Gwynedd, Caernarfon, XM/6872 wedi ei ddyfynu yn helaeth gan Aled Eames, *Y Fordaith Bell* (Caernarfon, Gwasg Gwynedd, 1993), 124-126. Gweler hefyd Lewis Lloyd, *Australians from Wales* (Caernarfon, Gwasanaeth Archifau Gwynedd, 1988), 134-139.

93 Eames, *Y Fordaith Bell*, 77, 80.

94 Wilkinson, *'Mimosa'*, 157-158.

95 Steel, 'Women, Men and the Southern Octopus', 292-93.

96 Sari Maenpaa, 'Women below deck: Gender and employment on British passenger liners, 1860-1938', *The Journal of Transport History* (1 September, 2004), 57-74.

97 Lewis Lloyd, *Wherever Freights May Offer: The Maritime Community of Abermaw/Barmouth 1565 to 1920* (Caernarfon, Gwasg Pantycelyn, 1993), 231-232.

98 Eames, Hughes efo Alexander, *Porthmadog Ships* (ail arg), 488-492. Argraffiad Cyntaf, 393-397.

99 Davies, *Borth*, 102.

100 Davies, *Borth*, 103.

101 Maenpaa, 'Women below deck', 61.
102 Lorraine Coons, 'From "Company Widow" to "New Woman:" Female Seafarers aboard the "Floating Palaces"of the Interwar Years', *International Journal of Maritime History*, XX, 2 (2008), 145-46.
103 Mae'r holl wybodaeth am brofiadau merched yng Nghaergybi yn yr uned hon drwy law Janice Roberts. Cyfweliad efo Janice Roberts (Williams) (g.1949), 20/09/ 2011 (casgliad yr awdur).
104 Maenpaa, 'Women below deck', 60.
105 Steel, 'Women, Men and the Southern Octopus', 293.
106 Jo Stanley, 'The Company of Women', *The Northern Mariner/Le Marin du nord*, IX, No. 2 (April 1999), 72.
107 Coons, 'From "Company Widow"', 151.
108 Coons, 'From "Company Widow"', 172.
109 Maenpaa, 'Women below deck', 66.
110 Stanley, 'The Company of Women', 70.
111 Coons, 'From "Company Widow"', 147.
112 Stanley, 'The Company of Women', 72.
113 Gwasnaeth Archifau Fflint, D/DM/689, certificates of discharge of Margaret Davies, of Holywell,stewardess of various Liverpool ships, 1881-96.
114 Stanley, 'The Company of Women', 79.
115 Maenpaa, 'Women below deck', 66.
116 Coons, 'From "Company Widow"', 145-46.
117 Marie Small, "Interview," 24 March 1988 yn Stanley, 'The Company of Women', 81.
118 Maenpaa, 'Women below deck', 71.
119 Steel, 'Women, Men and the Southern Octopus', 292.
120 Stanley, 'The Company of Women', 72.
121 Maenpaa, 'Women below deck', 71.
122 Ted Goddard, 'Pembrokeshire Shipwrecks' (Sgeti, Hughes and Son Publishers Ltd, 1983), 119-20.
123 Maenpaa, 'Women below deck', 55-74.
124 *The Times* September 28, 1842 yn 'Articles from *The Times* (newspaper) relating to Cardiff, Wales, 1840 to 1853' o'r wefan Cardiff & Glamorgan Family History Research: http://www.angelfire.com/ga/BobSanders/index.html (gwelwyd 6/09/2009).
125 Suzanne J. Stark, *Female Tars: Women Aboard Ship in the Age of Sail* (Llundain, Pimlico, 1998), 2-3, 47-49
126 Dianne Dugaw, '"Rambling Female Sailors": The Rise and Fall of the Seafaring Heroine', *International Journal of Maritime History*, IV, No.1 (June, 1992), 179-194
127 Stark, *Female Tars*, 119, 193.
128 Stark, *Female Tars*, 82.
129 Stark, *Female Tars*, 98.
130 'Can o Hanes Miss Betsy Williams', (Llyfrgell Genedlaethol Cymru).
131 The Women's Royal Naval Service, The WRNS: formation and history to the present day, http://www.royalnavalmuseum.org/info_sheets_WRNS.htm (gwelwyd 22/11/2010); National Maritime Museum, The WRNS and D-

Day, HMS 'Dauntless' collection http://www.nmm.ac.uk/explore/ collections/by-type/archive-and-library/item-of-the-month/previous/the-wrns-and-d-day (gwelwyd 22/11/2010).
132 Davies, *Borth*, 110-114.
133 Aled Eames, *Ships and Seamen*, 409.
134 Grahame E. Farr, *West Country Passenger Steamers* (Llundain, Richard Tilling, 1956).
135 Capten Ellis Roberts, *Ar Frig y Don: Hanes Chwe Blynedd a Deugain o Hwylio'r Moroedd* (Lerpwl, Gwasg Y Brython, 1934).
136 Roberts, *Ar Frig y Don*, 100.
137 Janet Cusack, 'The Rise of Yachting in England and South Devon Revisited, 1640-1827' yn Stephen Fisher (gol.), *Recreation and the Sea* (Exeter, University of Exeter Press, 1997), 102.
138 Roger Ryan, 'The Emergence of Middle-Class Yachting in the North-West of England from the Later Nineteenth Century' yn Stephen Fisher (gol.), *Recreation and the Sea* (Exeter, University of Exeter Press, 1997), 150-181.
139 Ryan, 'The Emergence of Middle-Class Yachting', 152-153; 156; 158.
140 Ryan, 'The Emergence of Middle-Class Yachting', 158.
141 Ryan, 'The Emergence of Middle-Class Yachting', 168-69.
142 G. W. Taylor Morgan, *Royal Welsh Yacht Club Records, 1847-1933* (Llundain, Ward & Foxlow, 1933), 9-10.
143 Ryan, 'The Emergence of Middle-Class Yachting', 169.
144 Taylor Morgan, *Royal Welsh Yacht Club*, 24-25; 14-15.
145 Ryan, 'The Emergence of Middle-Class Yachting', 170.
146 D. W. Harris, *Maritime History of Rhyl and Rhuddlan* (Prestatyn, Books, Prints & Pictures, 1991), 99-103.
147 Taylor Morgan, *Royal Welsh Yacht Club*, 62.
148 Gwefan Cymdeithas Iotio Cymru: http://www.welshsailing.org/ homewal/Pages/about.aspx (gwelwyd 01/03/2011).
149 Gwefan Clwb Brenhinol Iotio Ynys Môn http://www.royalangleseyyc. org.uk/news/News%20Index.htm (gwelwyd 01/03/2011).
150 Elin Haf, *Ar Fôr Tymhestlog* (Llanrwst, Gwasg Carreg Gwalch, 2010).
151 P. Belcher, H. Sampson, M. Thomas, J. Veiga, M. Zhao, *Women Seafarers – Global employment policies and practices* (Genefa, Swyddfa Lafur Rhyngwladol, 2003).

Pennod 5

Merched a'n Hunaniaeth Forwrol

Mae diweddglo campwaith David Thomas, *Hen Longau Sir Gaernarfon*, a gyhoeddwyd yn 1952 yn cychwyn fel a ganlyn:

> Bellach, fe giliodd y llongau bach hwyliau o borthladdoedd a moroedd Sir Gaernarfon, "heb ddim ond 'i wêc ar 'i hôl". Erys hwnnw'n draddodiad hir a phell yng nghof trigolion y glannau ac ardaloedd canol gwlad fel ei gilydd. I ba le bynnag yr ewch yn y sir, nid yn ung i Nefyn a'r Felinheli a Phorthmadog, ond hefyd i Sarn Mellteyrn a Charn Dolbenmaen, Betws Garmon a Dolwyddelan, cewch yno luniau llongau ar y waliau, llongau rhywun o'r teulu, a'r rheini, ran amlaf, wedi eu peintio yn yr Eidal neu Ffrainc, neu ryw wlad bell arall. Weithiau, y mae'n wir, gwaith arlunydd Cymreig fyddant, John Roberts, Llanystumdwy, efallai, neu James Roose o Amlwch, a fu'n ennill gwobrwyon, mi glywais, yn yr Eisteddfod Genedlaethol. Oni ellid, tybed, drefnu nifer o arddangosfeydd o'r lluniau hyn mewn lleoedd canolog yn y sir?
>
> A chreiriau eraill, ambell dro, i gofio am ryw fordaith neu'i gilydd – rholbrennau gwydr o Newcastle, neu longau hwyliau mewn poteli. Unwaith, aeth capten o Lŷn i Smyrna, yn Asia Leiaf, a daeth â darn o Ddiana'r Effesiaid, meddai ef, adref i'w ganlyn; trysorir y creiryn gan y teulu hyd heddiw.[1]

Er mai cyfeirio at un rhanbarth yn unig oedd David Thomas roedd ei sylwadau'r un mor berthnasol i rannau eraill o Gymru, gan gynnwys Ynys Môn, Sir Benfro, Penrhyn Gŵyr a Cheredigion. Roedd y môr wedi bod yn rhan hanfodol o fywyd y bobl am ganrifoedd mewn cymaint o gymunedau, ond aeth Thomas yn ei flaen i nodi fod hynny wedi newid yn sylweddol erbyn canol yr ugeinfed ganrif a bod angen diogelu'r hanes hwnnw ar gyfer y dyfodol. Gorffen ei gyfrol gyda rhybudd:

Tlodi cenedl yn ysbrydol ydyw ei thorri oddi wrth ei gorffennol.[2]

Drwy godi ymwybyddiaeth o bwysigrwydd y llongau hwyliau i fywydau bob dydd trigolion Cymru mewn un sir, a thrwy werthfawrogi nad perthyn i un cyfnod yn unig roedd gweithgaredd morwrol Cymru, roedd Thomas yn pledio achos hanes morwrol fel is ddisgyblaeth ynddo'i hun yn ogystal â'i bwysigrwydd yn hanes y genedl yn gyffredinol. Yn arwyddocaol, roedd ei sylwadau hefyd yn rhagdybio un maes a ddaeth yn gynyddol amlwg fel un o nodweddion hanes morwrol yn fyd eang dros y degawdau diwethaf, sef y cysyniad o ideoleg neu hunaniaeth forwrol.

Fel y nodwyd eisoes ym Mhennod 1 mae'r cysyniad o 'ideoleg forwrol' neu 'hunaniaeth forwrol' ('*maritime notion*' neu '*maritime perception*' yn y Saesneg) yn pwysleisio arwyddocâd y môr i hunaniaeth a diwylliant pobl, boed hynny ar lefel leol, ranbarthol, genedlaethol neu ryngwladol, a hynny drwy gydol hanes.[3] Er pwysigrwydd y môr o safbwynt economaidd neu gymdeithasol, mae'r pwyslais o safbwynt hunaniaeth forwrol ar ddylanwad y môr ar holl drigolion cymunedau'r glannau; eu hunaniaeth a'u diwylliant. I hanesydd morwrol enwocaf y wladwriaeth Ffrengig, Michel Mollat du Jourdin, roedd y môr yn dominyddu'r cymunedau morwrol gan iddo:

> took complete possession of the men, women and children who lived from it; it fashioned their lives, their mentality, their gestures; it was a cultural mould. It turned them into people of the sea, that is, people – or better, communities – living from the sea, through it and for it.[4]

Er bod profiadau unigolion o fewn y cymunedau morwrol yn amrywio roedd dylanwad y môr yn golygu bod eu trigolion yn rhannu'r '*same set of values and traditions.*'[5] Yn y cymunedau hynny felly mae'r môr yn dylanwadu ar agweddau, hunaniaeth, credoau ac ar bob elfen ar ddiwylliant megis celf, llenyddiaeth a cherddoriaeth. Ond i ba raddau y bu ideoleg neu hunaniaeth forwrol yn perthyn i genedl gyfan? Frank Broeze oedd y cyntaf i ehangu'r drafodaeth a hynny yng nghyd-destun Awstralia gan ddadlau fod ei thraethau a'r gweithgareddau oedd ynghlwm â hwy, gan gynnwys symbolau megis yr achubwr bywyd cyhyrog, yn allweddol wrth greu hunaniaeth genedlaethol Awstralia a bod hynny'n amlygu ei hun yng nghelf a llenyddiaeth y genedl yn ogystal.[6] Yn yr un modd, i'r hanesydd milwrol John Keegan: 'the sea is English, to outsiders and insiders alike.' Dywed bod perthynas arbennig rhwng y Saeson a'r môr a bod ei ddylanwad i'w gweld ym myd celf, llenyddiaeth a cherddoriaeth.[7] Bu sawl rheswm dros yr agwedd hon yn Lloegr gan gynnwys gwrhydri arwyr megis Drake a Nelson wrth amddiffyn y genedl rhag bygythiad o dramor, a grym y Llynges a'i lle canolog wrth sefydlu ymerodraeth fyd eang. Wrth gwrs, mae'n anodd mesur i ba raddau y mae cymunedau neu genhedloedd yn ymwybodol o'u hunaniaeth forwrol ond yn sicr nid yw wedi ei gyfyngu i wledydd neu wladwriaethau grymus. Bu'r môr yn amlwg yn hanes Llydaw, er enghraifft, ac yn sicr bu'n greiddiol i'w hunaniaeth. Adlewyrchwyd hynny yn 2012 gyda chyhoeddi, mewn saith cyfrol, y gwyddoniadur *Encyclopédie de la Bretagne*. Gyda phob cyfrol yn rhoi sylw i destunau arbennig, diddorol nodi mai 'Llydaw a'r Môr' fydd thema'r chweched gyfrol sydd ynddi'i hun yn adlewyrchu lle canolog y môr yn ymwybyddiaeth y genedl.[8] Bu'r môr yn bwysig i hunaniaeth y Basgiaid hefyd. Mae i'r genedl hanes hir o adeiladu llongau, o bysgota morfilod ac fe honnir mai'r Basgwr Juan Sebastián de Elcano oedd y cyntaf i hwylio o amgylch y byd gan gwblhau'r fordaith a gychwynnwyd gan Magellan. Heddiw, mae bwyd y môr yn destun balchder i'r genedl ac yn adlewyrchu ei chymeriad, ei safonau a'i huchelgais.

I Mollat du Jourdin mae dylanwad y môr yn gallu bod yr
un mor amlwg ar lefel cyfandir cyfan. Iddo ef, er enghraifft,
mae'r môr yn dylanwadu ar agweddau ar ddiwylliant, boed
hynny ar ffurf celf, cerddoriaeth neu lenyddiaeth Ewrop
gyfan, ond nad yw hynny wedi ei werthfawrogi'n llwyr
oherwydd nad yw haneswyr Ewrop wedi rhoi sylw teilwng
i'r dimensiwn morwrol er ei fod fel cyfandir yn *'very small,
peninsula surrounded by the seas which assail it.'*9 Ond i ba
raddau y bu i Gymru, a hithau hefyd yn orynys, feddu ar
ideoleg forwrol neu hunaniaeth forwrol, yn arbennig o
ystyried pwysigrwydd gweithgareddau morwrol i'w hanes
a'r ffaith fod cymaint o'i phoblogaeth yn byw mewn, neu o
fewn cyrraedd, cymunedau morwrol?

Nid yw cymunedau morwrol yn bodoli mewn gwagle ac
mae hynny'n wir am eu diwylliant hefyd. Eisoes fe welwyd
nad mater syml yw ceisio diffinio cymuned a chymuned
forwrol felly llawn mor anodd fyddai ceisio diffinio
diwylliant neu ddiwylliant morwrol. Yn ei ystyr ehangach
cyfeiria diwylliant at werthoedd, gwybodaeth a chwaeth
mewn celfyddyd a moesau, iaith, hamdden a chredoau
cymdeithas ar unrhyw gyfnod ac yn unrhyw le. Yng
Nghymru mae cymunedau morwrol yn amlwg yn rhan o
ddiwylliant y genedl ond ar yr un pryd yn meddu ar
agweddau neu bwyslais diwylliannol sy'n wahanol iawn i
ddiwylliant gweddill y genedl. Gellir disgwyl felly bod i
gymunedau morwrol Cymru ddiwylliant cyffredin
oherwydd dylanwad cyffredin y môr a gweithgareddau
morwrol arnynt ac, o'r herwydd, byddent yn ymdebygu i
gymunedau morwrol mewn rhannau eraill o'r byd yn
ddiwylliannol. Yn yr un modd, os yw hunaniaeth forwrol yn
gallu ymdreiddio i genedl gyfan, yna mae'n bosib y bydd
trigolion y tir yng Nghymru hwythau'n meddu ar elfen o
hunaniaeth neu ddiwylliant morwrol, ond i raddau llai na'r
hyn sy'n wir am gymunedau morwrol.

Yn y bennod hon rhoddir sylw i brofiadau merched mewn,
a'u cyfraniad i, amryw agweddau ar ddiwylliant, ideoleg a
hunaniaeth forwrol Cymru. Cymaint yw amrediad y maes
hwn, a chyn lleied yr ymchwil iddo hyd yn hyn yn
rhyngwladol, fel mai ond megis crafu'r wyneb sydd yn bosibl
yma ar hyn o bryd. Rhoddir sylw yn benodol i brofiadau a
chyfraniad merched o fewn tair agwedd. Yn gyntaf trafodir
agweddau ar hunaniaeth forwrol, sef ystyried sut ac i ba raddau
y bu'r môr yn greiddiol i hunaniaeth cymunedau morwrol
Cymru o safbwynt merched. Yn ail, rhoddir sylw i'r môr fel
ysbrydoliaeth o ran diwylliant a'r celfyddydau a rhan merched
ynddo. Yn drydydd, ystyrir rôl a phrofiadau merched o fewn
y cyfnewid diwylliannol sydd yn nodweddu cymaint o
gymunedau morwrol yng Nghymru a thu hwnt. Mae sicrhau
sylw teilwng i ferched yn yr agweddau uchod yn allweddol
os ydym am werthfawrogi holl agweddau bywydau merched
o fewn cymunedau morwrol. Mae ystyried rhan merched yn
niwylliant, ideoleg a hunaniaeth y gymuned forwrol yn
gyfraniad pwysig at wella ein dealltwriaeth o'r diwylliant
morwrol ac yn gychwyn ar drafod maint a dylanwad ideoleg
a hunaniaeth forwrol ar Gymru gyfan.

Hunaniaeth – y Cynfas Ffisegol

Creiddiol i'r cysyniad o hunaniaeth forwrol yw i'r môr fod
yn ganolog i, a dominyddu, pob agwedd ar fywydau pobl.
Gellir dadlau mai elfen allweddol i'r trochi hwn gan y môr a
gweithgareddau morwrol yw lleoliad y cymunedau morwrol
ar y ffin rhwng tir a môr, ac i'r boblogaeth wynebu'r môr yn
feunyddiol gan droi eu cefn ar y tir. Gyda'r môr mor
cyfnewidiol a chyda golygfa a fyddai'n plesio'r llygaid yn
oesol, gellir dadlau fod lleoliad cymunedau morwrol yn
cynnig cefndir neu gynfas unigryw i drigolion y cymunedau
hynny. Nid yw'r môr yr un fath o un dydd i'r nesaf, ac er i
drigolion brodorol ac ymwelwyr dystio nad oes blino ar

edrych arno, yn sicr mae wedi chwarae rhan llawer pwysicach nac fel cefndir yn unig, er bod y cefndir hwnnw'n bwysig. Wrth gwrs mae pwysigrwydd esthetig y môr yn dibynnu ar natur yr unigolyn ond hefyd ar union leoliad a ffurf y gymuned y mae'r unigolyn yn perthyn iddi. Er enghraifft, byddai gwraig yn byw yn slymiau Little Ireland yn nociau Caerdydd yn gweld cefndir llai ysbrydoledig (ac ni chawsai olwg, bron, o'r môr o'r cartref) na gwraig yn byw mewn pentref bach gwledig ar arfordir difyr ei dirwedd a chyda golygfa feunyddiol o'r môr a'r arfordir. Ar y llaw arall, mae'n bosibl bod unrhyw gyfle a gawsai gwraig yn Little Ireland i fynd at yr arfordir a gweld y môr yn codi ychydig ar lymder bywyd bob dydd ond, yn yr un modd, ni fyddai arfordir godidog o fewn golwg y wraig gyffredin mewn pentref bach yn gallu gwneud iawn am galedi ac undonedd bywyd bob dydd. Mae'n amhosibl mesur dylanwad golygfeydd morwrol ar fywyd unigolyn ond yn sicr dylem fod yn ymwybodol o botensial eu pwysigrwydd i wragedd a dreuliai gymaint o'u bywydau yn ei wynebu.

Rhaid cofio hefyd fod y môr a'r arfordir o fewn golwg i gymunedau amrywiol sydd ymhell yng nghefn gwlad – yn amrywio o'r tyddyn amaethyddol unigol i bentrefi chwareli diwydiannol. Pwysleisia Mollat du Jourdin fod dylanwad y môr yn gryf drwy Ewrop gyfan oherwydd nad oes yr un gymuned yng nghefn gwlad nad yw o fewn cyrraedd hwylus i'r arfordir.[10] Yn sicr daeth hynny'n gynyddol wir yng Nghymru. Gyda datblygiad y diwydiant gwyliau glan môr, ymhlith ffactorau eraill, daeth ymweld â'r arfordir a gweld y môr yn rhan o gylch blwyddyn dynion a merched o bob dosbarth oedd yn byw ymhell o'r glannau.[11] Roedd hynny'n sicr yn wir yn achos teuluoedd y glowyr yn ystod oes aur y diwydiant hwnnw.

Yn ei gerdd 'Let's go to Barry Island, Maggie Fach', mae Idris Davies (1905-1953) yn rhamantu wrth ddwyn i gof ddyddiau teuluol hapus yn Ynys y Barri – y daith ar y trên, y mulod ar y traeth a'r machlud dros y creigiau. Beth sydd fwyaf amlwg fodd bynnag yw'r syniad fod diwrnod fel hyn yn ddihangfa o fywyd bob dydd, gan i'r bardd annog ei wraig i adael y golch am y tro ac anghofio'i phoenau am ddiwrnod.[12]

Nid glan y môr oedd unig atyniad Ynys y Barri ond fe fyddem yn disgwyl i'r rhai sy'n ei weld yn feunyddiol fod dan ei ddylanwad. I drigolion y glannau roedd atyniadau achlysurol eraill ynghlwm â'r môr, fel yn yr enghraifft a ganlyn:

> Nos Wener yr 21ain roedd Bau Moelfre wedi ei frithio gan oleuadau... yn sicr, golygfa ardderchog geir yn aml oddiwrth Ty'nyberth ar noson dywyll – y llongau lluosog wedi codi eu goleuadau er rhoddi rhybudd i longau eraill rhag dyfod i wrthdrawiad â hwynt. Nid wyf yn gwybod faint o agerlongau a llongau hwyliau oedd yn y Bau y noson dan sylw.[13]

Byddai golygfa o'r fath yn llawn emosiwn i drigolion y glannau, yn arbennig pe byddai ganddynt deulu ar y môr. Roedd gwragedd y pentref yn meddwl am eu hanwyliaid ac roeddynt hefyd yn gwerthfawrogi fod gwragedd i'r morwyr oedd yn y bae yn yr un sefyllfa â hwy. Gellir dadlau mai un agwedd bwysig ar ideoleg neu hunaniaeth forwrol yw'r cwlwm emosiynol rhwng yr unigolyn a'r môr. Er yn anodd ei fesur a'i ddadansoddi gellir awgrymu ei fod yn amrywio o deimladau'r wraig i forwr wrth edrych allan ar y môr ar noson stormus gan bryderu am ei dynged ef, i deimladau'r wraig i löwr a gofiai am wyliau glan môr a'r hoe llawn hwyl yng nghanol caledi a realiti bob dydd yn y gymuned lofaol. Mae'r amrywiaeth eang o glymau emosiynol posibl yn adlewyrchu'r ystod o agweddau sydd yn hanfodol os am werthfawrogi cymhlethdod ideoleg a hunaniaeth forwrol.

Hunaniaeth – Y Teulu a'r Cartref

Yn sicr roedd y cwlwm emosiynol hwn yn rhan greiddiol o fywyd y cartref morwrol, fel y gwelwyd eisoes ym Mhennod 1. Boed hwy'n deulu o forwyr neu o bysgotwyr y glannau roedd bywyd y cartref a'i sgwrs yn troi o amgylch y môr. Un arwydd amlwg o'r hunaniaeth forwrol o fewn y cartref unigol, fel y noda Thomas uchod, oedd yr amrywiol greiriau, offer, lluniau yn ymwneud â bywyd y môr neu o lefydd egsotig yr ymwelwyd â hwy gan y teulu morwrol. Dim ots am gyfoeth y teulu unigol na statws y penteulu, un o nodweddion cartrefi morwrol oedd yr arwyddion o gysylltiadau morwrol y teulu yn ei amrywiol agweddau. Yn nhref Amlwch, un o drefi diwydiannol cyntaf Cymru, a wynebai nifer o broblemau cymdeithasol cyffredin i drefi diwydiannol a oedd yn dirywio erbyn dechrau'r ugeinfed ganrif:

> ... rhaid cofio fod y môr yn dod â lliw i fywydau ac i addurno tai llawer iawn yn y dref. 'R oedd hyn yn enwedig o wir am Borth Amlwch lle ceid o leiaf un o bob tŷ bron ar y môr ar droad y ganrif, a modelau o'u llongau, matiau rhaffau, ffaniau o'r Dwyrain, cregyn heirdd ac adar, heb anghofio ambell i fwnci ynddynt.[14]

Roedd y sefyllfa yng nghartrefi Porth Amlwch yn cael ei adlewyrchu mewn cannoedd o gartrefi ar hyd arfordir Cymru, ac yng nghymunedau arfordirol gwledydd eraill hefyd. Roedd y math hwn ar gwlwm rhwng y cartref a galwedigaeth y morwyr yn greiddiol i hunaniaeth y teulu. Soniwyd eisoes ym Mhennod 4 am y dulliau a ddefnyddiai morwyr i gadw elfen o fywyd y merched gyda hwy ar eu mordeithiau. Roedd dod ag anrhegion i addurno'r cartref yn rhan o'r wedd hon, ond a oedd merched y cartref morwrol hwythau'n cadw'r un math o gyswllt gyda byd eu gwŷr neu feibion drwy gael y trugareddau hyn yn y cartref? Un enghraifft ymarferol iawn oedd y matiau llongwyr a fu'n britho cartrefi ar hyd ein glannau. Wedi eu gwneud yn grefftus gan y morwr wrth hwylio'r moroedd, roeddynt hefyd yn ymarferol i'r cartref ac yn gyswllt gyda'r gŵr neu fab pan fyddai i ffwrdd. Golygai'r math yma o gwlwm fod merched yn llwyr dan ddylanwad y môr ac fe adlewyrchir hynny mewn sawl ffordd. Eisoes cyfeiriwyd at Catherine Hughes o Foelfre, gwraig y capten a pherchennog llong Capten Henry Hughes. Yn 1910 penderfynodd Capten Henry Hughes werthu ei long hwyliau, y *William Shepherd* gan iddo sylweddoli mai llongau stêm fyddai'r dyfodol.[15] Ni rybuddiodd ei wraig am ei fwriad. Aeth Henry Hughes i ffwrdd ar fore Llun a chredai Catherine Hughes y byddai'n cael llythyr ganddo'r bore wedyn gyda manylion ei fordaith nesaf. Ond fel y dywedodd eu mab:

> Chwech o'r gloch nos pwy oedd yn dod i lawr y lon ond y fo [Capten Hughes]. Dyma Mam yn deud. 'Be sy mater?'. 'Dwi 'di gwerthu hi'. Rargo dyma hi'n row. Oedd Mam feddwl y byd o'r hen long bach. Roedd hi'n medru llywio hi 'chi.[16]

Gellir deall ei theimladau gan i'w gŵr werthu'r llong heb unrhyw drafodaeth. Ond pwysleisia plant Catherine Hughes mai'r hyn oedd wrth wraidd ei hymateb oedd bod y llong yn golygu cymaint iddi – wedi'r cyfan, bu iddi hi hwylio arni droeon nes ei bod yn ail gartref iddi hi a rhai o'r plant. Roedd y llong wedi bod ym meddiant y teulu am ugain mlynedd ac yn sicr nid mater bach i Catherine Hughes oedd cael gwared ohoni, beth bynnag am y buddsoddi newydd mewn llong stêm a fyddai'n cynnal ei gŵr am chwarter canrif arall.

Nid mater o sentiment yn unig oedd y cwlwm hwn a gwelir tystiolaeth glir o hynny mewn ysgrif gan Felicina Hughes, gwraig i'r Capten William John Hughes, eto o Foelfre.[17] Cafodd ei hysgrifennu mewn cyfnod o wrthdaro diwydiannol yn y diwydiant morwrol, ac mae'n adlewyrchu teimladau cryfion cyfnod o'r fath. Mae hefyd yn amlwg fod

Felicina Hughes yn ymwybodol ei bod yn perthyn i gymuned forwrol oedd â hanes hir ac anrhydeddus:

> Heddiw wrth ysgrifennu o bentref (neu yn hytrach dref fechan erbyn heddiw) sydd wedi ei wneud yn hyglod gan genedlaethau o forwyr, lle mae llawer o'u bechgyn wedi aberthu eu bywydau ar y môr mewn Dwy Ryfel Byd – meddyliwn yn ddifrifol am y streic, a theimlwn yn berffaith sicr nâd yw'r bai ar y morwyr o gwbl.
>
> Wrth gofio fod calon morwr yn dyner iawn yn enwedig tuag at ferched a plant yn dioddef o eisiau, ni allwn lai na gobeithio y medrant ddal ymlaen ac y cânt yr hyn y maent yn ei geisio.

Yn amlwg, roedd hi'n meddu ar ddealltwriaeth a gwerthfawrogiad o fywydau merched o amrywiol haenau'r gymuned forwrol:

> Many have heard of the wives of the old sailing ship Captains sailing around the world with their husbands. But alas for the wives of the sailors. I have often wondered what sort of life they led as nothing was ever heard of them. One cannot help wondering which wife was the luckier. The life must have been as hard as the biscuits my father told me of. How much better the life would be for women in the beautiful ships of today.

Ond, mewn cyfnod o streic, roedd teimladau chwerw yn amlygu eu hunain:

> ... instead of making a heroine out of a fiancée who gave her seaman up because he was too busy with the strike to give all his time to her (like one or two papers did) as a sailor's wife I wish they would treat as heroines the wives of sailors who have gone hungry in support of their husbands' ideals.

Roedd Felicina Hughes hefyd yn ymwybodol fod ei swydd yn gwneud y morwr yn dra gwahanol i weithiwr y tir mawr, a'i bod hithau hefyd yn rhannu teimladau ei gŵr:

> I wonder whether the 'Land-Lubber' (as a sailor jocularly calls a man working on land) has any idea of the feelings of

a sailor when he says Goodbye to his wife and family at the begining of a voyage? He bids them farewell knowing that he will not be seeing them again for weeks, months even years, depending on the length of the voyage. Then again what of the feelings of the wife, daughter, or the Mother of a sailor. I know the feeling in each instance as I have said Goodbye to my husband, father, and son, all my life, and every year as I grow older makes it more difficult.

A hithau'n ferch a fagwyd ar aelwyd forwrol, yn wraig i gapten llong mewn pentref morwrol, ac wedi hwylio droeon gyda'i gŵr, gellir dadlau fod teimladau Felicina Hughes yn gwbl ddealladwy.[18] Pa mor gyffredin oedd y math yma o deimladau mewn cartrefi glannau Cymru sy'n fater arall, ond ni ellir gwadu eu bod yn bresennol yn y cymunedau morwrol.

Mae'r hyn sy'n dylanwadu ar yr unigolyn nid yn unig yn bersonol ond hefyd yn amrywiol iawn ac yn sicr nid oedd yn rhaid bod yn rhan o gymuned forwrol na chartref morwrol i fod dan ddylanwad y môr. Daw tystiolaeth o hynny o gyfeiriad annisgwyl iawn, ar yr olwg gyntaf o leiaf.

Ganwyd Eluned Morgan yng Nghanol yr Iwerydd ar fwrdd y *Myfanwy* a oedd yn hwylio o Gymru i Batagonia yn 1870. Fel y gwelwyd eisoes yn y gyfrol hon, nid oedd ei phrofiad yn un anghyffredin, ond o ganlyniad i hyn teimlai Eluned nad oedd ganddi wreiddiau cadarn. Elfen amlwg o'i bywyd a'i gwaith oedd ei pherthynas â'r Wladfa a Chymru, yn arbennig y cwestiwn o berthyn, elfen a drafodwyd yn drylwyr iawn mewn un astudiaeth ohoni gan Jane Aaron.[19] Roedd yn ferch i Lewis Jones, a oedd yn ganolog i lwyddiant y *Mimosa* a gyrhaeddodd Patagonia yn 1865 – rhoddodd ei thad yr enw 'Eluned Morganed Jones' arni fel cydnabyddiaeth o fan ei genedigaeth. Dadlennol iawn yw'r ffaith iddi newid ei henw yn ddiweddarach i Eluned Morgan, fel petai'n ceisio pellhau ei hun oddi wrth ei diffyg gwreiddiau a'i chysylltiad â'r môr, er iddi alw ei hun yn 'un o blant y môr' yn ei chyfrol *Gwymon y Môr* (1909). Er bod llwyddiant y Wladfa yn bwysig iawn iddi, yn ôl Aaron:

> Broc môr ydoedd Eluned, yn nofio ar wyneb y dyfroedd heb gyfle i fwrw gwreiddiau.

Os broc môr oedd hi, roedd y môr hwnnw ag arwyddocâd eang iawn iddi, fel mae dadansoddiad Aaron, a theitl ei chyfrol, yn amlygu:

> Ymddengys o'i llythyrau nad oedd yn teimlo ei bod yn perthyn yn rhwydd i naill ai'r Wladfa nac i Gymru, er cymaint ei chariad a'i hymlyniad atynt, ond yn hytrach mai ei chyfrifoldeb arbennig hi oedd gwasanaethu fel math o bont neu ddolen gyswllt rhwng y ddwy wlad a'r ddau ddiwylliant, fel rhyw ymbersonoliaeth o'r môr a'u rhannai ond eto a'u cysylltai.[20]

Mae'n amlwg o'i gwaith, fodd bynnag fod ganddi gariad dwfn tuag at y môr ac elfennau natiriol y byd – mae rhywbeth ysbrydol ynglŷn â'i disgrifiad o storm y bu iddi ei phrofi rhwng Bae Gwasgwyn a Lisboa ar un o'i mordeithiau niferus rhwng Cymru a Phatagonia:

> Gwaeddai'r cadben oddiar y bont: 'Cliried pawb oddiar y dec!' Ond yr oedd fy nghalon yn llawn gwrthryfel: nid oeddwn foddlon i golli un o olygfeydd godidocaf y Crewr. Gyda chryn drafferth y medrais gyrhaedd at y cadben, a bum yn eiriol ag ef. Yr oedd arnaf eisieu gwel'd y storm heblaw ei theimlo. 'Does ond un ffordd ddiogel,' meddai'r llywydd caredig: 'bydd raid eich cylymu â rhaff gref wrth un o'r hwylbrenni.' Parod oeddwn i gydsynio a phobpeth er mwyn cael fy nymuniad: felly, wedi fy lapio mewn hugan llongwr rhag gwlychu, rhwymwyd fi'n gadarn wrth yr hwylbren, tra'r swyddogion a'r llongwyr yn gwenu'n dosturiol at fy ngwallgofrwydd Ce's bedair awr o wynfyd adawodd ei ôl ar fy holl fywyd, a gwyn fyd bawb gaffo gyffelyb brofiad.[21]

Ni chafodd niwed, ac mae ei pharch tuag at yr elfennau yn drawiadol.

Yn yr enghreifftiau uchod roedd hunaniaeth forwrol yr unigolyn, y teulu a'r cartref yn amlwg yn amrywio yn ei ddwyster a'i fynegiant. Gellir dadlau fod y math yma o ddylanwad yn amlwg, yn uniongyrchol ac yn bersonol. Llawn bwysiced wrth ddylanwadu ar yr hunaniaeth forwrol fodd bynnag oedd y gymdeithas leol.

Hunaniaeth – Y Gymuned

Roedd sawl agwedd ar fywydau diwylliannol merched oedd yn gyffredin i'w chwiorydd mewn cymunedau ar draws Cymru. Ond, yn achos merched cymunedau'r glannau, roedd yr agweddau diwylliannol hynny wedi eu plethu â dylanwadau morwrol a hynny o oedran cynnar iawn. Gwelir hyn wrth edrych ar chwarae a hamddena plant. O fewn cymunedau morwrol roedd yn naturiol i nifer o weithgareddau'r plant fod yn gysylltiedig â'r môr a'i bethau ac, o'r herwydd, yn wahanol i weithgareddau plentyn yng nghefn gwlad neu mewn cymunedau diwydiannol. Ond roedd sawl elfen i hamddena a chwaraeon plant y cymunedau morwrol a oedd hefyd yn adlewyrchu daliadau, arferion a chredoau'r gymdeithas ehangach. Roedd y chwarae hefyd, i raddau, yn eu paratoi ar gyfer bywyd oedolyn o fewn y gymdeithas, fel y gwelir yn achos pentref Moelfre yn ystod degawdau cynnar yr ugeinfed ganrif.[22]

Roedd traethau a chreigiau'r fro, a'r môr ei hun, yn ganolog i fywydau plant Moelfre: roedd cerdded yr arfordir yn hamddenol neu chwarae'n ddireidus ar y creigiau yn cynnig oriau o hwyl; roedd pysgota a dal – a rasio – crancod yn boblogaidd gyda bechgyn a genethod ac roedd amrywiol draethau'r fro yn faes chwarae a hamdden i genedlaethau o blant. Wrth gwrs roedd mynd mewn cwch o amgylch y bae yn hwyl fawr gyda nifer o enethod ifainc y pentref yn gystal cychwyr â neb.

Ond nid oedd y chwarae a'r adloniant wedi ei gyfyngu i'r

pentref a'r arfordir nac i weithgareddau oedd ynghlwm â'r môr. Gyda'r nosau byddai gangiau o blant Moelfre yn cerdded rhyw filltir i fyny'r lôn i groesffordd Lanallgo a siarad yno am oriau, yn enwedig yn y gaeaf pan nad oedd cychod i'w trin. Achlysur llawn antur i blant y pentref oedd teithio ar *wagonét*, ac yn ddiweddarach ar fysiau, i Fangor, Amlwch neu Langefni. Roedd gweithgareddau diwylliannol yn bwysig i'r plant hefyd gydag eisteddfod ym Marian-glas, rhyw filltir a hanner o'r pentref. Bu gan Miss Margaret Jones gerddorfa fach o ferched yn y pentref am gyfnod ac uchafbwynt eu blwyddyn fyddai perfformio yng Nghyngerdd Calan Capel Carmel. Ond ychydig o blant Moelfre, ar y cyfan, fu'n dysgu canu offeryn ac yn cystadlu mewn eisteddfodau yn ystod y cyfnod hwn ac ymddengys mai merched oedd y mwyafrif ohonynt.

Roedd rhai dathliadau penodol yn rhan bwysig o fywydau plant a phobl. Un o nodweddion amlwg y Nadolig oedd derbyn anrhegion, megis afal ac oren, bagiad o bethau da, llyfr, pensiliau a dol. Ond i blant Moelfre, yr anrheg orau fyddai gweld eu tad yn dod adref dros y Nadolig – gydag anrheg go iawn, wrth gwrs! Rhyw ddwywaith yn unig y cofia Eleanor Lloyd Owen i'w thad, y llongwr Huw Owen, ddod adref dros yr Ŵyl ac ar un achlysur mae'n cofio cael dol fawr o Ffrainc ganddo. Nos Galan cynhelid *Watchnight* yn Eglwys Llanallgo ac fe âi nifer fawr yno, yn hen ac ifanc. Dyma noson hefyd ar gyfer direidi a byddai'r plant yn dwyn giatiau. Ateb un dyn i'r broblem hon oedd sicrhau ei fod yn peintio'i giât yn ystod y dydd! Ar ddydd Calan hefyd, trefnid cyngerdd te parti yn y capel gyda dynion, merched a phlant yn cymryd rhan.

Roedd y bad achub lleol yn cynnig sawl achlysur ar gyfer plant o bob oed. Gelwid y bad achub allan yn aml a byddai gweld ei lansio'n ddigon i atal gwersi yn yr ysgol. Yn ystod y dydd, os oedd y plant adref, roedd galw'r bad achub i

gynorthwyo llong neu gwch mewn trafferthion yn cynhyrfu'r
plant i gyd. Byddent yn rhedeg ar ras i gyrraedd y cwt i weld
y bad yn cychwyn. Roedd rhai digwyddiadau nodedig yn
ddigon i ennyn sylw plant y pentref. Fel hyn yr adroddodd *Y
Clorianydd* am un digwyddiad ar 22 Ionawr 1930:

> 'Bywydfad Newydd Moelfre
> Cyrraedd wedi mordaith faith a stormus
> Teyrnged un o'r dwylo'
>
> ... Dringodd bron yr holl bentrefwyr i fyny i'r tŵr gwylio i
> ddisgwyl y bywydfad, a phan dderbyniwyd neges o oleudy
> Pwynt Lynas iddi basio, rhedodd ugeiniau o ddynion,
> merched a phlant i lan y môr i roi croeso cynnes i'r llestr...
> Ymfalchïa pentrefwyr Moelfre yn eu bywydfad a
> gorchestion y dwylo. Y mae'r bechgyn yn y pentref lawn mor
> awyddus am fod yn perthyn i'r criw a'u tadau o'u blaen...'[23]

Yn yr haf cynhelid diwrnod y bad achub a roddai gyfle i'r
criw ddangos eu doniau a chyfle hefyd i blant y pentref helpu
wrth fynd o gwmpas yn hel arian gan ymwelwyr.
Digwyddiad pwysig arall yn yr haf oedd y regata gyda nifer
fawr o gystadlaethau a chyfle i'r hen a'r ifanc fwynhau eu
hunain. Deuai pobl o bob rhan o'r ynys, nid yn unig i
gystadlu ond hefyd i fetio ar y rasys. Cynhelid cystadlaethau
nofio a physgota a rasys cychod – ar gyfer dau rwyfwr,
pedwar rhwyfwr, gŵr a gwraig, dwy wraig ac yn y blaen.
Diwrnod llawn felly a chyfle i'r plant wylio a chystadlu hefyd,
wrth nofio a chwarae efo iotiau model.

Ond er dylanwad a phwysigrwydd gweithgaredd
morwrol i hamdden a chwarae plant, roedd digwyddiadau
mawrion y byd yn effeithio ar eu chwarae hefyd, fel y gwelwyd
yn ystod y Rhyfel Mawr. Gêm boblogaidd iawn yn ystod ac
wedi'r rhyfel oedd chwarae 'soldiwrs a nyrsys'. Byddai'r hogiau
yn brysur yn cloddio ffosydd ac yn defnyddio darnau o bren
fel gynnau gyda chwffio mawr. Roedd y merched, ar y llaw
arall, yn rhoi croesau coch ar eu bratiau. Wedi iddynt 'frifo'
byddai'r hogiau yn mynd i'r ysbyty at y nyrsys ifainc. Yn

ddiddorol, un neu ddau o ddynion y pentref yn unig a fu'n gwasanaethu yn y fyddin yn ystod y rhyfel – morwyr oedd y lleill bron yn ddieithriad. Felly roedd dylanwad y môr, hyd yn oed, yn gallu cael ei foddi – neu o leiaf ei roi dan yr wyneb am gyfnod – dan bwysau digwyddiad neu ddylanwad mawr. Gellir dadlau mai canolbwynt bywyd cymdeithasol trigolion Moelfre hyd at y 1950au oedd y capel, neu'r eglwys, yn blant ac oedolion. Yn hyn o beth, doedd Moelfre ddim gwahanol i gymunedau ar hyd a lled Cymru. Yr un oedd y drefn i bob plentyn ar y Sul, yn fechgyn ac yn enethod, sef mynychu gwasanaeth y bore, yr Ysgol Sul a gwasanaeth yr hwyr. Doedd dim dewis gan y plant. Cynhelid gweithgaredd yn y capel bron bob nos: cyfarfod Gweddi ar nos Lun, *Band of Hope* ar nos Fawrth, seiat ar nos Fercher a chyfarfod Llenyddol ar nos Wener. Roedd nifer o'r gweithgareddau hyn yn 'esgus' i'r plant fynd allan gyda'r nosau. Rhoddodd y Capel gyfle i'r plant deithio hefyd – i Gymanfa Blant, Cymanfa Ganu a Sasiwn – ac roedd y tripiau ysgol Sul yn boblogaidd erbyn y 1920au. Cymaint oedd dylanwad a phwysigrwydd y capel ym mywydau'r plant fel y byddent, y genethod yn bennaf, yn 'chwarae capel' hefyd, yn yr un modd ag y byddai'r bechgyn yn chwarae llongwyr.

Er lle canolog y capel a'r eglwys ym mywydau plant a phobl ifanc roedd dylanwad y môr hefyd yn allweddol. Er na chaniateid chwarae allan ar y Sul, yn ystod yr haf byddai'r mamau'n mynd am dro efo'r plant ar hyd llwybr yr arfordir. Yng Nghapel Carmel, yng nghanol y pentref, roedd arwydd mawr ar y mur yn atgoffa pawb: 'Cofiwch y Morwyr'. Yn ogystal, roedd y Capel yn gweithredu fel canolfan ar gyfer y rhai a achubwyd gan y bad achub, gyda'r chwiorydd yn ymgeleddu ac yn cynnig diodydd cynnes a bwyd i'r dioddefwyr hyd nes eu cludo i ofal proffesiynol.

O'r cychwyn cyntaf felly roedd y môr yn rhan annatod o fywydau merched y glannau a threiddiai diddordebau a phrofiadau eu plentyndod, ymysg dylanwadau eraill, i'w bywydau fel oedolion i raddau helaeth iawn. I sawl un o fewn, a'r tu allan, i'r cymunedau morwrol roedd y môr hefyd yn ysbrydoliaeth mewn amrywiol feysydd celfyddydol a diwylliannol.

Ysbrydoliaeth

Does dim dwywaith fod y môr wedi profi'n ysbrydoliaeth, yn gefndir, yn awen ac yn gysur i bobl o bob oed a chefndir; yn llenorion, artistiaid, cerddorion a ffotograffwyr ymysg eraill.[24] Yn yr adran hon tynnir sylw at enghreifftiau o bresenoldeb merched mewn cyd-destun morwrol mewn amrywiol fynegiannau diwylliannol, fel gwrthrychau neu ganolbwynt – ond gan hefyd ystyried eu cyfraniadau i sawl agwedd ar y celfyddydau o safbwynt y dimensiwn morwrol.

Un a lwyddodd i godi ymwybyddiaeth o hunaniaeth forwrol y Cymry oedd yr amryddawn John Glyn Davies. Un o'i orchestion oedd cyflwyno i'r iaith y shantis a genid gan forwyr o Gymru i genedlaethau o Gymry Cymraeg drwy gyfrwng ei gampwaith *Cerddi Huw Puw*.[25] Mae'r gyfrol yn cynnwys siantis, caneuon môr a chaneuon am y môr. Caneuon gwaith oedd y siantis, yn perthyn i'r byd morwrol Saesneg ei hiaith ac yn cael eu canu wrth i forwyr godi hwyliau neu droi'r capstan, er enghraifft. Roedd y morwyr o Gymry yn canu'r caneuon yn Saesneg ond gyda'r geiriau wedi eu Cymreigio a'r profiad o glywed morwyr o Gymru yn eu canu ym mhorthladd Lerpwl oedd ysbrydoliaeth yr awdur.[26]

Bu'r gyfrol yn adnodd anhepgor i blant ysgol ar draws Cymru ac yn sicr fe lwyddodd yn ei nod addysgol gan iddi, ochr yn ochr â *Cherddi Portinllaen* a *Cherddi Robin Goch*, ddod yn adnabyddus i genedlaethau o blant ysgol ar hyd a lled y wlad. Ond llwyddodd y gyfrol, yn anuniongyrchol, i godi ymwybyddiaeth o hunaniaeth forwrol y Cymry yn ogystal, fel y gwelir ym mhoblogrwydd nifer o'r cyfansoddiadau mewn cyngherddau a chystadlaethau eisteddfodol hyd heddiw. Ond roedd y casgliad hefyd yn cadarnhau rôl merched yn y dimensiwn morwrol, fel y noda Cledwyn Jones:

> ... y mae'n fwy na thebyg na fuasai'r gyfrol gyntaf, *Cerddi Huw Puw*, wedi ymddangos o gwbl yn 1923 oni bai am ragwelediad Miss Jennie Thomas (1899-1979), a sylweddolodd bosibiliadau addysgol y caneuon... ac iddi hi, yn anad neb, y dylem ddiolch am y casgliad a gawsom ym 1923...[27]

Nid oedd Jennie Thomas o gefndir morwrol, er iddi gael ei magu ar aelwyd Gymraeg yn nhref glan môr Penbedw, a dechreuodd ei gyrfa ddisglair fel athrawes ym Methesda, tref nad oedd yn perthyn i'r byd morwrol er ei buddsoddwyr mewn llongau lleol. Mae'n ddigon posibl iddi sylweddoli potensial ieithyddol cerddi J. Glyn Davies i blant o amrywiol gefndiroedd Sir Gaernarfon; y môr yn bwysig i fywyd bob dydd cymaint ohonynt; ond yn sicr fe gyfrannodd hi i'r hunaniaeth forwrol drwy ei dylanwad wrth sicrhau cyhoeddi'r gyfrol.

Er nad hynny oedd eu bwriad yn uniongyrchol, llwyddodd cerddi J. Glyn Davies i godi ymwybyddiaeth o hunaniaeth forwrol y Cymry, gan gynnwys pwysigrwydd merched o'i fewn. Gan mai caneuon gwaith oedd y siantis Saesneg, roedd eu testunau'n cyfeirio at sawl agwedd ar fywyd y morwr cyffredin, caledi gwaith beunyddiol a'u hawydd i gyrraedd adref yn ddiogel, er enghraifft. Roedd eu geiriau yn aml iawn yn annerbyniol i'r gymdeithas ehangach yn arbennig gydag ambell destun, fel yr awgrymir yn hoff sianti J. Glyn Davies ei hun, 'A'roving' sy'n cynnwys llinellau megis:

> In Amsterdam there lived a maid,
> Mark well what I do say.
> In Amsterdam there lived a maid,
> And she was mistress of her trade.
> I'll go no more a roving with you, fair maid.

I put my arm around her waist.
Mark well what I do say.
I put my arm around her waist.
So slim, and trim, and tightly laced.
I'll go no more a roving with you, fair maid.[28]

Ymddengys i J. Glyn Davies glywed y sianti hon yn cael ei chanu gan Gymry Cymraeg ym mhorthladd Lerpwl, gan dynnu sylw at un elfen fenywaidd ym mywyd y morwr Cymreig. O gofio bwriad ei gyfrol efallai nad yw'n syndod mai geiriau tra gwahanol a gafwyd gan J. Glyn Davies. Er nad oeddynt yn ymddangos yn yr un cyd-destun yn ei gerddi ef, teg nodi i ferched ymddangos yn ei gyfansoddiadau, gan eu gosod yn amlwg yng nghyd-destun yr hunaniaeth forwrol Gymreig – hiraethu am gartref, edrych ymlaen at fordaith adre a ffarwelio â chartref, mam neu gariad.

Ceir cyfeiriad difyr yn y sianti 'Hwrê am Gei Caernarfon' sy'n adlewyrchu themâu sydd i'w cael mewn siantiau Saesneg ei hiaith, gyda'r dynion yn edrych ymlaen at gael dychwelyd i Gymru:

'Rôl cyfri'r dyddiau i gyd bob un,
Ai a ac ai o!
Hwrê am fy ngwlad a fy ngartre fy hun:
Hwrê am Gei Caernarfon!
Ac ai a, ai o! Cenwch hai ac ai o!
Gwell gen i na phunt gael clywed y gwynt:
Hwrê am Gei Caernarfon!

Mae'r pwyslais ar y cartref yn amlwg, ond yn gyntaf rhaid paratoi at y fordaith a hynny mewn byd gwrywaidd:

O, chwi ar y Cei, y mae gwynt dros y tir;
Gollyngwch bob rhaff i'w gollwng yn glir.

Pob bár yn y capstan i'w warpio i'r môr;
Mae gwenau ar wep yr hen Gomandôr.

Yna mae'r llong yn hwylio a chawn gyfeiriad at ferched Cymru'n benodol:

Mae rhaff ar y blaen ac mi wyddoch bawb hyn
Fod merched bach Cymru'n ei thynnu hi'n dynn.[29]

Cyfeirio mae'r cwpled olaf at ofergoel, un o nifer fawr
ymhlith morwyr, fod rhaff blaen llong yn cael ei thynnu gan
y merched gartref er mwyn sicrhau y byddai eu dynion yn
cyrraedd eu cartrefi'n ddiogel. Drwy gyfeirio at ferched o
Gymru pwysleisir eu bod yn ganolog i'r hunaniaeth forwrol.

Mae enghraifft arall o rôl merched yn yr hunaniaeth
forwrol ym myd y gân, mewn opereta o'r enw 'Merch y
Glannau' o waith Elfyn Talfan Davies ac Evan Maddock yn
1939.[30] Stori serch yw sail yr opereta sydd wedi ei lleoli
mewn cymuned glan môr ac mae gweithgaredd morwrol a
chymeriadau morwrol yn greiddiol i'r gwaith. Gwelir ynddi
gymeriad hen gapten llong sydd â phrofiad o'r byd morwrol
a'i gyfrinachau, sef Capten Jim Chicago, a rhan o'r profiad
hwnnw yw ei berthynas â merched mewn porthladdoedd
pell. Portreadir digwyddiadau oedd yn greiddiol i fywydau
teuluoedd morwrol o bob oes, sef gadael cartref a'r hiraeth
a'r bwrlwm wrth i'r morwyr ddychwelyd adref. Mae bywyd
beunyddiol merched y glannau yn cael ei ddisgrifio yn y
gytgan 'Merched y Glannau':

> Ni yw merched mwyn y glannau,
> Gwrid yr haul sydd ar ein gruddiau,
> Cwyd y mwg trwy gorn pob bwthyn,
> Gyda'r wawr o alch y gegin,
> Fe gawn gerdded rhwng y gwymon,
> Ar y tywod ger yr eigion.
>
> Awel iach y bore bach,
> Rydd swyn i sain ein lleisiau,
> Wrth ein gwaith, Am oriau maith,
> Yn sŵn yr hwyl a'r chwerthin,
> Gwylio'r môr Sydd ger y ddôr,
> A'i feirch a'i wyn farchogion.[31]

Ond nid darlun rhamantus o fywydau merched y glannau yn
unig a geir yn yr opereta. Er enghraifft, mae cymeriad

Menna yn datgan wrth ei chariad, sy'n forwr, y pryder oedd
yn perthyn i bob menyw o deulu o forwyr:

> Wyddost ti, Eifion, pan fyddi ti allan ar y môr yna, a'r
> gwynt yn chwibanu, a thonnau fel mynyddoedd yn golchi'r
> glannau yma, bydd braw yn fy nghalon.[32]

Does dim dwywaith i weithgareddau morwrol ysbrydoli J.
Glyn Davies, Elfyn Talfan Davies ac Evan Maddock, a chodi
ymwybyddiaeth o hunaniaeth forwrol y Cymry a rhoi sylw
creadigol i gyfraniad merched yn y broses. Yn yr un modd
ysbrydolwyd artistiaid dros y canrifoedd gan y môr ac
arfordir Cymru a chan fywyd cymunedau'r glannau a
gweithgaredd morwrol. Er nas anwybyddwyd merched, nid
oeddynt yn ganolog fel testunau gwaith artistiaid a rhaid
hefyd oedd disgwyl tan yn led ddiweddar cyn gweld
merched eu hunain yn amlwg ymhlith yr artistiaid. Fodd
bynnag, un o'r datblygiadau pwysig diweddar yw i ni yng
Nghymru ddod yn llawer mwy ymwybodol o hanes ein
diwylliant gweledol a'i bwysigrwydd i'n hunaniaeth.

Llwyddodd Peter Lord a'i gyfres orchestol *Diwylliant
Gweledol Cymru* i chwalu'r 'myth cyffredin a niweidiol fod
cenedl y Cymry yn amddifad o ddiwylliant gweledol.'[33] Gyda
chelf weledol yn aml yn adlewyrchu'r byd y mae'n rhan ohono
yna, yng nghyd-destun yr astudiaeth hon: 'mae'r ddelwedd
gronnus yn adlewyrchu cyflwr cymdeithas, hyd yn oed pan
nad yw cyfleu sylw cymdeithasol yn fwriad gan y llunwyr
delweddau.'[34] Felly, o ganlyniad i'r chwyldro diwydiannol, a
dylanwadau eraill, daeth rhoi sylw i'r byd diwydiannol newydd
gan lunwyr delweddau i'r amlwg ochr yn ochr â'r traddodiad
o ddelweddu tirwedd Cymru. Er bod rhai artistiaid yn rhoi
sylw penodol i'r môr a'i bethau gellir dadlau nad oeddynt yn
mynd â bryd llunwyr delweddau gymaint ag yr oedd y
mynyddoedd neu weithfeydd diwydiannol.

Bu bwrlwm gwaith copr Mynydd Parys yn ysbrydoliaeth i

sawl artist, ond ceir hefyd ambell lun o'r porthladd megis *The Entrance to Amlwch Harbour, Anglesea* gan William Daniel yn 1815, ond ni phortreadir merched.[35] Cynhyrchwyd lithograff J. F. Mullock, *View of the Dock, Newport, Monmouthshire* i ddathlu agor y doc yn 1842, gyda merched yn rhan o'r olygfa, ond heb fod yn ganolbwynt iddi.[36] Roedd y ffotograffydd John Dillwyn Llewelyn yn cael ei ysbrydoli yn bennaf gan bobl yn eu cynefin, ei deulu a phobl wrth eu gwaith, ond roedd ganddo ddiddordeb yn y môr, a chafodd merched sylw ganddo, er enghraifft *Thereza ac Emma ym Mae Caswell* yn 1853.[37] Ond yn aml, yn y cefndir mae gweithgaredd morwrol, fel yn achos un o luniau enwocaf y chwyldro diwydiannol *A Plain Representation of the Teams & Trams of Coal, brought down to Pwllgwenlly, by Samuel Homfray Esq. on Tuesday 18th December 1821* gan Inigo Thomas.[38] Y ceffylau a'r tryciau glo yw canolbwynt y llun, wrth gwrs, ond i'r hanesydd morwrol yr hyn sy'n tynnu sylw yw'r fflyd sy'n hwylio yn y cefndir, yn rhan o'r bwrlwm diwydiannol ac yn llawn mor allweddol â'r tryciau glo. I'r gwrthwyneb, gosodwyd gweithgaredd morwrol yn ei gyd-destun o safbwynt diwydiant, gan gynnwys cyfraniad merched y tro hwn, yn y dyfrlliw *Coal Staithe on the River Tawe* gan Julius Caesar Ibbetson yn 1792.[39]

Bu i rai artistiaid roi sylw penodol i gymunedau morwrol ac mae cymharu gwaith dau artist gwahanol iawn yn cynnig cyfle i ni archwilio rhywfaint ar le merched o fewn y gymdeithas forwrol. Un artist oedd yn weithgar iawn yng ngogledd Cymru ar ddiwedd y bedwaredd ganrif ar bymtheg a dechrau'r ugeinfed ganrif oedd Warren Williams (1863-1918), arlunydd tirluniau yn bennaf ac aelod o'r Academi Frenhinol Gymreig. Roedd yn byw yng Nghonwy ac mae llawer o'i waith yn darlunio golygfeydd ar hyd arfordir y gogledd sydd yn cynnwys golygfeydd rhamantus o ddiwrnodau braf, gydag awyr a môr glas a digwyddiad syml

megis cwch yn cyrraedd y lan. Er hynny, mae'r lluniau'n aml
yn darlunio bywyd y gymuned forwrol ac yn cynnwys yr
amrywiol agweddau y byddwn yn eu cysylltu â bywyd y
glannau, megis traethau, cychod, llongau a physgotwyr wrth
eu gwaith. Maent hefyd yn cynnwys merched mewn
amrywiol sefyllfaoedd, yn arbennig fy lluniau o Foelfre.
Ynddynt mae'r merched wrthi'n derbyn pysgod ar y traeth
neu'n bwydo ieir, gan adlewyrchu'r ffaith mai cymuned
forwrol wledig oedd Moelfre. Mae merched y pentref a
ddarlunnir ganddo, fodd bynnag, wastad yn drwsiadus iawn
a'u dillad yn lân, ac maent yn gwisgo bonedau smart.[40] Mae
ffotograffau a thystiolaeth lafar yn cadarnhau dilysrwydd
lluniau Warren Williams, er iddo fanteisio ar y cyfle i ddileu
ambell dŷ o un olygfa ac ychwanegu adeiladau at olygfa arall,
a'i luniau o ferched trwsiadus yn cefnogi hunan ddelwedd y
gymuned.

Ar lefel ddinesig bu Jack Sullivan yn portreadu bywyd
amrywiol ardal y dociau yng Nghaerdydd gan ganolbwyntio
ar y cyfnod Fictoraidd ac Edwardaidd.[41] Yn wahanol i
Warren Williams mae lluniau Sullivan yn fwriadol yn gofnod
o fywyd pobl oedd yn aml yn cael eu hanwybyddu gan y
gymdeithas ehangach. I Glenn Jordan, mae'n rhoi'r argraff o
wirionedd neu realiti wrth lwyddo i sicrhau fod ei luniau'n
ddealladwy i gynulleidfa eang.[42] Gan iddo roi sylw i ystod o
brofiadau trigolion ardal Tre-biwt, yn amlwg mae lle i
ferched yn ei luniau ac fel arfer maent yn wragedd, cariadon,
yn gweini mewn caffis neu'n buteiniaid. Nid ydynt yn
dominyddu ei waith, ond mae ei luniau o blant yn rhoi sylw
cyfartal i fechgyn a genethod fel yn achos y llun *The Games
We Played in Tiger Bay*, sydd yn portreadu cornel Stryd Bute
yn 1935.[43] Yng ngeiriau'r artist ei hun:

> The girl swinging around the lamp-post and skipping.
> Riding on the backs of horse-drawn carts, "Watch out for
> that copper!" A bucket and shovel for following the horses.

Hopscotch chalked on the road and on the walls the names of Docks girls – Katy, Nelly, Dorathy, Rita, Olwen, Vera and Betty – now great-grand-mothers and grandmothers and still going strong.

The old trams, a trawlerman with his sea bag, just paid off at Neale and West's office in Wharf Street. His wife trying to get some of his hard-earned money before he gets to the door of the Custom House pub. The old lady with her fish allowance from Neale and West's.[44]

Noda Jordan fod mwy o enwau merched yn y llun na'r uchod a bod pob un ohonynt yn bobl go iawn. Ond er y darlun real a gyflëir rhaid ystyried rhyddid yr artist i ddehongli – ymddengys fod un criw o'r genethod yn dod o Tiger Bay ei hun, a chriw arall yn dod o ardal y Dociau, yr hen Dre-biwt i'r de o Tiger Bay.

Pwysleisia Jordan fod lluniau Sullivan yn bwysig o safbwynt eu dehongliad o fywyd aml-ethnig y gymuned hefyd:

The people of colour in his paintings appear either as ordinary (more or less, just like us) or as dignified (at least as decent as we are).[45]

Gwyn yw pob un o'r puteiniaid a'u cwsmeriaid yn ei luniau, ac mae hynny hefyd yn wir yn y llun *Around the Horn in Old Tiger Bay* lle mae pedair dynes yn y llun, un yn ddynes groenddu, ond mae'r ddwy butain yn wyn.[46] Fodd bynnag, mae Jordan yn tynnu sylw at y ffaith y byddai mwyafrif o'r perthnasau rhwng morwyr estron a merched lleol yn rhai rhyng-hiliol, ond nid yw hynny'n cael ei gyfleu yn y llun *Home to Tiger Bay*.[47]

Er i ferched ymddangos yng ngwaith yr artistiaid hynny a roddodd sylw i'r môr a'r glannau, i ba raddau yr ysbrydolwyd merched o artistiaid yn yr un modd, boed hwy o gefndir morwrol neu beidio? Ac ai canolbwyntio ar destunau benywaidd a wnaiff yr artistiaid hynny o ferched? Nid oedd merched o artistiaid yn amlwg ar gychwyn cyfnod yr astudiaeth hon, ond yn sicr mae hynny wedi newid erbyn heddiw. Un artist benywaidd a roddodd sylw i'r byd morwrol yn benodol yn sgil ei diddordebau amrywiol, ond gyda'r nod benodol o sicrhau cefnogaeth i'r mudiad dros gael bad achub i Fôn, oedd Frances Williams. Nid yw'n syndod iddi ddarlunio testunau morwrol pur, fel yn achos *Ship off Carmel Head* tua 1830 ac er nad hi oedd unig artist benywaidd y cyfnod ni welwyd ton o ferched o artistiaid wedi eu hysbrydoli gan, ac yn cyfleu, y byd morwrol.[48] Heddiw mae nifer o ferched o artistiaid wedi eu hysbrydoli gan amrywiol agweddau ar y byd morwrol, hyd yn oed os nad ydynt o gefndir y glannau. Er enghraifft, mae'r dylanwadau ar waith Catrin Williams yn cynnwys ei chefndir yn ardal Y Bala ond mae'r ffaith iddi fyw ym Mhwllheli ers 1996 hefyd wedi cael effaith arni. Noda ei gwefan:

> Cymreictod – neu yn hytrach y profiad o fyw yng Nghymru – yw un o'r themâu cryfaf yng ngwaith Catrin Williams; mae'r dresel, y dillad, wynebau ac arferion y teulu i gyd yn aml wedi gweu drwy'i gilydd ac yn mynnu sylw. Dros amser datblygodd y themau cartrefol a theuluol i gynnwys elfennau o'r symbolau twristaidd o Gymru fel y llieiniau golchi llestri ystrydebol. Mae atsain o'i thirluniau cynnar o fynyddoedd y Berwyn yn amlwg yn ei darnau diweddaraf ond arfordir a thraethau penrhyn Llyn yw'r ysbrydoliaeth bellach.[49]

Yn yr enghreifftiau uchod yr hyn sydd yn amlwg yw i ferched gael eu portreadu fel rhan o'r cynfas morwrol yn gyffredinol, ac o safbwynt eu cyfraniad i fywyd neu weithgaredd morwrol, ac i ferched gael eu hysbrydoli gan y môr i greu celf amrywiol.

Mae dylanwad y môr i'w weld hefyd yn ein llenyddiaeth a hynny dros ganrifoedd lawer, ac ni fu merched yn absennol o'r maes. Ceir enghreifftiau o ferched o gefndir morwrol a ysbrydolwyd i gofnodi agweddau ar eu bywydau ar ffurf barddoniaeth. Un o'r rhain oedd Margaret Thomas, gwraig Capten R. Jones a hwyliai ar longau cwmni Davies

Porthaethwy, a fu'n ysgrifennu barddoniaeth rhwng 1842 ac 1852 sy'n cynnig darlun o fywyd gwraig y morwr a disgrifiadau o fywyd ei gŵr wrth groesi'r Iwerydd yn y *Courtenay*.⁵⁰

Yn ei cherddi ceir elfennau dychmygol sydd yn amlwg yn seiliedig ar lythyrau rhyngddi hi a'i gŵr ac ar sgyrsiau gartref, gan na fu Margaret Thomas yn hwylio gydag ef wrth ei waith. Er hynny, dengys ei cherddi ddealltwriaeth o fywyd morwyr y cyfnod, fel yn achos trafferthion y bu'r *Courtenay* ynddi ar un cyfnod:

> Nis gallaf byth ddirnad mor galed fu arno
> Pan oedd yr hen 'Gortni' bob munyd ar suddo,
> Yr awel mor gref a hithau mor egwan
> Ar eigion chwyddedig yn berwi fel crochan,
> Er pwmpio'n ddi-baid tros lawer o ddyddiau,
> Y dwfr ddaeth i mewn hyd at y dec ucha'.

Bu ymdrechion i'w rhwystro rhag suddo yn y stormydd yn llwyddiannus:

> Er disgwyl yn brudd tros gymaint o ddyddiau
> Bwriasant o'r llong rhyw lawer o'i thaclau
> Gan feddwl trwy hyn ei gwnaethur yn 'sgafnach,
> Ac felly hi nofiodd rhyw gymaint yn rhwyddach
> Rhwymasant hi hefyd o'i hamgylch a chadwen,
> Bu 'Cortni' fel hyn un dwirnod a deugain.

Daeth diweddglo hapus i'r hanes wrth i'r *Courtenay* gyrraedd Na Cealla Beaga (Saes: Killibegs) ar arfordir Swydd Dún na nghall (Donegal) yng ngorllewin Iwerddon yn ddiogel. Cawn wybod hanes a theimladau Margaret Thomas ei hun – wedi iddi dderbyn y newydd fod y llong wedi cyrraedd yn ddiogel penderfynodd hwylio o Gaergybi i Dún Laoghaire (Kingstown oedd ei enw swyddogol rhwng 1821 ac 1921) a theithio ar draws gwlad i gyfarfod ei gŵr:

> Er cymaint o ffordd oedd gennyf iw theithio
> Mynyddoedd a moroedd nid allant fy rhwystro,
> Mis Mawrth y deuddegfed cychwynnais fy hunan

Un mil ac wyth gant ar chweched a deugain
Ar fwrdd y llong dân cyrhaeddais i Kingstown
Ac mewn rhyw hotel lletyais un noson.

Am saith prydnawn drannoeth oddiyno cychwynnais
Ar draws y chwaer ynys trwy'r nos yr ymdeithiais
Er oered yr hin tu allan i'r cerbyd
Wrth ochor y gyrrwr eisteddais heb symyd
A drannoeth trwy'r dydd ni chefais orphwyso
Er trymed y glaw rhaid oedd im' fynd trwyddo.

Wrth fynd trwy Dyngol meddyliais im' glywed
Rhyw adlais o'm holy n gwaeddi 'Stop Margred'.
Ymholais yn syn pwy allai fod yno,
Gan belled a hyn yn peri im' stopio,
Ond cyn im braidd edrych i weled pwy ydoedd
Canfyddais er syndod mae 'mhriod am galwodd.

'Nol im' gael te hwyliasom ein hunain
I fyned ymlaen un milltir ar hugain
Ychydig cyn deg y cerbyd gyrhaeddodd
At ddrws yr hotel o'r lle y cychwynnodd,
'Nol myned i'r tŷ y swper oedd barod,
A mawr oedd ein parch ymhlith y Gwyddelod.

Bum yno dri mis ac wythnos o amser
A Robert a mina' gad lawer o bleser
Wrth fyned i bartis ymhell ac yn agos
Am ddwy waith neu dair, a hynny bob wythnos.
Caredig tros ben o'r diwedd i'r dechrau
Fu pobl y chwaer ynys i Robert a mina'.

Cerddi yn mynegi ei phrofiadau personol hi a'i gŵr oedd gwaith Margaret Thomas. Yn gyfoes, difyr iawn yw casgliad Catherine Fisher o gerddi, *Estuary Poems*, sy'n cyfleu profiadau'r mewnfudwyr o ferched o'r Iwerddon a gyrhaeddodd Casnewydd yn y bedwaredd ganrif ar bymtheg. Er mwyn osgoi talu ffioedd porthladd yng Nghasnewydd ei hun byddai'r capten yn gollwng ei gargo o drueiniaid ar drai yn afon Wysg. Byddai'r gwragedd a'r plant wedyn yn gorfod ceisio cyrraedd y lan gan ymlwybro drwy fwd gwely'r afon. Yn drawiadol, mae Fisher yn datgan eu bod, yn llygaid y capteiniaid, yn rhatach i'w cludo na balast, a'u bod yn cael eu gwaredu fel sbwriel yn y mwd.[51]

Yr hyn sy'n amlwg yw bod ymwybyddiaeth y bardd o'i chefndir a'i hunaniaeth yn allweddol i'r broses o ysgrifennu, gan mai bwriad y casgliad yw:

> dealing with the journey of the poet's ancestors from Ireland to Wales and their assimilation into a new life.[52]

O safbwynt rhyddiaith, un o'r nofelau difyrraf yng nghyd-destun yr astudiaeth hon yw *The Captain's Wife* gan Eiluned Lewis.[53] Nid un o gymuned forwrol oedd yr awdures ond o'r Drenewydd, ac adlewyrchwyd dylanwad ei bro arni yn ei nofel hunangofiannol *Dew on the Grass* yn 1934. Ond roedd ei mam o Sir Benfro ac roedd ei hatgofion hi'n ganolog i *The Captain's Wife* – a ysgrifennwyd yn ystod yr Ail Ryfel Byd ond a oedd wedi ei gosod yn negawdau olaf y bedwaredd ganrif ar bymtheg. Mae'r nofel yn enghraifft brin o destun sydd wedi ei neilltuo'n arbennig i fyd merch a'r môr a hynny mewn amser a lle penodol, gan lwyddo i'n cyflwyno i sawl agwedd ar fywyd morwrol cymunedau'r glannau: peryglon a wynebai'r morwyr o ddydd i ddydd, diwedd oes y llongau hwyliau a goruchafiaeth y llongau stêm, y rhannu diwylliant oedd yn rhan o hwylio'n fyd eang ac, wrth gwrs, profiadau a phryderon amrywiol gwraig y capten a merched y cymunedau morwrol. Ond efallai na ddylem synnu at ei gallu i gyfleu oes a ddiflannodd mor effeithiol – roedd hi'n ymwybodol o'i hunaniaeth forwrol ei hun:

> ... I looked at a faded photograph of a pillared house in Howrah, Calcutta, where my grandmother bore her first child in 1866. She was a sea-captain's wife from Pembrokeshire, and her first voyage was with a cargo of salt. When I go into one of those houses in Pembrokeshire or Cardigan, with a model of a ship on the sideboard, and

a photograph of Shanghai or Sydney Harbour over the mantelpiece, I know that I belong there.[54]

Wrth lansio ei chyfrol *Min y Môr* nododd yr awdures Mared Lewis nad oedd hi wedi llwyr sylweddoli, cyn ysgrifennu'r gyfrol, cymaint fu dylanwad y môr ar ei gwaith yn arbennig o gofio ei bod wedi ei geni a'i magu ym Môn.[55] Er bod y nofel wedi ei lleoli mewn cymuned glan môr nid llongwyr a llongau, capteiniaid a chludo nwyddau sy'n cael eu portreadu yma. Yn hytrach cawn fynediad i fywyd sy'n nodweddu profiadau a hanes cymaint o gymunedau'r glannau yn ystod yr hanner canrif ddiwethaf. Busnes gwely a brecwast o fewn y byd twristaidd yw'r gyriant economaidd, syrffio yw'r gweithgaredd morwrol, mewnfudo'r di-Gymraeg sy'n dylanwadu ar y gymdeithas ac os yw merch yn gymeriad annibynnol, cryf yna adlewyrchu'r newid a fu yn y gymdeithas ehangach mae hynny, nid y syniad o ferched annibynnol traddodiadol cymunedau'r glannau. Mae lle i ddadlau fod *The Captain's Wife* ochr yn ochr â *Min y Môr* yn dangos y newid a fu yng nghymunedau'r glannau, gan gynnwys bywydau merched, dros y ganrif ddiwethaf.

Nid yw cyfleu hanes a phrofiadau pobl a chymunedau drwy amrywiol fynegiannau celfyddydol yn unigryw i'r môr a'r glannau. Bu llenorion ac artistiaid, ymhlith eraill, yn llwyddiannus iawn wrth fynegi profiadau'r cymunedau glofaol a chwarelyddol i'r fath raddau fel bod y diwydiant llechi a glo yn cael eu hadnabod fel rhan greiddiol o'n hanes a'n diwylliant ni. Does dim dwywaith fod yr un math o fynegiant am hanes ein profiadau morwrol fel cenedl yn bod, sy'n llawn mor amrywiol a chyfoethog, ond iddo beidio â derbyn yr un gydnabyddiaeth a sylw â'r agweddau diwydiannol. Yn yr un modd mae cyfraniad merched i'r celfyddydau morwrol, a thrwy hynny i'r celfyddydau yn ehangach, yn haeddu llawer mwy o sylw nag a gafwyd hyd yma. Os yw'r berthynas rhwng amrywiol gyfryngau â'i gilydd yn elfen allweddol o fewn y celfyddydau efallai bod lle i gredu y dylai hynny amlygu ei hun yn llawer mwy o safbwynt cymunedau morwrol. Y prif reswm dros hynny yw i gyfnewid diwylliannol gael ei ystyried yn agwedd greiddiol ar brofiadau cymunedau morwrol ar hyd a lled y byd dros y canrifoedd.

Cyfnewid Diwylliannol

Fe welwyd eisoes fod cymunedau morwrol yn gymhleth iawn ond yn sicr un o'u nodweddion amlycaf oedd y cyfnewid diwylliannol oedd bron yn anorfod yn sgil y cyffyrddiad rhwng pobloedd o ystod eang o gefndiroedd. Er bod cymunedau amlddiwylliannol yn amlwg mewn porthladdoedd mawrion (a oedd yn aml yn ganolbwynt gwaith i bobloedd o amrywiol gefndiroedd a ymsefydlodd yno), roedd natur y byd morwrol yn golygu nad oedd y cyfnewid diwylliannol wedi ei gyfyngu i'r cymunedau hynny. Er mai byd gwaith dynion oedd llongau a phorthladdoedd, ar yr wyneb o leiaf, bu merched yn chwarae rhan allweddol yn y cyfnewid diwylliannol hwn fel rhan greiddiol o gymunedau morwrol.

Roedd y cyfnewid diwylliannol i'w weld ar ei gryfaf mewn porthladdoedd mawrion cosmopolitan. Mae Bjørklund yn tynnu sylw at y sefyllfa yn Amsterdam yn yr ail ganrif ar bymtheg.[56] Noda fod 23% o forwyr y ddinas yn estroniaid ac roedd y rheiny wedi eu rhannu fel a ganlyn: 38% o Fôr y Gogledd a Llychlyn Almaeneg; 11% o ardaloedd eraill Almaeneg eu hiaith; 11% o Wlad Belg, Luxembourg a'r wladwriaeth Ffrengig; 27% o'r gwledydd Sgandinafaidd ac 13% o genhedloedd eraill. Ond nid oedd y mewnfudo hwn wedi ei gyfyngu i forwyr a daeth y mewnfudo yn gymhleth iawn wrth i ferched ifainc gyrraedd i weithio fel morwynion a bu i nifer fawr ohonynt aros i briodi. I Bjørklund roedd hyn oll yn cyfrannu at gyfnewid diwylliannol gyda'r holl bobloedd hyn yn byw gyda'i gilydd, hyd yn oed pe bai hynny ond am gyfnod, ac yn rhannu eu horiau hamdden. Nid yw'n cynnig sylw ar gyfraniad y merched i'r cyfnewid diwylliannol hwn ond mae'n bosibl fod y sefyllfa yn Tiger Bay yn cynnig rhyw syniad i ni.[57]

Prin iawn oedd y cymunedau aml-ethnig o fewn y wladwriaeth Brydeinig ar ddechrau'r ugeinfed ganrif ac fe'u hystyrid yn amheus iawn gan drwch y boblogaeth a'r sefydliadau dinesig. Un enghraifft o'r agweddau hun yn negawdau cynnar yr ugeinfed ganrif oedd y gwrthwynebiad i briodasau rhyng-hiliol. O ganlyniad roedd merched gwynion oedd yn cael perthynas â dynion croenliw yn cael eu condemnio ar sail dosbarth a hil. Roedd papurau newydd, er enghraifft, yn hoffi cyflwyno straeon am ddynion croenliw efo merched gwynion yn ardal Tiger Bay a bod hyn yn adlewyrchu'r ffordd roedden nhw yn tanseilio cymdeithas unedig.[58] Ond yn ei hastudiaeth hi, casgliad Laura Tabili yw:

> Far from disruptive, Black women in small numbers and white women in large numbers sustained Britain's interracial settlements.[59]

Cadarnhawyd hyn gan astudiaeth Kenneth Little ar Gaerdydd. Amcangyfrifodd fod tua 700 o ddynion Arabaidd, 150 o ddynion Somali a 1,000 o blant Moslemaidd yn y gymuned hon ar drothwy'r Ail Ryfel Byd. Er bod rhai merched Somali priod yn y gymuned, nododd Little fod nifer o'r mewnfudwyr o ddynion wedi priodi merched gwyn a bod mwyafrif y merched yn y gymuned yn briod. Nid oedd hynny'n golygu fod y gymuned yn osgoi gwrthdaro yn seiliedig ar ddiwylliant neu hil, ac ymddengys fod dynion o dras Arabaidd yn cael eu hystyried o statws cymdeithasol uwch na'r boblogaeth groenddu, er enghraifft. Felly nid yw'n syndod efallai i un wraig wen fynd i'r ysgol i gwyno fod ei phlentyn wedi cael ei alw'n 'nigger' pan wyddai pawb yn iawn, meddai hi, mai Arab oedd ei dad![60] Ond drwyddi draw casgliad Little oedd bod cyfraniad merched fel un rhan o'r gymdeithas leol yn allweddol:

> 'partly because the community of to-day has grown up around and because of it, and partly because it forms a connecting between all the other segments...'[61]

Ar y llaw arall, prif gasgliad Tabili yw nad oedd y cymunedau'n rhai unffurf o gwbl:

> daily lives of white and black women in Britain's racially diverse seaport neighborhoods reveals that gender, race, and class identities were actually fluid and complex.[62]

Adlewyrchwyd yr hyblygrwydd a'r cymhlethdod hynny yn achos yr iaith Gymraeg yn Nhre-biwt. Erbyn 1891 iaith lleiafrif bach iawn o drigolion Caerdydd oedd y Gymraeg, a'r Saesneg oedd yn tra arglwyddiaethu. Mae astudiaeth ddiweddar yn dangos fod hynny'n wir am y rhai oedd yn ymwneud â gweithgareddau morwrol hefyd.[63] Yn y sampl a astudiwyd, prin oedd y siaradwyr Cymraeg ymhlith gweithwyr y dociau, er enghraifft, ac o'r 477 o forwyr, peilotiaid a pherchnogion llongau a gofnodwyd, roedd deg yn siaradwyr uniaith Gymraeg a mwyafrif y 62 o forwyr dwyieithog o Gymry yn hanu o orllewin Cymru yn bennaf. Er bod amrywiaeth eang o ieithoedd o fewn ardal y dociau yn arbennig, roedd pum teulu uniaith Gymraeg (o'r 29 o deuluoedd uniaith Gymraeg yn y sampl) yn byw yng nghanol Tre-biwt, yn Loudoun Place a Loudoun Square. Roeddynt yn cynnwys morwyr a seiri coed o gymunedau morwrol Sir Aberteifi a Sir Gaernarfon.[64] Er yr amrywiaeth ieithyddol o fewn y gymuned leol, Saesneg fyddai iaith bob dydd y gymuned, ond yn amlwg nid hon oedd yr unig iaith. Mae'n bosibl y byddai rhai o drigolion o gefndir lleiafrifoedd ethnig yn gallu'r Gymraeg – er enghraifft, dywedir fod nifer o forwyr croenddu Caerdydd yn gallu'r Gymraeg oherwydd iddynt glywed cymaint ohono wrth iddynt hwylio ar longau'n perthyn i gwmnïau Cymreig Caerdydd (oedd yn aml â mwyafrif eu criwiau o ardaloedd Cymraeg eu hiaith megis Ceredigion).[65] Mae'n bosibl y byddai rhai ohonynt wedi dysgu Cymraeg wrth weithio yn y pyllau glo.[66] Ond os defnyddient y Gymraeg ar fwrdd ambell long, y tueddiad oedd i forwyr o gefndiroedd ethnig lleiafrifol letya gyda theulu o'r un cefndir ac iaith â hwy'u hunain. Roedd hynny hefyd yn wir am y Cymry Cymraeg gyda sawl un yn aros yn nhŷ Hannah Thomas, gwraig o Gei Newydd yn wreiddiol, a drigai yn Heol James.[67] Yn amlwg byddai sicrhau astudiaeth fanylach o ddatblygiad ieithyddol cymunedau aml ethnig fel Tre-biwt yn fuddiol gan gynnwys mesur rôl merched. Yn sicr roedd iaith yn un agwedd allweddol wrth fesur cyfenwid diwylliannol.

Iaith

Efallai mai eithriad yng Nghymru oedd cymuned Tiger Bay gyda'i chyfoeth o amrywiol ieithoedd a diwylliannau, ond roedd gweithgaredd morwrol yn sicr yn hybu cyfnewid diwylliannol, gan gynnwys ieithoedd, yn y cymunedau morwrol. Y Gymraeg a'r Saesneg, i wahanol raddau, oedd ieithoedd yr amrywiol gymunedau morwrol Cymreig ar dir a môr, ond nid oedd hynny'n golygu fod ieithoedd eraill yn hollol ddieithr. Yn sicr nid oedd dwyieithrwydd yng Nghymru wedi ei gyfyngu i'r cymunedau morwrol ac nid oedd yr hyn a ddylanwadai ar iaith yr amrywiol gymunedau morwrol un unffurf gan adlewyrchu'r hyn oedd yn gynyddol wir yng Nghymru wrth i'r bedwaredd ganrif ar bymtheg fynd rhagddi:

> '... y newidiadau ieithyddol yn rhai hynod gynnil a chymhleth...'[68]

Roedd natur ryngwladol y byd morwrol yn golygu fod trigolion y cymunedau morwrol yn rhannu profiadau o gyfnewid ieithyddol oedd yn gyffredin i gymunedau'r glannau yn fyd eang. Felly er mai Cymraeg oedd iaith naturiol nifer o gymunedau morwrol Cymru a'r morwyr a hwyliai ar gannoedd o longau o'i phorthladdoedd, roedd pob agwedd ar fusnes llongau yn ysgrifenedig yn Saesneg, megis y llyfrau lóg (*log book*) a'r erthyglau cytundeb (*articles of agreement*). Nid yn unig yr oedd hyn yn adlewyrchu statws a lle'r Gymraeg o fewn y wladwriaeth Brydeinig roedd hefyd yn arwydd o'r ffaith fod gallu mwy nag un iaith yn rhan o'r byd morwrol. Ceir tystiolaeth hefyd fod cyfathrebu o fewn y busnes llongau rhwng trigolion y cymunedau morwrol yn digwydd yn y ddwy iaith; felly hefyd yn achos y llythyrau neu gardiau post rhwng cartref a llong gan ddynion a merched. Roedd merched Cymraeg eu hiaith yn cyfrannu at y cyfnewid ieithyddol mewn ffyrdd eraill: drwy hwylio'r byd gyda'u gwŷr gan fod yn rhan o blethwaith ieithyddol rhyngwladol ar un llaw, a chroesawu teuluoedd o ymwelwyr Saesneg eu hiaith i'w cartrefi fel rhan o'r diwydiant twristiaeth, ar y llall. Roedd rôl merched wrth ddiogelu'r Gymraeg mewn cymunedau morwrol yn allweddol. Ym Mhorthmadog, er enghraifft, er bod y Gymraeg yn ffynnu yn y gymuned roedd y Saesneg wedi treiddio ymhlith y gweithlu morwrol ym mhorthladd prysur y dref erbyn 1891.[69] Cofnodwyd siaradwyr chwe iaith arall ar fyrddau llongau'r porthladd yn y cyfrifiad, ond Saesneg fyddai'r *lingua franca* yn eu hachos hwy. Er hynny, un o nodweddion amlwg morwyr Porthmadog oedd eu Cymreictod a does dim dwywaith fod rôl merched ar yr aelwyd yn un o'r rhesymau am hynny. Wrth gwrs ni ellid osgoi'r Saesneg a oedd erbyn hynny yn meddiannu'r moroedd ymhell tu draw i Gymru.

Daeth Saesneg i'r amlwg fel prif iaith forwrol y byd o ganlyniad i'r twf yng ngrym llyngesol Lloegr a sefydlu'r Ymerodraeth Brydeinig. Cadarnhawyd yr oruchafiaeth honno wedi sefydliad yr Unol Daleithiau fel prif rym y byd wedi 1945. Erbyn heddiw Saesneg yw iaith gwaith rhyngwladol y byd morwrol, er nad yw'r broblem o sicrhau unffurfiaeth ieithyddol safonol wedi ei oresgyn eto.[70] Ni ddigwyddodd goruchafiaeth y Saesneg dros nos wrth gwrs ac ond un ymysg nifer o ieithoedd ydyw sydd wedi dominyddu'r byd masnachol a byd y llongau ar wahanol adegau. Yn achos y Saesneg ei hun, diddorol yw nodi fod yr enw ar nifer o swyddi'r morwyr megis *boatswain, coxswain* a *seaman* yn tarddu o'r Eingl-sacsoneg ac enwau'r swyddogion megis *Captain, Lieutenant* ac *Admiral* o dras Normanaidd-Ffrengig – sydd wrth gwrs yn adlewyrchu'r gwahaniaeth mewn statws ar sail dosbarth oedd yn perthyn i'r cyfnod.[71] Yn yr unfed ganrif ar bymtheg a'r ail ganrif ar bymtheg Isalmaneg oedd prif iaith ryngwladol y moroedd o safbwynt cyfarwyddiadau a gorchmynion, gan adlewyrchu grym morwrol yr Iseldiroedd. Daeth nifer o dermau a geiriau morwrol o'r Isalmaneg yn rhan o eirfa forwrol ieithoedd eraill megis Rwsieg a Saesneg. Rhai enghreifftiau yn y Saesneg yw: *buoy* (*boei*), *bulwark* (*bolwerk*), *sloop* (*sloep*) a *deck* (*dek*).[72]

Mae iaith morwyr ar hyd yr oesoedd felly'n '*another example of how words and expressions from different languages have been spread around from a common heritage in a North Sea Culture.*'[73] Ond anodd iawn yw ceisio mesur cyfnewid diwylliannol, hyd yn oed o safbwynt iaith a thermau morwrol yn unig, er y dadleua Bjørklund, yn achos Norwyeg: '*one could count how many words of Dutch origin found their way into the Norwegian language.*'[74] Byddai astudio iaith morwyr fel hyn yn gallu arwain at ganfyddiadau difyr – fel yn achos hen forwyr Norwy a fyddai'n aml iawn yn siarad Isalmaeneg â'i gilydd gartref er mwyn sicrhau na fyddai eu gwragedd yn deall eu sgyrsiau![75] Ond roedd gwerth ac arwyddocâd llawer mwy i amlieithrwydd fel mae'r enghraifft a ganlyn yn dangos:

> One of the owners of a repair yard at Gismerøya, nearby the Naze, seems to have been a genuine son of the North sea culture. Some of his correspondence has in recent years passed from embassy to embassy in Oslo. Everyone has been able to translate some of his writing, but none can undertsand it all. Dutch, German, English and Norwegian

words float together in a primitive commercial terminology that nevertheless must have been good enough in the late 18th century.[76]

Roedd y math uchod ar gymysgu ac addasu termau yn amlwg ymhlith y morwyr Cymreig hefyd. Yn sicr bu iaith morwyr Cymru yn un o nodweddion y cyfnewid diwylliannol oedd yn perthyn i'r cymunedau morwrol ac roedd i ferched eu rhan yn y broses honno.

Mae prinder geirfa a thermau morwrol yn y Gymraeg yn dra gwahanol i'r cyfoeth o dermau a geir yn y byd amaethyddol. Er bod yn y Gymraeg eiriau brodorol morwrol – fel llong, rhwyd a rhwyf – ac er bod y Cymry wedi bathu geirfa forwrol arbennig, sy'n golygu mai Afon Caer oedd y Dyfrdwy ac Afon Llundain, nid y Thames, oedd y Tafwys i forwyr o Gymry, y Saesneg oedd yn dominyddu'r eirfa forwrol hyd yn oed pan fyddai criw o gefndir uniaith Gymraeg.[77] Ond er nad oes geiriau Cymraeg, rhai technegol yn arbennig, am bethau fel *bulwark* a *starboard*, Cymreigiwyd nifer ohonynt fel y gwelwn o'r detholiad a ganlyn o astudiaethau gan y Parch. T.H. Smith a David Thomas:

Bêlio: gwagio dŵr o'r cwch.
Brisin: gwynt cryf. Weithiau defnyddir "awel".
Côstio: cadw ar hyd y glannau.
Cwcio'r cinio, sylwch, nid i *goginio*-fo.*
Ffast: gwneir y llong, a popeth o ran hynny, yn "ffast" ac nid yn "dyn".
Fforcast: rhan o'r llong, a hefyd rhagolygon y tywydd.
Ffowlio: "Ffowlio" a wna rhaff pan ddrysir hi.
Giali: cegin y llong.
Halio: to haul. "Halio" ac nid "tynnu" rhaff a wneir.
Iardiau – y polion fydd yn hongian oddi wrth y mast i ddal yr hwyliau i fyny, neu i'w codi nhw i fyny.*
Jansi: Rhan o wisg y llongwr – ei "jersey".
Joinio: Nid "ymuno" â llong a wneir ond ei "joinio".
Landio.
Oilskins.

Sea-boots.
Stores.
Teitiau, y bydd llongwr yn sôn, y gair Saesneg *tide.**
Stern, meddai'r Sais am ben ôl y llong; 'i *starn*-hi', meddai'r
    Cymro.*
Tradio.
Watch, Watch Below, Cadw Watch, Watchws.[78]

Roedd yr eirfa uchod yn rhan naturiol o fywyd beunyddiol
trigolion cymunedau morwrol Cymru gan gynnwys merched,
pe byddent wedi hwylio gyda'u gwŷr neu beidio. Gwelwyd
eisoes, er enghraifft, yn y dystiolaeth o lythyrau a dyddiaduron
merched o Gymru eu bod hwythau'n defnyddio ac yn deall
geirfa forwrol eu cydwladwyr o ddynion. Wrth gwrs daeth
rhai geiriau i'w defnyddio mewn cymunedau nad oeddynt yn
rhai morwrol pur, fel yn achos *Jansi* a *Sea-boots,* er, yn naturiol
mae hynny'n dibynnu ar y cyfnod dan sylw. Felly, mae rhai o
sylwadau David Thomas o'r 1960au yn parhau'n berthnasol
heddiw, ond yn amlwg nid pob un:

> Mae llawer o eiriau'r môr wedi dŵad yn rhan gyffredin o'n
> hiaith bob dydd-ni erbyn hyn. "Codi hwyl", meddem-ni;
> "gest-ti hwyl arni?" "hwylio i fynd adre". "Os deil y bachgen
> ifanc 'ma i fynd ymlaen yn i oferedd", meddem-ni, "fydd-o
> fawr o dro na fydd-o *ar y creigiau*". Mi fyddwn yn sôn hefyd
> am rywun wedi gwneud *llongddrylliad* o'i ffydd. Mi fyddwn
> yn dweud am arweinydd cyfarfod, neu gadeirydd pwyllgor,
> i fod-o *"wrth y llyw"*.[79]

Ond bu i David Thomas hefyd dynnu sylw at un enghraifft
ddifyr o air morwrol yn ymddangos mewn lle annisgwyl:

> Ond un o'r enghreifftiau rhyfedda a mwya annisgwyliadwy
> o un o bobol y tir yn defnyddio gair y môr ydi Ann Griffiths
> yn y pennill hwnnw:
>
>> Ffrind pechadur,
>> Dyma'i *beilat* ar y môr.
>
> Maen-nhw wedi newid y gair yn y Llyfr Emynau yn
> "Dyma'r *llywydd* ar y môr", ond *peilat* oedd gair Ann

Griffiths, y gair Saesneg *pilot*, neu *pilate*. Bé wyddai Ann
Griffiths am beilat, a beth a barodd iddi ddefnyddio gair
mor ddieithr yn ei hemyn? Merch wedi i magu ynghanol y
wlad, ymhell o'r môr. Mae'n gwestiwn a welodd-hi'r môr
erioed – fyddai pobol ddim yn arfer mynd i lan y môr i
rodio yr amser honno. Yr oedd cymydog iddi, John Davies,
Pendugwm, wedi mynd yn genhadwr i Fôr y De, ac yn
anfon llythyrau adre, ac at John i brawd-hi. Efallai mai dyna
a ddaeth â'r peilat i'w meddwl-hi. Mi a'ch gadawai chi i
fyfyrio ar y broblem yna drosoch eich hunain.[80]

O gofio sut y bu i Gymry o bob cwr o'r wlad fuddsoddi
mewn llongau, gyda phapurau newydd yn adrodd ar fyd
llongau, ac o gofio fod teuluoedd o fuddsoddwyr morwrol
yng nghefn gwlad Cymru, efallai nad oes angen synnu at
ddealltwriaeth Ann Griffiths.[81]

Yng nghyd-destun terminoleg swyddogol y môr
enghraifft ddiddorol ac unigryw yw'r Cwmpawd Cymraeg
Llafar y bu i'r Capten Gwyn Pari Huws dynnu sylw ato.[82]
Fe'i defnyddiwyd yn hollol naturiol pan aeth Hugh Morris
Williams, a fagwyd ar Ynys Enlli, i'r môr ar ei long gyntaf yn
1938 efo'r Capten William Evans, Moelfre. Cymry Cymraeg
oedd y criw i gyd ac ar y *Kylebay* y dysgodd Hugh Morris
Williams y cwmpawd Cymreig:

> Yn yr oes honno, (ac wedi hynny ar rai llongau arbennig)
> roedd coasters a llongau bychain eraill, yn dal i ddefnyddio
> y 'Compass Points', a'u rhannau llai, y 'quarter points' i
> setlo cyfeiriad y llong ac i'w llywio. Mewn llongau mwy, a'r
> llongau mwy newydd, defnyddiwyd graddau, h.y. 'degrees'
> gan eu bod yn feinach mesur ac yn haws i'w cyfrif a'i dilyn.
> Mae 32 pwynt o gylch cyfan cwmpawd, ac o gyfri y
> 'quarter points' mae 128 o raniadau; dan drefn y 'degrees'
> ar y llaw arall mae 360 o raniadau.
> Ers talwm felly, allasai'r Capten ddweud 'Steer North
> East by East and a half East' (Nor East b'East 'n half East)
> lle dan y drefn newydd fe ddywedai 'Steer 062 degrees'.
> I hogyn o Gymro yn cychwyn i'r môr heb lawer o
> Saesneg roedd cymhlethdodau trefn y 'quarter points'

Saesneg yn anodd i'w trin a dyna, mae'n debyg paham y daeth y 'Cwmpawd Cymraeg Llafar' i fod.

Sylfaen y drefn oedd enwau merched yn cymryd lle'r prif bwyntiau, fel hyn (gan gofio mai dim ond y prif lythrennau a geir ar gerdyn y cwmpawd):

North	N	Neli
East	E	Elin
South	S	Siani
West	W	Wini

O godi ein henghraifft flaenorol felly:

Yn lle dweud

'Steer North East by East and a half East',
(Nor East b'East 'n half East)

gorchymyn Capten Evans fyddai

'llywiwch Neli Elin wrth Elin a hanner Elin'
(Neli Elin ŵr' Elin, hanner Elin)

Neu'r 'A.B.' yn cymryd y llyw gan Hugh am bedwar o'r gloch y bore ac yn gofyn 'be 'di'r cwrs?' ac yn cael yr ateb:-

'Wini wrth Siani a thrichwarter Siani'
(Wini ŵr' Siani trichwarter Siani)

h.y. 'West by South and threequarter South'
(West b'Sou, threequarter South)

Mae llongwr wedi'i fagu yn y drefn yn medru adrodd pwyntiau'r cwmpawd, fesul chwarter pwynt, yn ribidi-res lithrig, o unrhyw bwynt, yn ôl neu ymlaen, mewn cylch cyfan (yr hyn a elwir 'boxing the compass') – ond mae'n amhosib gwneud hynny yn y Gymraeg os defnyddir y geiriau ffurfiol Gogledd, Dwyrain, De a Gorllewin. Y rheswm mwyaf wrth gwrs yw'r ffaith bod tair sill i dri o'r pedwar gair a does dim modd eu talfyrru'n daclus.[83]

Er nad oes esboniad ynglŷn â'r union enwau a ddewiswyd, mae'r ffaith mai enwau merched oedd pob un yn enghraifft arall o'u presenoldeb ym mhob agwedd ar fywyd morwrol Cymru ac yn cadarnhau eu cyfraniad i'r hunaniaeth forwrol Gymreig.

Clo

I raddau helaeth iawn megis cychwyn mae'r drafodaeth ymhlith haneswyr morwrol ar ddylanwad ac arwyddocâd gweithgaredd morwrol ar ddiwylliant, ideoleg a hunaniaeth cymunedau. Ond, fel y noda Jourdin:

> when looking to establish whether or not a community is a maritime community, an attempt to measure the presence of a maritime culture among its members has to be made.'[84]

Bu'r môr yn greiddiol i hunaniaeth cymunedau morwrol Cymru, yn aml yn cael eu hystyried ar wahân, ac yn dra gwahanol, i weddill cymdeithas, fel yn achos cymunedau porthladdoedd mawrion Abertawe a Chaerdydd. Ond roedd y cymunedau morwrol hynny hwythau'n aml yn ystyried eu hunain yn wahanol a hynny er bod ganddynt gymaint yn gyffredin â chymunedau cefn gwlad cyfagos, fel yn achos agweddau pobl Aber-porth a Moelfre, er enghraifft. Er bod nifer o ffactorau a gyfrannai at lunio'r agweddau hynny, does dim dwywaith i ferched gael eu dylanwadu gan, a chyfrannu at, yr ymdeimlad o berthyn i gymuned a byd morwrol ar lefel cartref unigol a'r gymuned ehangach.

Bu merched hefyd, yn eu tro, yn greiddiol i'r hunaniaeth a'r ymwybyddiaeth forwrol oedd i'w cael yn y celfyddydau. Hyd yn oed yn ystod y cyfnod ar gychwyn yr astudiaeth hon, pan nad oedd merched yn amlwg fel gwrthrychau neu ganolbwynt amrywiol fynegiannau diwylliannol a oedd yn cyfleu'r byd morwrol, nid oeddynt yn hollol absennol. Ond yn sicr wrth i'r cyfnod fynd rhagddo daeth merched yn llawer mwy amlwg nid yn unig fel gwrthrychau neu ganolbwynt ond hefyd fel artistiaid, llenorion a chyfranwyr i holl rychwant y byd celfyddydol.

Roedd y merched a drigai yng nghymunedau morwrol Cymru hefyd yn perthyn i gymuned forwrol ryngwladol. Felly byddai merched cymunedau mwyaf anghysbell ein harfordir yn llawer mwy tebygol o wybod am, a lleoliad, Callao a Valparaiso na Llandrindod a Llanbryn-mair. Roedd y statws a'r bri a ddeuai i ran merched i gapteiniaid cymunedau Cymru, yn arbennig y capteiniaid a hwyliai ar led, yn eu dyrchafu o fewn eu cymunedau ond roeddynt hefyd yn cymysgu â merched o'r un cefndir o wledydd eraill mewn porthladdoedd ar hyd a lled y byd. Er bod morwyr a hwyliai'r byd yn rhan o blethiad diwylliannol rhyngwladol, roedd merched a drigai yn y cymunedau morwrol hwythau'n llawer mwy tebygol o gyfarfod a rhannu profiadau gyda phobl o gefndiroedd eraill. Roedd i ferched felly le o fewn y cyfnewid diwylliannol sydd yn nodweddu cymaint o gymunedau morwrol yng Nghymru a thu hwnt. Fel y noda Bjørklund:

> A study of the North Sea culture... [may]... explain the feelings of mutual relationship among the coastal inhabitants of the North Sea.[85]

Nid oedd hunaniaeth forwrol wedi ei gyfyngu i'r cymunedau morwrol yn unig ac felly nid oedd ymwybyddiaeth o, a chyfrannu at, yr hunaniaeth honno wedi ei gyfyngu i ferched y glannau. Heb unrhyw amheuaeth mae diwylliant, ideoleg a hunaniaeth forwrol, a rhan merched o'i fewn, yn faes sydd â photensial enfawr i gyfrannu at ein dealltwriaeth o holl gynfas hanes Cymru ac o le hanes morwrol Cymru yn y byd ehangach.

Nodiadau
1   David Thomas, *Hen Longau Sir Gaernarfon* (ail. arg. Llanrwst, Gwasg Carreg Gwalch, 2007), 295. Argraffiad Cyntaf (Caernarfon, Cymdeithas Hanes Sir Gaernarfon,1952), 182.
2   Thomas, *Hen Longau Sir Gaernarfon*, 298-299. Argraffiad Cyntaf, 184.
3   Hyderaf fod y term hunaniaeth forwrol yn dderbyniol yn y Gymraeg i gwmpasu'r hyn a elwir yn 'maritime notion' a 'maritime perception' yn y Saesneg.
4   M. Mollat du Jourdin; *Europe and the Sea*, (Rhydychen, Blackwell, 1993), 153.
5   Mollat du Jourdin; *Europe and the Sea*, 153

6   Frank Broeze, *Island Nation: A History of Australians and the Sea* (Sydney, Allen & Unwin, 1998).

7   John Keegan, 'The Sea and the English' yn E.E. Rice (gol.), *The Sea and History* (Stroud, Sutton Publishing, 1996), 143.

8   'Golud gwlad gwyddionadur', *Breizh/Llydaw*, 56 (Chwefror, 2012), 7.

9   Mollat du Jourdin; *Europe and the Sea*, 4.

10   Mollat du Jourdin; *Europe and the Sea*, 4.

11   Roedd hynny'n wir yn achos teulu Dr. Elin Jones. Ganwyd ei mam Megan Jones yn 1905, yn ferch i ysgolfeistr, ac roeddynt yn byw yn Ystrad Mynach, Cwm Rhymni. Roedd y traeth yn ddelfrydol ar gyfer gwyliau'r haf 'a byw iawn yn fy nghof yw cwynion mam am wyliau hir a gwlyb mewn tŷ ar y traeth yn Llansteffan, yn ceisio difyrru ei brodyr bach!' Diddorol hefyd yw nodi fod hwylio i Loegr yn agwedd arall ar batrymau gwyliau trigolion y cymoedd: 'Dwedodd mam wrthyf iddi wrthod mynd ar long pleser draw o Benarth i Ilfracombe, am ei bod hi'n ofni'n mynyddoedd iâ – roedd hanes colli'r *Titanic* wedi creu argraff arbennig arni!'

12   Idris Davies, 'Let's go to Barry Island, Maggie Fach' yn Dewi Roberts (gol.), *Coastline: An Anthology of the Welsh Coast* (Llanrwst, Gwasg Carreg Gwalch, 2005), 178.

13   *Y Clorianydd*, 3 Ionawr, 1895.

14   Eryl Wyn Rowlands, *Mastiau a Siafftiau: hanes tref a phorthladd Amlwch, 1793-1913* (Eryl Wyn Rowlands, Amlwch, 2000), 12.

15   Am hanes y Capten Henry Hughes fel perchennog a meistr llongau hwyliau gweler Robin Evans, 'Pwysigrwydd Capten/Perchennog Llongau i Gymuned Forwrol Anghysbell c.1880-1910', *Cymru a'r Môr/Maritime Wales*, 28 (2007), 63-74; hefyd yn Robin Evans, *Ffarwel i'r Grassholm Gribog: Moelfre a'r Môr* (Llanrwst, Gwasg Carreg Gwalch, 2009), 100-108.

16   Cyfweliad efo Idwal Hughes, 21/10/1992 (casgliad yr awdur).

17   Rwy'n ddiolchgar iawn i Olwen Hughes, merch yng nghyfraith Felicina Hughes, am gael gweld yr ysgrif. Ceir fersiwn Gymraeg a Saesneg ac fe'u hysgrifennwyd ar ddau gyfnod gwahanol, sef yn ystod streic answyddogol 1960 mae'n debyg ac yna yn ystod streic Undeb y Morwyr yn 1966.

18   Am hanes tad Felicina Hughes gweler: John Hughes, 'Captain William Rowlands, 1870-1953', *Cymru a'r Môr/Maritime Wales*, 23 (2002), 43-50. Am hanes teulu gŵr Felicina Hughes, y Capten W.J. Hughes, gweler: John Hughes, 'Teulu Penrallt', *Cymru a'r Môr/Maritime Wales*, 28 (2007), 63-74; hefyd yn Robin Evans, *Ffarwel i'r Grassholm Gribog: Moelfre a'r Môr* (Llanrwst, Gwasg Carreg Gwalch, 2009), 188-195.

19   Jane Aaron, 'Eluned Morgan a'r angen am wreiddiau', *Efrydiau Athronyddol* 61 (1998), 86-103.

20   Aaron, 'Eluned Morgan', 87.

21   Eluned Morgan, *Gwymon y Môr* (Y Fenni, Y Brodyr Owen, 1909).

22   Robin Evans, 'Chwarae Plant', *Trafodion Cymdeithas Hynafiaethwyr a Naturiaethwyr Môn* (2001), 44-58; hefyd yn Robin Evans, *Ffarwel i'r Grassholm Gribog: Moelfre a'r Môr* (Llanrwst, Gwasg Carreg Gwalch, 2009), 297-309.

23   *Y Clorianydd*, 22 Ionawr, 1930.

24   Mollat du Jourdin; *Europe and the Sea*, 88-92.

25 J. Glyn Davies, *Cerddi Huw Puw* (Lerpwl, Gwasg Y Brython, 1923).

26 Cledwyn Jones, *Mi Wisga' I Gap Pig Gloyw: John Glyn Davies 1870-1953: Shantis, Caneuon Plant Cherddi Edern* (Caernarfon, Gwasg Pantycelyn, 2003).

27 Jones, *Mi Wisga' I Gap Pig Gloyw*, 59.

28 Jones, *Mi Wisga' I Gap Pig Gloyw*, 84-86.

29 Davies, *Cerddi Huw Puw*, 48-49.

30 Elfyn Talfan Davies ac Evan Maddock, 'Merch y Glannau, Opereta mewn Tair Act' (Wrecsam, Hughes a'i Fab, 1939).

31 Talfan Davies a Maddock, 'Merch y Glannau', 24-25.

32 Talfan Davies a Maddock, 'Merch y Glannau', 14.

33 Peter Lord, *Diwylliant Gweledol Cymru: Y Gymru Ddiwydiannol* (Caerdydd, Prifysgol Cymru, 1998), 12.

34 Lord, *Diwylliant Gweledol Cymru*, 9.

35 Lord, *Diwylliant Gweledol Cymru*, 22.

36 Lord, *Diwylliant Gweledol Cymru*, 104.

37 Lord, *Diwylliant Gweledol Cymru*, 87.

38 Lord, *Diwylliant Gweledol Cymru*, 100-101.

39 Lord, *Diwylliant Gweledol Cymru*, 28.

40 Dangosodd y diweddar Mrs Kitty Griffiths boned oedd yn perthyn i'w theulu i mi yn y 1990au.

41 Glenn Jordan (gol.), *Tramp Steamers, Seamen & Sailor Town: Jack Sullivan's Paintings of Old Cardiff Docklands* (Caerdydd, Butetown History and Arts Centre, 2002).

42 Jordan (gol.), *Tramp Steamers, Seamen & Sailor Town*, 9-24.

43 Jordan (gol.), *Tramp Steamers, Seamen & Sailor Town*, 29.

44 Dyfynwyd gan Jordan (gol.), *Tramp Steamers, Seamen & Sailor Town*, 10.

45 Jordan (gol.), *Tramp Steamers, Seamen & Sailor Town*, 23.

46 Jordan (gol.), *Tramp Steamers, Seamen & Sailor Town*, 33.

47 Jordan (gol.), *Tramp Steamers, Seamen & Sailor Town*, 24, 57.

48 Gweler gwefan 'Your Paintings' http://www.bbc.co.uk/arts/yourpaintings/search/quicksearch/?term=Ship+off+Carmel+H&facets=artists%2Cpaintings%2Ctags&num=36 (gwelwyd 18/3/2012). Llyfrgell Genedlaethol Cymru: KAC/26.

49 Gwefan Catrin Williams: http://www.catrinwilliams.co.uk (gwelwyd 17/10/2012).

50 Lucy Williams, 'Anglesey Windjammer Poetry', *Trafodion Cymdeithas Hynafiaethwyr a Naturiaethwyr Môn* (1941), 46-47. Llsgrf. Bangor 4171-4173.

51 Catherine Fisher, 'Estuary Poems' yn Roberts (gol.), *Coastline*, 199.

52 Gwefan Catherine Fisher: http://www.catherine-fisher.com/pages/poetry/altered_states.asp (gwelwyd 24/5/2012).

53 Katie Gramich (gol.), Eiluned Lewis, *The Captain's Wife* (Dinas Powys, Honno Classics, 2008).

54 Eiluned Lewis, 'Welsh Influences Abroad' (Welsh Home Service, Gorffennaf, 1959); dyfynwyd gan Katie Gramich yn Lewis, *The Captain's Wife*, xi.

55 Mared Lewis, *Min y Môr* (Pwllheli, Gwasg Gwynedd, 2012): lansiad

Porthaethwy, 28 Mawrth, 2012.
56 Jarle Bjørklund, 'Trade and Cultural Exchange in the 17th and 18th Centuries', yn Arne Bang-Andersen, Basil Greenhill, Egil Harald Grude (gol.), *A Highway of Economic and Cultural Exchange Character – History* (Oslo, Norwegian University Press, 1985), 151-165.
57 Kenneth Little, *Negroes in Britain: A Study of Racial Relations in English Society* (Llundain, Routledge, 2002), 132-141. Am grynodeb o ddatblygiad Tre-biwt yng nghyd-destun gweithgaredd morwrol a'i chymeriad aml-ethnig, gweler W.R. (Bodowyn) Owen, '"Tiger Bay": the street of the sleeping cats', *Glamorgan Historian* 7 (1971), 72-86.
58 Laura Tabili, 'Women "of a Very Low Type": Crossing Racial Boundaries in Imperial Britain' yn Laura Levine Frader a Sonya O. Rose (gol.), *Gender and Class in Modern Europe* (Efrog Newydd, Cornell University Press, 1996), 165-190.
59 Tabili, 'Women "of a Very Low Type"', 170.
60 Little, *Negroes in Britain*, 140.
61 Little, *Negroes in Britain*, 136.
62 Laura Tabili, 'Women "of a Very Low Type"', 167.
63 Mari A. Williams, 'Caerdydd, Sir Forgannwg' yn Gwenfair Parry a Mari A. Williams *Miliwn o Gymry Cymraeg! Yr Iaith Gymraeg a Chyfrifiad 1891* (Caerdydd, Gwasg Prifysgol Cymru, 1999), 51-79.
64 Williams, 'Caerdydd, Sir Forgannwg', 51-79.
65 David Jenkins, *Jenkins Brothers of Cardiff: A Ceredigion Family's Shipping Ventures* (Caerdydd, Amgueddfa Genedlaethol Cymru, 1985), 61.
66 Gwent ap Glasnant, 'Y mae'r 'Cymry' du wedi torri eu calon', *Y Ford Gron: papur Cymry'r byd* 4, 8 (Mehefin 1934), 172.
67 Jenkins, *Jenkins Brothers of Cardiff*, 61.
68 Geraint H. Jenkins, Gwenfair Parry a Mari A. Williams, '*Y mae mwy yn ei siarad nag a fu erioed*' yn Parry a Williams *Miliwn o Gymry Cymraeg!*, 470.
69 Gwenfair Parry, 'Porthmadog (Sir Gaernarfon)' yn Parry a Williams *Miliwn o Gymry Cymraeg!*, 409-428.
70 Molt, Elizabeth. 'No Double-Dutch at Sea: How English Became the Maritime *Lingua Franca,' International Journal of Maritime History*, XVIII, 2 (Rhagfyr, 2006), 245-255
71 National Maritime Musuem, 'Life at Sea in the age of Sail', http://www.rmg.co.uk/explore/sea-and-ships/facts/ships-and-seafarers/life-at-sea-in-the-age-of-sail (gwelwyd 12/5/2012).
72 Molt, 'No Double-Dutch at Sea', 246.
73 Bjørklund, 'Trade and Cultural Exchange', 164.
74 Bjørklund, 'Trade and Cultural Exchange', 161.
75 Bjørklund, 'Trade and Cultural Exchange', 165.
76 Bjørklund, 'Trade and Cultural Exchange', 164.
77 David Thomas, 'Geiriau'r môr', *Lleufer : Cylchgrawn Cymdeithas Addysg y Gweithwyr yng Nghymru*, 18, 1 (Gwanwyn 1962), 30-34.
78 T.H. Smith, 'Geirfa Llongwyr Moelfre' yn J.E. Caerwyn Williams (gol.), *Llên a Llafar Môn* (Llangefni, 1963), 105-107 ac eithrio * Thomas, 'Geiriau'r môr', 30-34. Smith hefyd yn Robin Evans, *Ffarwel i'r Grassholm Gribog: Moelfre a'r Môr* (Llanrwst, Gwasg Carreg Gwalch, 2009), 282-284.

79 Thomas, 'Geiriau'r môr', 34.
80 Thomas, 'Geiriau'r môr', 34. Gweler hefyd David Thomas, 'Peilat ar y môr' *Lleufer : Cylchgrawn Cymdeithas Addysg y Gweithwyr yng Nghymru* 7, 1 (Gwanwyn 1951), 12-13.
81 Roedd Rowland Evans a'i fab John Evans, er enghraifft, yn adeiladwyr a pherchnogion llongau ym Morben Isaf, Derwenlas yn Sir Drefaldwyn yn negawdau canol y bedwaredd ganrif ar bymtheg. Gweler: David Jenkins, 'Shipbuilding and shipowning in Montgomeryshire: the Evans family of Morben Isaf, Derwenlas', *Casgliadau Maldwyn* 88 (2000), 63-86.
82 Gwyn Pari Huws, 'Cwmpawd Cymraeg Llafar', *Cymru a'r Môr/Maritime Wales*, 14 (1991), 125-128. Hefyd yn Robin Evans, *Ffarwel i'r Grassholm Gribog: Moelfre a'r Môr* (Llanrwst, Gwasg Carreg Gwalch, 2009), 285-288.
83 Pari Huws, 'Cwmpawd Cymraeg Llafar', 125-128; Evans, 285-288.
84 Mollat du Jourdin; *Europe and the Sea*, 91-92.
85 Bjørklund, 'Trade and Cultural Exchange', 151.

Merched Cymru a'r Môr: rhai casgliadau

Cafwyd newidiadau sylweddol mewn sawl agwedd ar hanes morwrol Cymru yn ystod y ddwy ganrif a hanner ddiwethaf. O'r herwydd nid yw'n syndod fod ein cymunedau morwrol hwythau wedi gweld cryn lanw a thrai yn eu profiadau hwythau dros yr un cyfnod. Does dim dwywaith fod gweithgaredd morwrol a chyfraniad y cymunedau morwrol yn allweddol i hanes Cymru a hynny'n gyson, er nad yw hynny wedi ei werthfawrogi'n llwyr gan haneswyr y brif ffrwd. Bu perthynas Cymru a'r môr yn ddylanwadol ar sawl agwedd ar fywydau merched Cymru ac nid oedd hynny wedi ei gyfyngu i ferched cymunedau'r glannau yn unig. Ond bu merched Cymru hwythau'n ganolog i bob agwedd ar weithgareddau morwrol a'r cymunedau morwrol yn eu tro. Nid cyfranwyr goddefol mo'r merched hynny a hebddynt hwy byddai hanes morwrol Cymru yn wahanol iawn ac yn llawer tlotach.

Yn union fel eu cyfoedion benywaidd mewn cymunedau eraill, y teulu a'r cartref a'r gwaith oedd ynghlwm â'i gadw oedd canolbwynt bywyd mwyafrif merched y cymunedau morwrol. Er y gwelliannau amlwg mewn sawl agwedd ar fywyd a gwaith y cartref dros ddwy ganrif a hanner, y wraig yn bennaf oedd yn ysgwyddo'r baich o'i gynnal o ddydd i ddydd. Roedd absenoldeb y gŵr am gyfnodau maith yn un o brif nodweddion gwraig y cartref morwrol a rhoddai hynny'n sicr fwy o straen arni yn ei bywyd beunyddiol. Fodd bynnag, does dim dwywaith i'r merched hynny ymateb i'r her ac, er y dirywiad mewn strwythurau cymunedol traddodiadol i'w cynorthwyo, fe feddent ar gymeriadau cryfion a olygai eu bod i raddau helaeth iawn yn wragedd annibynnol, er nad oedd hynny o reidrwydd o'u dewis.

Roedd merched hefyd yn gyfranogwyr economaidd pwysig

i'r teulu, fel yr adlewyrchwyd yn bennaf yn y cartrefi pysgota a frithai arfordir Cymru. Os nad oeddynt yn pysgota eu hunain, yna roeddynt yn cyfrannu drwy baratoi'r offer angenrheidiol neu gynorthwyo gyda lansio'r cychod neu dderbyn y cnwd i'r lan. Roeddynt hefyd yn fasnachwyr pysgota. Yn ogystal â physgota, roedd cyfleoedd economaidd eraill i ferched o fewn amrywiol gymunedau morwrol Cymru. Er bod nifer o swyddi a oedd ar gael iddynt hefyd i'w cael mewn cymunedau ar draws Cymru, roedd gwaith a oedd yn uniongyrchol ynghlwm â'r byd morwrol hefyd yn golygu cyfleoedd nad oeddent yn bod mewn cymunedau eraill. Er bod sawl elfen ar gyfraniad economaidd merched yn y cymunedau morwrol yn golygu bod yn gefn i fusnes neu incwm teuluol ac/neu gefnogi gwaith y gŵr, mae tystiolaeth hefyd sy'n awgrymu nad oedd dangos blaengarwch yn estron iddynt. Yn sicr, yn aml nid oedd dewis i ferched ond manteisio ar unrhyw gyfleoedd a ddeuai i'w rhan wrth geisio dal deupen llinyn ynghyd. O'r herwydd roedd eu cyfraniad i'r economi arfordirol yn eang ac yn allweddol.

Bu i ferched chwarae rhan bwysig mewn sawl agwedd ar y busnes llongau yng Nghymru: roeddynt yn fuddsoddwyr sylweddol, yn rhwydweithio er mwyn denu buddsoddwyr amrywiol o ddynion at ei gilydd ac fe chwaraeant ran allweddol wrth fod yn gefn i'r gŵr o fuddsoddwr neu i'r busnes teuluol. Llwyddodd nifer i fanteisio ar y cyfleoedd a godai o fewn y busnes llongau i fentro a llwyddo fel cyfranddalwyr a bu nifer hefyd yn chwarae rhan amlwg fel rheolwyr-berchnogion. Efallai nad o ddewis y bu i nifer o'r merched hyn weithredu fel gwragedd annibynnol ond mae eu cyfraniad yn adlewyrchu'r angen am drafodaeth lawer mwy treiddgar i faint a dylanwad merched i'r busnes llongau yn benodol ac i'r system economaidd yn gyffredinol.

Heb unrhyw amheuaeth, ac er sawl anhawster, bu

merched i'w cael ar longau a hynny mewn amrywiol swyddi dros y canrifoedd. Bu eu cyfraniad yn bwysig ac yn aml fe adlewyrchai'r cyfraniad hwnnw ddatblygiadau yn y byd morwrol yn benodol ac yn y gymdeithas ehangach yn gyffredinol. Yn sicr, erbyn yr unfed ganrif ar hugain bu merched yn weithgar mewn sawl agwedd o'r byd morwrol a fyddai wedi bod y tu hwnt i gyrraedd neu hyd yn oed dychymyg eu cyn-neiniau. Er bod sawl agwedd ar y cyfleoedd a oedd ar gael iddynt yn aml yn estyniad ar eu lle yn y cartref, megis fel stiwardesau yn gweini, er enghraifft, yn raddol ehangodd y cyfleoedd hynny i feysydd eraill fel mae eu profiadau yn y Llynges Brydeinig yn dangos. Nid oes amheuaeth i weithio ar longau apelio at ferched a oedd â natur annibynnol ond teg dweud hefyd nad yw'r llynges fasnach na'r llynges arfog wedi llwyr ganiatáu i ferched gyflawni eu potensial o ran gyrfa.

Bu'r môr yn greiddiol i ddiwylliant, ideoleg a hunaniaeth cymunedau morwrol Cymru, ond nid oedd ei arwyddocâd wedi ei gyfyngu i'r cymunedau hynny. Roedd gan ein cymunedau morwrol nodweddion a'u gwnâi yn wahanol i weddill cymunedau Cymru, ac roedd merched y glannau wedi eu dylanwadu gan, ac yn cyfrannu at, yr ymdeimlad o berthyn i gymuned a byd morwrol ar lefel cartref unigol ac yn y gymuned ehangach. Buont hefyd yn greiddiol i'r hunaniaeth a'r ymwybyddiaeth forwrol oedd i'w cael yn y celfyddydau, nid yn unig fel gwrthrychau neu ganolbwynt amrywiol fynegiannau diwylliannol a oedd yn cyfleu'r byd morwrol, fel artistiaid a llenorion er enghraifft. Roeddynt hefyd yn amlwg o fewn y cyfnewid diwylliannol sydd yn nodweddu cymaint o gymunedau morwrol yng Nghymru a thu hwnt ac sy'n rhan hanfodol o'r hunaniaeth forwrol.

Hyderaf i'r gyfrol hon ddangos nad hanes dynion yn unig fu hanes Cymru a'r môr gan i ferched gyfrannu i'r byd morwrol

Cymreig yn ei holl amrywiaeth. Er mai cyflwyniad i'r pwnc a geir yma, heb unrhyw amheuaeth gellir casglu fod cyfraniad merched yn allweddol i sawl agwedd ar weithgaredd morwrol ar dir a môr. Roedd natur y cymunedau a gweithgaredd morwrol yn sicr yn cynnig cyfleoedd i ferched nad oeddynt ar gael mewn cymunedau eraill ac, mewn rhai ffyrdd, yn meithrin ac yn mynnu gwragedd annibynnol. Er hynny, ymddengys nad cymunedau matriarchaidd oedd ein cymunedau morwrol drwyddynt draw, er presenoldeb cymaint o gartrefi matriarchaidd. Casgliadau cychwynnol yw'r rhain a hyderaf fod yma sylfaen i ymchwil pellach i'r cyfraniad amhrisiadwy a wnaed gan ferched y glannau i'r byd morwrol. Anghyflawn fydd unrhyw ymgais i ddeall hanes morwrol Cymru heb werthfawrogiad lawn o gyfraniad merched i'r hanes hwnnw. Felly hefyd, mae angen cydnabod bod ein hanes morwrol, a lle merched o'i fewn, yn allweddol os am ddeall hanes Cymru yn ei gyflawnder.